Hartmut Aufderstraße
Jutta Müller
Thomas Storz

Lagune

Kursbuch
Deutsch als Fremdsprache

2

Hueber Verlag

alle Hörtexte des gesamten Kursbuches, Band 2

CD   Track

 alle Hörtexte der hinten im Buch eingelegten CD:
- „Fokus sprechen" der 7 Themenkreise
- Übungstest für die Prüfung *Start Deutsch 2*

Track

Redaktion: Veronika Kirschstein, Gondelsheim

Zeichnungen Inhalt: Frauke Fährmann, Pöcking
Zeichnungen *Augenzwinkern*: Martin Guhl, cartoonexpress

Photorecherche: Lisa Mammele

Ein ausführliches Quellenverzeichnis befindet sich auf den Seiten 218–219.

7.   6.   5. | Die letzten Ziffern
2016 15 14 13 12 | bezeichnen Zahl und Jahr des Druckes.
Alle Drucke dieser Auflage können, da unverändert,
nebeneinander benutzt werden.
1. Auflage
© 2006 Hueber Verlag, 85737 Ismaning, Deutschland
Umschlagfoto: © gettyimages / Jean-Pierre Pieuchot
Umschlaggestaltung: Martin Lange Design, Karlsfeld
Satz, Layout, Grafik: Martin Lange Design, Karlsfeld
Druck und Bindung: Himmer AG, Augsburg
Produktmanagement und Herstellung: Astrid Hansen, Hueber Verlag, Ismaning
Printed in Germany
ISBN 978-3-19-001625-9

Inhalt

Vorwort

Liebe Deutschlernerin, lieber Deutschlerner,
mit *Lagune* laden wir Sie ein, die Welt der deutschen Sprache zu entdecken. Sicher und geschützt wie in einer Bucht werden Sie auf Ihrem Lernweg begleitet, dank einer sanften Progression, einer klaren Aufgabenstellung und eines reichhaltigen Übungsangebots. Unterwegs werden Sie auf vieles Interessante, Unterhaltsame und Amüsante treffen, das Sie beim Lernen anregt und Ihnen neue Impulse gibt.

Lagune unterstützt ein kleinschrittiges und kommunikatives Lernen und ermöglicht eine einfache Orientierung: Übergeordnete Themenkreise gliedern sich in jeweils fünf kurze Lerneinheiten, Fokus genannt. Eine solche Einheit berücksichtigt stets alle sprachlichen Fertigkeiten, stellt dabei jedoch immer eine bestimmte Fertigkeit, wie z. B. Lesen oder Hören, in den Mittelpunkt.

Jeder Themenkreis beginnt mit einer Fotocollage, die in das übergeordnete Thema einführt, und klingt mit einer großen Fotodoppelseite zur Landeskunde aus. Ein amüsantes Kurzgespräch, das augenzwinkernd die neuen Lerninhalte nochmals aufnimmt, schließt jeden Themenkreis ab.

Am Ende eines jeden Bandes von Lagune finden Sie einen Übungstest. Damit sind Sie auf die Sprachprüfung der entsprechenden Niveaustufe bestens vorbereitet.

Wir wünschen Ihnen viel Freude und Erfolg beim Deutschlernen mit *Lagune*.

Ihre Autoren und Ihr Hueber Verlag

Themenkreis
Feste und Feiern

Fokus Strukturen

1 Gratulationen

Welche Sätze passen zu den Zeichnungen? Ergänzen Sie.

a. ⬭ Das Kind hat Geburtstag. Das Mädchen gratuliert dem Kind.

b. ⬭ Der Sohn hat die Führerscheinprüfung bestanden. Der Vater gratuliert dem Sohn.

c. ⬭ Die Söhne haben das Fußballspiel gewonnen. Die Väter gratulieren den Söhnen.

d. ⬭ Die Sekretärin ist schon 25 Jahre bei der Firma. Die Tischlerin gratuliert der Sekretärin.

2 Noch mehr Gratulationen

Wie heißen die Sätze? Ergänzen Sie.

a. *Der Vater* hat den Führerschein gemacht.

Der Sohn gratuliert ....

b. .... arbeitet schon 10 Jahre bei der Firma.

Die Sekretärin gratuliert ....

c. .... feiert Geburtstag.

Das Kind gratuliert ....

d. .... haben das Fußballspiel gewonnen.

Die Söhne gratulieren ....

> ◎ der Vater ◎ die Tischlerin ◎
> ◎ dem Vater ◎ dem Mädchen ◎
> ◎ der Tischlerin ◎ den Vätern ◎
> ◎ das Mädchen ◎ die Väter ◎

Nominativ		Dativ
der Sohn	Der Vater gratuliert	**dem** Sohn.
die Tochter	Die Mutter gratuliert	**der** Tochter.
das Kind	Die Eltern gratulieren	**dem** Kind.
die Kinder	Die Eltern gratulieren	**den** Kindern.

3 Spiel: Wer gratuliert wem?

Üben Sie reihum im Kurs.

- ☉ *Der Chef gratuliert der Sekretärin.*
- ◆ *Die Sekretärin gratuliert dem Mädchen.*
- ☐ *Das Mädchen gratuliert den Besuchern.*
- ▶ *Die Besucher gratulieren …*

⑥ der Chef – die Sekretärin	⑥ der Briefträger – die Kinder
⑥ die Sekretärin – das Mädchen	⑥ die Kinder – die Eltern
⑥ das Mädchen – die Besucher	⑥ die Eltern – der Chef
⑥ die Besucher – die Reporterin	⑥ der Chef …
⑥ die Reporterin – der Briefträger	

4 Er hilft ihm.

Was passt zu den Sätzen a. – j.? Ergänzen Sie.

1. Sie hören ihr zu. 2. Es dankt ihm. 3. Es winkt ihm. 4. Sie antwortet ihnen. 5. ~~Er hilft ihm.~~
6. Er hört ihnen zu. 7. Sie dankt ihm. 8. Sie antwortet ihr. 9. Er hilft ihr. 10. Sie winken ihnen.

a. Der Vater schmückt den Weihnachtsbaum. Der Sohn hilft dem Vater.   5 *Er hilft ihm.*

b. Die Lehrerin fragt die Schülerin. Die Schülerin antwortet der Lehrerin.

c. Das Kind gratuliert dem Hochzeitspaar. Das Hochzeitspaar dankt dem Kind.

d. Die N̲achbarn sehen die Kinder. Die N̲achbarn winken den Kindern.

e. Die Mutter singt. Die Kinder hören der Mutter zu.

f. Die Kinder singen. Der Vater hört den Kindern zu.

g. Das Mädchen geht aus dem Haus. Das Kind winkt dem Mädchen.

h. Die Großmutter schmückt den Baum. Der Enkel hilft der Großmutter.

i. Die Schüler fragen die Lehrerin. Die Lehrerin antwortet den Schülern.

j. Die Tochter bekommt ein Geschenk. Die Tochter dankt dem Vater.

antworten, danken, gratulieren, helfen, winken, zuhören …	**Nominativ**	**Dativ**
	er	ihm
	sie	ihr
	es	ihm
+ Dativ	sie	ihnen

5 **Ein Feuerwehrfest mit Tombola**

a. Notieren Sie die Nummern.

A ③ Der Pfarrer hat einen Hut gewonnen. Aber der Hut gefällt ihm nicht. Er schenkt ihn dem Bürgermeister.

B ◯ Die Bäuerin hat eine Bluse gewonnen. Aber die Bluse passt ihr nicht. <u>Sie</u> schenkt <u>sie</u> der Lehrerin.

C 1 Das Kind hat ein Eis bekommen. Aber das Eis schmeckt ihm nicht. <u>Es</u> gibt <u>es</u> dem Schwein.

D ◯ Die Sänger haben Krawatten gewonnen. Aber die Krawatten gefallen ihnen nicht. Sie schenken sie den Clowns.

gefallen, passen, schmecken ...
+ Dativ

schenken, geben ...
+ Dativ + Akkusativ

Nominativ	Akkusativ	Dativ
er	ihn	ihm
sie	sie	ihr
es	es	ihm
sie	sie	**ihnen**

b. Notieren Sie die Nummern und ergänzen Sie die Pronomen.

A ● Der Bürgermeister hat ein Bild gewonnen. Aber es gefällt ihm nicht. Er schenkt .... dem Pfarrer.

B ● Die Polizistin hat einen Bikini gewonnen. Aber der Bikini passt .... nicht. Sie schenkt .... der Bäuerin.

C ● Der Feuerwehrmann hat eine Tafel Schokolade gewonnen. Aber die Schokolade schmeckt _ihm_ nicht. Er schenkt _sie_ dem Kind.

D ● Die Lehrerin hat eine Halskette bekommen. Aber sie gefällt .... nicht. Sie gibt .... der Polizistin.

E ● Die Fotografin hat Handschuhe bekommen. Aber sie passen _ihr_ nicht. Sie gibt _sie_ dem Briefträger.

6 Was schenkst du wem? Wem schenkst du was?

a. Lesen Sie die Gespräche.

☉ Wem schenkst du den Kalender?
◆ Ich schenke ihn meinem Freund.

☉ Was schenkst du deiner Mutter?
◆ Ich schenke ihr die Creme.

☉ Für wen ist das Parfüm?
◆ Ich schenke es meiner Schwester.

☉ Was ist für deine Eltern?
◆ Ich schenke ihnen die DVDs.

b. Variieren Sie die Gespräche.

| ⊚ Kalender ⊚ Creme ⊚ |
| ⊚ Parfüm ⊚ DVDs ⊚ Rucksack ⊚ |
| ⊚ Jacke ⊚ Buch ⊚ Bücher ⊚ |
| ⊚ Pullover ⊚ Vase ⊚ Kleid ⊚ |
| ⊚ Blumen ⊚ Uhr ⊚ Feuerzeug ⊚ |
| ⊚ Bild ⊚ Fotos ⊚ ... ⊚ |

| ⊚ ihn |
| ⊚ sie |
| ⊚ es |
| ⊚ sie |

| ⊚ mein Freund ⊚ meine Freundin ⊚ |
| ⊚ meine Freunde ⊚ mein Vater ⊚ |
| ⊚ meine Mutter ⊚ meine Eltern ⊚ |
| ⊚ mein Bruder ⊚ meine Schwester ⊚ |
| ⊚ meine Geschwister ⊚ meine Großmutter ⊚ |
| ⊚ mein Großvater ⊚ meine Großeltern ⊚ |
| ⊚ mein Chef ⊚ meine Chefin ⊚ ... ⊚ |

Ich schenke	meinem Freund	_die_ den Rucksack.
	ihn	meinem Freund.
	meiner Freundin	die Tasche.
	sie	meiner Freundin.
	meinem Kind _Ans_	ein Auto.
	es	meinem Kind.
	meinen Eltern _die_	CDs.
	sie	meinen Eltern.

Ich schenke	meinem Freund	einen Rucksack.
	ihm	einen Rucksack.
	meiner Freundin	eine Tasche.
	ihr	eine Tasche.
	meinem Kind	ein Auto.
	ihm	ein Auto.
	meinen Eltern	CDs.
	ihnen	CDs.

Fokus Lesen

1 Feste und Feiertage in Deutschland

a. Was meinen Sie: Welche Feste oder Feiertage sehen Sie auf den Fotos? Diskutieren Sie im Kurs.

b. Jeweils zwei Fotos passen zu einem Fest oder Feiertag. Notieren Sie die Nummern.

 Foto 1 und
Silvester feiert man am 31. Dezember mit einem Feuerwerk. Um 12 Uhr nachts trinkt man Sekt.

 Foto und
Ostern feiert man im März oder April. Man bemalt Eier mit Farbe und isst Osterhasen aus Schokolade.

 Foto und
An **Weihnachten** schmückt man zu Hause einen Baum. Viele gehen in die Kirche.

 Foto und
Im **Karneval** ist (fast) alles erlaubt. Die Menschen sind lustig und tragen Masken und Kostüme.

 Foto und
Der erste Mai ist der Tag der Arbeit. Die Gewerkschaften veranstalten Demonstrationen.

 Foto und
Der 3. Oktober ist der **National-feiertag** in Deutschland. Am Brandenburger Tor gibt es ein Fest.

2 Welche Feste und Feiertage gibt es in Ihrem Land?

Erzählen Sie im Kurs: Welche Feste und Feiertage gibt es? Wann feiert man sie? Was macht man da?

☉ *Bei uns feiert man …* ♦ *… ist sehr wichtig.* □ *Man isst … Man trinkt …* ▶ *Die Leute tanzen / machen Musik …*

3 Eine Nachricht auf dem Anrufbeantworter

a. Lesen Sie die drei Texte.

1. „Hallo Katja, hier ist Anny. Katja, bist du da? Ach nein, es ist nur der Apparat. Ich habe lange nichts von dir gehört. Aber es ist ja bald Weihnachten. Sicher hast du wenig Zeit. Geht es euch gut? Rufst du mich mal an? Oder schreib mir eine Mail. Gruß und Kuss von deiner Anny."

2. „Hallo Katja, hier ist Anny. Wie geht es dir? Sind die Kinder alle gesund? Schreib mir doch mal wieder eine Mail. Auch über das Weihnachtsfest bei euch in Deutschland. Ich weiß da sehr wenig. Bis bald, liebe Katja. Herzliche Grüße an euch alle."

3. „Hallo Katja, hier ist Anny. Was machst du, liebe Katja? Ich denke oft an dich. Uns geht es gut. Wie geht es euch? Ruft uns doch mal wieder an. Sicher hast du jetzt vor Weihnachten viel Arbeit, oder? Viele Grüße aus Kapstadt von deiner Anny."

b. Hören Sie die Nachricht auf dem Anrufbeantworter. Was sagt Anny? Ist es Text 1, 2 oder 3? 1|2

Nominativ	Akkusativ	Dativ
ich	mich	mir
du	dich	dir
wir	uns	uns
ihr	euch	euch

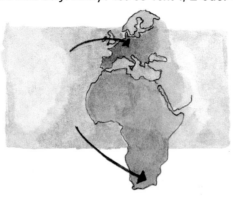

4 Weihnachtsfotos für Anny

Katja will Anny ein paar Weihnachtsfotos schicken. Sie schreibt auch etwas dazu.
Welcher Satz passt zu welchem Foto?

a.   Hier sieht man unseren Adventskranz am zweiten Advent. Da brennen schon zwei Kerzen.

b.   Da sind die Kinder mit dem Nikolaus. Er hat Spielsachen und Süßigkeiten im Sack.

c.   Die Kugeln am Weihnachtsbaum funkeln. Wir schmücken den Baum immer rot.

d.   Die Krippe darf natürlich unter dem Weihnachtsbaum nicht fehlen.

e.   Die Gans schmeckt uns immer wunderbar.

f.   Da habe ich Plätzchen gebacken. Sie kommen gerade aus dem Backofen.

5 Eine E-Mail für Anny

Lesen Sie den ersten Teil der E-Mail. Was schreibt Katja? Was ist richtig? ✗

a. Sie hat vor Weihnachten immer viel Zeit.

b. Sie liebt Weihnachten.

c. Mit ihrer Mutter hat sie ab November immer Brot gebacken.

d. Sie hat dem Nikolaus immer einen Brief geschrieben.

e. Am 6. Dezember hatte sie immer ein bisschen Angst.

f. Der Nikolaus hat immer gefragt: „Wart ihr denn auch fleißig?"

g. Am zweiten Advent zündet man zwei Kerzen am Adventskranz an.

h. Als Kind hat Katja bei den Großeltern gefeiert.

○ ○ ○	Neue E-Mail	

Senden Anhang Adressen Schriften Als Entwurf sichern

An: | anny.gyg@gmx.com

Liebe Anny,

vielen Dank für Deinen Anruf. Ich will Dich auch schon seit Wochen anrufen, aber vor Weihnachten habe ich immer so wenig Zeit. Kannst Du mir verzeihen?

Du möchtest mehr über unser Weihnachtsfest erfahren, hast Du gesagt. Ich liebe Weihnachten, denn es gibt für mich so viele Erinnerungen. In meiner Kindheit haben die Vorbereitungen schon viele Wochen vor dem Fest begonnen. Ab November hat meine Mutter mit mir Plätzchen gebacken und Weihnachtsschmuck gebastelt. Und natürlich habe ich immer einen Wunschzettel geschrieben.

Am 6. Dezember ist Nikolaustag. Da hatte ich als Kind immer ein bisschen Angst. Ein Onkel hat den Nikolaus gespielt. Er hatte einen Bart aus Watte und er hatte Mütze, Mantel und Stiefel an. Auf dem Rücken hatte er einen Sack und in der Hand eine Rute. Er hat mich und meinen Bruder sehr streng angeschaut und gesagt: „Ich habe euch etwas mitgebracht. Wart ihr denn auch brav?" Natürlich waren wir nicht immer brav, aber wir haben trotzdem „ja" gesagt. Dann hat er uns Süßigkeiten und Spielsachen aus seinem Sack geschenkt.

 Die vier Sonntage vor Weihnachten sind der erste, zweite, dritte und vierte Advent. Am ersten Advent zündet man eine Kerze am Adventskranz an, am zweiten die zweite und so weiter. Bei uns hat früher der Adventskranz auf dem Küchentisch gestanden. Abends hat mein Vater die Kerzen angemacht; dann haben wir Weihnachtslieder gesungen und Plätzchen gegessen.

In der Nacht vor Weihnachten habe ich kaum geschlafen. Die Aufregung war zu groß. Am 24. Dezember, am Heiligabend, sind wir ganz früh zu den Großeltern auf den Bauernhof gefahren. Wir haben immer bei den Großeltern gefeiert. Da war dann die ganze Familie, mindestens 20 Personen.

6 **Was steht im zweiten Teil der E-Mail?**

Unterstreichen Sie die Textstellen und besprechen Sie Ihre Antworten im Kurs.

a. Wo hat der Weihnachtsbaum gestanden? Wer hat ihn geschmückt?
b. Endlich hat man die Kinder ins Wohnzimmer gerufen. Was haben sie dort gesehen?
c. Wie war das Weihnachtsessen?
d. Mit wem feiert Katja in diesem Jahr Weihnachten?

7 **Wie ist das in Ihrem Land?**

- Feiern Sie in Ihrem Land auch das Weihnachtsfest?
- Welche Traditionen sind gleich oder ähnlich? Welche Unterschiede gibt es?
- Was isst man in Ihrem Land an Weihnachten?
- Welche Feste sind in Ihrem Land wichtig? Welche Erinnerungen aus der Kindheit haben Sie daran?
- Zu welchem Fest bekommen die Kinder in Ihrem Land Geschenke?

An: anny.gyg@gmx.com

 Nach dem Mittagessen ist mein Großvater allein ins Wohnzimmer gegangen und hat den Weihnachtsbaum geschmückt. Wir Kinder haben zusammen gespielt und waren natürlich furchtbar aufgeregt. Später hat meine Oma uns eine Weihnachtsgeschichte vorgelesen. Endlich war es so weit und Opa hat uns ins Wohnzimmer gerufen. Das war ein wundervoller Moment: Alle Kerzen haben gebrannt, die Christbaumkugeln haben gefunkelt und unter dem Baum war die Krippe. Und da haben natürlich auch die Geschenke gelegen! Jedes Kind hat ein Gedicht aufgesagt und dann haben wir die Päckchen aufgemacht.

Einmal habe ich eine Puppe bekommen. Sie war wunderschön und hat „Mama" gesagt. Ich war so glücklich; ich weiß es noch wie heute. Spät in der Nacht sind dann alle in die Mitternachtsmesse gegangen.

Am nächsten Tag war immer das große Festessen: Gans mit Klößen und Rotkohl. Die Weihnachtsgans war mit Äpfeln und Nüssen gefüllt; das hat mir wunderbar geschmeckt.

Aber jetzt muss ich langsam Schluss machen. Ich habe Plätzchen im Backofen. Am 23. Dezember kommt meine Schwester mit ihrem Mann. Sie möchten bis Silvester bleiben. Wir haben gerne Gäste über Weihnachten, dann können wir zusammen feiern und es ist ein bisschen wie früher. Die Geschenke für die Kinder haben wir schon lange ausgesucht und gut versteckt.

Ich grüße Dich und Deine Familie ganz herzlich

Deine Katja

PS: Im Anhang schicke ich ein paar Weihnachtsfotos für Dich mit.

1 Auf dem Weihnachtsmarkt

a. Was erkennen Sie auf den Fotos?

b. Besprechen Sie im Kurs:

Was kann man auf einem Weihnachtsmarkt
machen / essen / trinken / kaufen?
Was kennen Sie? Was kennen Sie nicht?

○ Man kann ... essen / trinken / kaufen.
◆ Bratwurst / Zuckerwatte ... kenne ich / kenne ich nicht.
□ ... habe ich schon gegessen.
   ... habe ich noch nie getrunken.

◎ Karussell fahren ◎ alles anschauen ◎ ... ◎
◎ Bratwurst ◎ Fischbrötchen ◎
◎ Glühwein ◎ Süßigkeiten ◎
◎ Zuckerwatte ◎ Bonbons ◎ ... ◎
◎ Weihnachtsschmuck ◎
◎ Kugeln ◎ Krippe ◎ ... ◎

2 „Gefällt Ihnen der Weihnachtsmarkt?"

a. Lesen Sie die Sätze und hören Sie dann das Interview. Was ist richtig? ✗

A ⬭ Der Weihnachtsmarkt ist ihr ein bisschen zu voll.
B ⬭ Sie hat einen Glühwein getrunken und eine Bratwurst gegessen.
C ⬭ Am 20. Dezember fliegt sie mit ihrem Mann nach Österreich.
D ⬭ Ein Weihnachtsbaum fehlt ihr nicht.
E ⬭ Sie feiert Weihnachten mit ihren Kindern.

**b. Hören Sie das Interview noch einmal und vergleichen Sie
Ihre Lösungen im Kurs.**

c. Was erzählt die Frau dem Reporter? Berichten Sie mündlich im Kurs.

3 „Wie feiern Sie Weihnachten?" `1|4`

a. Lesen Sie die Sätze und hören Sie das Interview. Was passt zusammen?

A Der Weihnachtsbaum muss groß sein; das

B Ihr Mann schmückt den Weihnachtsbaum und sie

C Sie will es an Weihnachten schön ruhig und

D Eine Weihnachtsgans

E Ihre Tochter ist fünf Jahre alt und

1. gemütlich haben.
2. ist ihr zu kompliziert.
3. glaubt noch an den Weihnachtsmann.
4. hilft ihm ein bisschen.
5. ist ihr wichtig.

b. Hören Sie das Interview noch einmal. Schreiben Sie es dann zusammen mit einem Partner in Kurzform auf und spielen Sie es im Kurs vor.

4 „Wie finden Sie den Weihnachtsmarkt?" `1|5-6`

Lesen Sie die Sätze und hören Sie die Interviews. Was ist richtig? **X**

Interview 1

A Er findet die Atmosphäre auf dem Weihnachtsmarkt ganz schön.

B Weihnachten ist ihm ziemlich egal.

C Er und seine Freundin haben viel Platz für einen Weihnachtsbaum.

D Kochen macht ihnen Spaß.

E Er schenkt seiner Freundin ein Radio.

Interview 2

A Der Weihnachtsmarkt ist ihm zu kommerziell.

B Er liebt Kitsch.

C Die Krippen auf dem Weihnachtsmarkt sind ihm zu teuer.

D Er feiert bei den Eltern, denn Weihnachten ist ihnen sehr wichtig.

E Das Essen ist ihm immer zu wenig.

Er findet den Weihnachtsmarkt zu kommerziell.   Der Weihnachtsmarkt **ist ihm zu kommerziell**.
Sie findet die Krippen zu teuer.   Die Krippen **sind ihr zu teuer**.

5 Was meinen Sie?

Sie haben jetzt vier Interviews gehört. Welche Einstellung haben die Personen zu Weihnachten?

⊙ *Die Frau in Übung 2 findet Weihnachten nicht wichtig. Sie feiert das Fest nicht.*

♦ *Das kann ich verstehen. Sie und ihr Mann haben keine Kinder.*

☐ *Aber man kann Weihnachten doch auch ohne Kinder schön feiern.*

▶ *Ich finde ...*

6 Kostüme im Karneval

a. Welche Kostüme erkennen Sie?

b. Besprechen Sie im Kurs: Wer tanzt mit wem?

◉ *Der Eisbär tanzt mit dem Ritter.*
◆ *Die Indianerin tanzt …*

| ◎ der Clown ◎ der Tiger ◎ die Hexe ◎ |
| ◎ der Zauberer ◎ der Papagei ◎ der Vampir ◎ |
| ◎ der Ritter ◎ die Indianerin ◎ der Eisbär ◎ |
| ◎ die Maus ◎ die Bauchtänzerin ◎ |
| ◎ die Königin ◎ die Mumie ◎ der Seeräuber ◎ |

c. Wie finden Sie die Kostüme?

◉ *Den Papagei finde ich witzig.*
◆ *Der/Die … macht mir Angst.*
☐ *Dem/Der … ist das Kostüm bestimmt zu …*

d. Was möchten Sie im Karneval gerne sein? Was nicht?

◉ *Ich möchte eine Maus sein. Das finde ich lustig.*
◆ *Ein Eisbär möchte ich nicht sein. Das Kostüm ist mir zu warm.*
☐ *Eine/Eine … möchte ich auf keinen Fall sein. Das ist mir zu …*

| ◎ schön ◎ hässlich ◎ warm ◎ |
| ◎ kalt ◎ unbequem ◎ bequem ◎ |
| ◎ lustig ◎ witzig ◎ kitschig ◎ |
| ◎ schrecklich ◎ kompliziert ◎ |

7 „Prost Neujahr!" 1|7

a. Hören Sie das Gespräch. Welche Sätze hören Sie? ✗

2007

1. „Macht mal den Fernseher an! Es ist gleich zwölf!"
2. „Sind die Sektgläser in der Küche?"
3. „Das Bier steht schon auf dem Küchentisch."
4. „Es ist gleich 12 und wir haben noch nichts zu essen."
5. „Die Musik ist zu laut. Man kann den Fernseher nicht hören!"
6. „Ein glückliches neues Jahr, mein Schatz!"
7. „Wir machen das Feuerwerk auf dem Balkon!"
8. „Ich habe leider keine Streichhölzer!"

b. Wann feiert man in Ihrem Land Neujahr? Wie und wie lange feiert man? Erzählen Sie im Kurs.

8 Bleigießen: Was bringt das neue Jahr? 1|8

a. Lesen Sie die Sätze und hören Sie dann das Gespräch.

b. Was passt? Ergänzen Sie die Wörter.

1. „Ein Fisch ist gut! Das bedeutet _____. Hier steht: Im neuen Jahr bleiben Sie gesund wie ein Fisch im Wasser."

2. „Ein Vogel? Sie müssen im Beruf aufpassen. Sie bekommen sonst eine _____."

3. „Eine Münze bedeutet _____: Du wirst reich im neuen Jahr!"

4. „Eine Schlange bedeutet Streit: Sie bekommen _____ mit Ihren Nachbarn."

5. „Ein Messer ist gar nicht gut. Es bedeutet eine _____ im neuen Jahr."

◎ Gesundheit ◎ Krankheit ◎ Geld ◎ Ärger ◎ Kündigung ◎

c. Besprechen Sie im Kurs:

- Kennt man in Ihrem Land auch Bleigießen? Oder macht man etwas Ähnliches?
- Wie kann man sonst noch ‚in die Zukunft schauen'?
- Was bringt in Ihrem Land Glück?

4 Fokus Sprechen

1 Wörter mit „r"   1|9   2

a. Hören Sie die Wörter und sprechen Sie nach.

war – waren   fotografieren – fotografiert   Klavier – Klaviere
fahrt – fahren   Tor – Tore   Tiere – Tier
hören – gehört   Formulare – Formular   ihr – ihre
passieren – passiert Japaner – Japanerin

b. Wo kann man das „r" deutlich hören? Unterstreichen Sie.

2 Sätze aus Wörtern mit „r"

Erfinden Sie Sätze zusammen mit einem Partner/einer Partnerin. Lesen Sie die Sätze im Kurs vor.

der Tischler	fotografieren	unser	Koffer
die Tischlerin	reparieren	unsere	Klavier / Klaviere
die Tischler	kontrollieren	unseren	Brief / Briefe
die Tischlerinnen	rasieren	euer	Adresse / Adressen
Fotograf/in	anrufen	eure	Bärte
Taxifahrer/in	schreiben	euren	Freund / Freundin
Verkäufer/in	buchstabieren	ihr	Freunde
Frisör/in	heiraten	ihre	Schwester / Bruder
Sekretärin	...	ihren	...
...			

Der Tischler repariert unser Klavier.
Heiratet der Frisör unsere Schwester?

....
....
....

3 „Wem gehört das?"

a. Lesen Sie das Gespräch.

⊙ Sag mal, gehört dir der Rucksack?

◆ Nein, das ist nicht meiner.
Aber ist das vielleicht deine Brille?

⊙ Ja, die gehört mir. Danke.

Rucksack	Brille	
Wörterbuch	Uhr	
Kugelschreiber		
Kalender	Bilder	
Fahrrad	...	

b. Variieren Sie das Gespräch und spielen Sie es mit einem Partner/einer Partnerin im Kurs.

4 **Hören Sie die Gespräche und sprechen Sie nach.**

Gespräch 1

☉ Grüß dich, Bernd. Wie geht es dir?

◆ Danke, Rolf. Und wie geht's dir?

☉ Auch gut. Hast du heute Zeit?

◆ Heute nicht. Es tut mir leid.
Ich ruf' dich an. So um vier?

☉ Ja, um vier. Da passt es mir.

> Ich ruf' dich an. = Ich rufe dich an.

Gespräch 2

☉ Guten Tag, Herr Sundermann.
Wann fängt denn Ihr Urlaub an?

◆ Freitag ist das schon, Herr Noll,

☉ Freitag schon? Das find' ich toll.
Ist Ihr Flug denn früh am Morgen?

◆ Ja. Ich muss noch viel besorgen.

☉ Dann guten Flug, Herr Sundermann.
Bald fängt auch unser Urlaub an.

5 **Mir oder mich ...?**

a. Was passt? Ergänzen Sie die Pronomen.

1. Schreibst du _____ einen Brief?

2. Wann rufst du _____ an?

3. Schickst du _____ eine SMS?

4. Hilfst du _____?

5. Besuchst du _____ am Samstag?

6. Fotografierst du _____ mal?

7. Schenkst du _____ das Foto hier?

8. Wann antwortest du _____?

9. Kannst du _____ gut hören?

10. Hast du _____ genau zugehört?

b. Hören Sie dann und kontrollieren Sie.

c. Zu welcher Frage aus a. passt die Antwort? Ergänzen Sie die Nummer.

A ③ Mein Handy ist kaputt. Ich kann dir leider keine schicken.

B ◯ Nein, nicht so gut, du sprichst ein bisschen leise.

C ◯ Ja, ich schreibe dir gerne einen.

D ◯ Tut mir leid, am Wochenende habe ich keine Zeit.

E ◯ Ja, dieses ist für dich.

F ◯ Ja, ich helfe dir gerne.

G ◯ Bald bekommst du eine Antwort von mir.

H ◯ Ich kann dich Dienstagabend anrufen.

I ◯ Ja, ganz genau. Ich habe kein Wort vergessen.

J ◯ Ja, ich mache gerne ein Foto von dir.

d. Lesen Sie dann die Fragen mit den passenden Antworten im Kurs vor.

6 „Passt dir der Hut?" „Gefällt Ihnen der Hut?"

a. Lesen Sie die Gespräche.

⊙ Passt dir der Hut?

◆ Nein, er ist mir ein bisschen zu klein.

⊙ Und die Hose?

◆ Sie ist mir zu kurz.

⊙ Passt dir das Hemd?

◆ Nein, es ist mir viel zu lang.

⊙ Gefällt Ihnen der Hut?

◆ Ja, er gefällt mir gut. Und wie finden Sie ihn?

⊙ Mir ist er zu bunt.

b. Variieren Sie die Gespräche und spielen Sie sie im Kurs vor.

⑥ Hut	⑥ Kleid		⑥ zu
⑥ Hose	⑥ Schuhe		⑥ ein bisschen zu
⑥ Hemd	⑥ Handschuhe	⑥ gut passen	⑥ viel zu
⑥ Mantel	⑥ Strümpfe	⑥ nicht passen	
⑥ Bluse	⑥ Pullover	⑥ nicht so gut passen	⑥ groß
	⑥ …	⑥ gefallen	⑥ klein
		⑥ nicht so gut gefallen	⑥ kurz
⑥ Bild	⑥ Teppich	⑥ gar nicht gefallen	⑥ lang
⑥ Bilder	⑥ Spiegel	⑥ schön … finden	⑥ bunt
⑥ Fotos	⑥ Blumen	⑥ nicht so schön … finden	⑥ modern
⑥ Ansichtskarte	⑥ Sofa		⑥ alt
⑥ Lampe	⑥ Sessel		⑥ langweilig
⑥ Vase	⑥ Film		⑥ …
	⑥ …		

der – er
die – sie
das – es?

7 „Schmeckt dir der Kuchen?"

Lesen Sie das Gespräch und variieren Sie es dann zu zweit.

⊙ Schmeckt dir der Kuchen?

◆ Ja, er schmeckt mir prima. Und dir?

⊙ Ich finde ihn auch lecker.

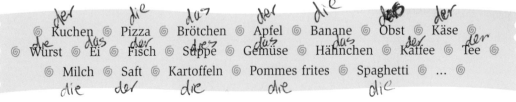

⑥ Kuchen ⑥ Pizza ⑥ Brötchen ⑥ Apfel ⑥ Banane ⑥ Obst ⑥ Käse ⑥
⑥ Wurst ⑥ Ei ⑥ Fisch ⑥ Suppe ⑥ Gemüse ⑥ Hähnchen ⑥ Kaffee ⑥ Tee ⑥
⑥ Milch ⑥ Saft ⑥ Kartoffeln ⑥ Pommes frites ⑥ Spaghetti ⑥ … ⑥

8 **Einladungsgespräche**

Hören Sie die Gespräche und spielen Sie sie mit einem Partner/einer Partnerin nach.

Gespräch 1

☺ Darf ich Sie zu einem Kaffee einladen?

◆ Das ist nett von Ihnen. Aber ich bin sehr in Eile.

☺ Oh! Das ist wirklich schade!

◆ Ja. Aber ich muss noch so viel erledigen. Heute Abend bin ich zu einer Hochzeitsfeier eingeladen.

☺ Dann möchte ich Sie nicht aufhalten. Ich wünsche Ihnen einen schönen Abend.

Gespräch 2

☺ Wollen wir zusammen eine Pizza essen? Hast du Zeit?

◆ Ja, sicher. Ich bin erst später verabredet.

☺ Dann komm, ich lade dich ein!

◆ Danke, das ist sehr nett von dir.

9 **Variieren Sie die Gespräche.**

Darf ich	Sie dich euch	zu	einer Cola einer Pizza einer Bratwurst einem Eis	einladen?

Das ist sehr freundlich von		Ihnen. dir.
Aber	ich habe wir haben	es sehr eilig.

Dann will ich	Sie dich euch	nicht aufhalten.
Ich wünsche	Ihnen dir euch	viel Spaß. viel Glück. viel Erfolg. eine gute Reise. eine gute Fahrt. schöne Urlaubstage. schöne Ferien. ein schönes Wochenende.

heute heute Nachmittag heute Abend in einer Stunde morgen früh morgen Nachmittag am Wochenende	zu einer Party eingeladen sein mit ... in die Disco gehen wollen eine Klausur schreiben für das Examen lernen müssen nach Paris fliegen in Urlaub fahren Besuch bekommen

Wollen wir zusammen	ein Bier trinken? eine Wurst essen?
Hast du Haben Sie	Zeit? Lust?

Ja, sicher. Ich bin erst	später in 2 Stunden heute Abend	verabredet.

5 Fokus Schreiben

1 Hören Sie zu und schreiben Sie. 1|15

.... geboren. .... vor
.... Deshalb ....

Dann .... natürlich ....

Aber ....

2 Glückwunsch- und Grußkarten

a. Auf welcher Karte sieht man ...

2   eine Torte?

○   ein Paar, ein Herz und einen Blumenstrauß?

○   zwei Gläser und eine Zahl?

○   einen Weihnachtsbaum?

○   einen Doktorhut und Bücher?

○   einen Führerschein, Mineralwasser und Autoschlüssel?

○   Eier und Farben?

b. Ergänzen Sie die Karten.

c. Zu welchem Anlass schickt man die Karten?

◉ *Die Karte mit der Torte schickt man zum Geburtstag.*

◆ *Die Karte mit dem Paar, dem Herz und ... schickt man zur ...*

□ *Die Karte mit ...*

Geburtstag ◎ Führerscheinprüfung ◎
◎ Silberhochzeit ◎ Weihnachten ◎
◎ Ostern ◎ Examen ◎ Hochzeit ◎

3 Grüße und Wünsche

Lesen Sie die Grußkarten und ergänzen Sie die Sätze.

Lieber Bernd,

nachträglich herzlichen _Glückwunsch_ zu

.... zwanzigsten ....

Ich habe .... nicht vergessen, aber ich war

verreist. Hoffentlich bist Du .... nicht böse.

Ich wünsche .... alles .... und

viel .... im neuen Lebensjahr.

.... Tom

	◎ G̶l̶ü̶c̶k̶w̶u̶n̶s̶c̶h̶	
	◎ Gute	
◎ Gute	◎ Geburtstag	
◎ Hochzeit	◎ Glück	◎ neues Jahr
◎ Dank	◎ ihn	◎ Weihnachten
◎ Ihr	◎ Deinem	◎ Spaß
◎ Ihnen	◎ Dir	◎ uns
◎ Ihrem	◎ mir	◎ Euch
◎ unsere	◎ Dein	◎ ihnen
◎ Ihre		◎ Euren
◎ Glück		◎ Euer
		◎ Eure

Liebes Brautpaar

vielen .... für die Einladung

zu Ihrer .... Leider

können wir zu .... Fest nicht

kommen. .... Tochter wohnt

in Sydney und bekommt bald

ein Baby. Deshalb fliegen wir für

drei Wochen nach Australien. Wir

wünschen .... viel ....

und alles .... für das Leben

zu zweit.

Mit herzlichen Grüßen

.... Manfred und

.... Roswitha Müller

Liebe Britta, lieber Claus,

wir wünschen .... fröhliche ....

und ein glückliches ....

Hoffentlich könnt Ihr .... bald einmal besuchen.

Wir schicken .... Kindern ein Computerspiel

auf CD-ROM mit und wünschen .... damit viel

....

Herzliche Grüße

.... Petra und .... Hans-Georg

4 Private Zeitungsanzeigen

a. Lesen Sie die Anzeigen.

---

*Für die vielen Glückwünsche
und Geschenke
zu unserer **Silberhochzeit**
danken wir allen Bekannten,
Freunden und Verwandten
ganz herzlich.*
Gisela und Horst Brünger

1

Wir freuen uns
über die Geburt von

Eva-Lotta

22. Januar 2006
3.400 g – 49 cm

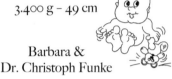

Barbara &
Dr. Christoph Funke

2

---

*Sie liebt ihn und er liebt sie
Darum sag niemals nie*

Dagmar Höhl
Jan Broder

*Unsere Trauung ist am
16. Februar um 10.30 Uhr
im Standesamt Neuenkirchen*

3

---

*Liebe Oma Luise!
Alles Gute und viel Gesundheit
zum 85. Geburtstag
Herzlichen Glückwunsch von Bernd,
Jana und Roland, Ralf und Silke*

4

Heute ist
Waldemar Koslowski
30 Jahre
in unserem Betrieb.

Zu diesem Jubiläum gratulieren
die Kolleginnen und Kollegen
aus der Werkstatt
und die Geschäftsleitung
Fa. Kupferschmied GmbH

5

Wir haben es genau notiert:
Ab heute ist **Max** pensioniert
und hat nun viel mehr Zeit
für Hobby und Vereinsarbeit!
Wir gratulieren herzlich:
Deine Kameraden vom
Sportverein TUS Waldorf 07

6

Lieber Schatz!
Bitte verzeih mir!
Deine Maus

7

Wir geben uns das Ja-Wort
Bianca Osterfeld
Wolfgang Heemann

*am 17. Februar 2006
um 11 Uhr
in der Christophorus-Kirche*

8

Endlich ist sie da!

Johanna Katharina

31.01.06
Es freuen sich
Jürgen, Gesine und Marlon Beyer
und alle Verwandten

9

Morgen feiern wir ganz fleißig:
Unser **Heribert** wird

30

Und er ist noch ganz schön fit.
Drum bringt genug Getränke mit!

10

---

*Barbara
Ich liebe Dich
Dein Stefan*

11

---

b. Was passt zu welcher Anzeige?

A *8* Sie heiraten in der Kirche.

B Sie wiegt fast 3,5 kg.

C Sie bittet ihn um Entschuldigung.

D Das Kind ist am 31. Januar geboren.

E Sie gratulieren der Großmutter.

F Er hat 30 Jahre in einer Firma gearbeitet.

G Sie sind seit 25 Jahren verheiratet.

H Sie wollen morgen eine Geburtstagsparty feiern.

I Sie heiraten nur auf dem Standesamt, nicht in der Kirche.

J Er liebt Barbara.

K Er geht heute in Rente.

c. Wie finden Sie die Anzeigen? Was gibt es in Ihrem Land auch? Was gibt es nicht? Diskutieren Sie im Kurs.

◎ *Anzeige 11 finde ich sehr romantisch.*

◆ *Das finde ich nicht. Das ist mir zu privat.*

□ *So etwas schreibt man doch nicht in die Zeitung!*

▶ *Warum nicht? Anzeige ... ist doch auch ...*

> ◎ normal ◎ nicht normal ◎ langweilig ◎
> ◎ nett ◎ zu privat ◎ romantisch ◎
> ◎ komisch ◎ interessant ◎ lustig ◎ ... ◎

5 Karten schreiben

a. Schreiben Sie eine Glückwunschkarte als Antwort auf Anzeige 3 oder 8. Arbeiten Sie mit einer Partnerin oder einem Partner.

Wünschen Sie dem Brautpaar Glück, alles Gute usw. Leider können Sie nicht zur Trauung kommen. Sie müssen morgen für zwei Wochen geschäftlich verreisen. Danach möchten Sie das Paar in ein Restaurant einladen.

b. Entwerfen Sie ein schönes Motiv für den Umschlag und zeichnen Sie es.

6 Anzeigen entwerfen

Entwerfen Sie selbst in kleinen Gruppen eine Zeitungsanzeige für einen der folgenden Anlässe:

- Eine Verwandte / ein Verwandter hat Geburtstag. Sie gratulieren zusammen mit der ganzen Familie.

- Eine Freundin / ein Freund wird 25. Sie veranstalten eine Party für ihn und laden alle Freunde ein.

- Sie haben ein Examen bestanden / geheiratet / Geburtstag gefeiert und danken allen für die Glückwünsche und Geschenke.

Das können Sie jetzt:

- Über Feste und Feiern sprechen
- Wünsche und Glückwünsche äußern
- Vorbereitungen für ein Fest beschreiben
- Erzählen, was man zu bestimmten Festen isst und trinkt
- Jemanden einladen / auf Einladungen reagieren
- Glückwunsch- und Grußkarten schreiben
- Private Zeitungsanzeigen verstehen und entwerfen
- Gefallen / Missfallen ausdrücken

Fröhliche Weihnachten

✲ Und? Was sagst du? Gefällt dir die Krawatte?

▦ Ja, vielen Dank. Sie gefällt mir sehr gut.

✲ Gefällt sie dir wirklich?

▦ Ja, natürlich. Nur die Farben ..., die sind vielleicht ein bisschen zu bunt.

✲ Oh! Aber das Hemd gefällt dir doch, oder? Oder ist es dir zu groß?

▦ Nein, nein, es passt mir gut. Das Hemd ist sehr bequem. Vielen Dank.

✲ Ist es dir wirklich nicht zu groß? Du kannst es mir ruhig sagen.

▦ Na ja, es ist mir vielleicht ein bisschen zu groß – aber wirklich nur ein bisschen.

✲ Das sind ja fröhliche Weihnachten: Die Krawatte ist dir zu bunt, das Hemd ist dir zu groß ...

▦ Nein, nein, deine Geschenke sind sehr schön! – Wie findest du denn deinen Bademantel?

✲ Er ist toll. Vielen Dank!

▦ Gefällt er dir wirklich?

✲ Ja, er gefällt mir sehr gut. Nur ...

▦ Was nur? Er ist dir zu klein, oder?

✲ Hmm, aber nur ein bisschen ...

▦ Nun sei wieder fröhlich! Es ist doch Weihnachten. Wir machen es einfach wie immer.

✲ Was meinst du? Was machen wir wie immer?

▦ Nach den Feiertagen gehen wir in die Stadt und tauschen alles um.

✲ Oh ja! Wir tauschen alles um – wie immer. Fröhliche Weihnachten, Liebling!

Themenkreis
Essen und trinken

Fokus Strukturen

1   An der Kasse

a. Schauen Sie das Foto an und lösen Sie die Aufgabe zusammen mit einem Partner/einer Partnerin.
Was kauft Herr Wagner? **X**

Herr Wagner kauft ...

- ⬭ ein Kilogramm Bananen
- ⬭ ein Pfund Zwiebeln
- ⬭ 750 Gramm Pilze
- ⬭ ein Glas Marmelade
- ⬭ einen Liter Milch
- ⬭ eine Kiste Mineralwasser
- ⬭ einen Becher Sahne
- ⬭ ein Glas Senf
- ⬭ eine Flasche Wein
- ⬭ eine Schachtel Pralinen
- ⬭ vier Becher Joghurt
- ⬭ ein Kilogramm Mehl
- ⬭ eine Flasche Öl
- ⬭ Hähnchenschenkel
- ⬭ eine Pizza
- ⬭ ein Brot
- ⬭ ein Päckchen Fischstäbchen
- ⬭ zwölf Eier

b. Vergleichen Sie die Ergebnisse im Kurs.

2   Was soll Herr Wagner noch mitbringen?   1|17

Hören Sie zu und ergänzen Sie.

eine Kiste ....

drei Flaschen ....

ein Kilogramm ....

ein Pfund ....

zehn ....

ein Glas ....

⊚ Kartoffeln ⊚ Würstchen ⊚ Cola ⊚
⊚ Mayonnaise ⊚ Butter ⊚ Saft ⊚

der Saft	– **eine Flasche** Saft
die Sahne	– **ein Becher** Sahne
das Wasser	– **eine Kiste** Wasser
die Kartoffeln	– **ein Sack** Kartoffeln

Frau Loos

Frau Hagen

3 Was haben die Frauen eingekauft?

Was hat Frau Loos gekauft? L   Was hat Frau Hagen gekauft? H

H eine Dose Würstchen

☐ ein Pfund Kaffee

☐ ein Päckchen Margarine

☐ eine Tüte Nudeln

☐ ein Stück Käse

☐ einen Kopf Salat

☐ eine Tafel Schokolade

☐ drei Stück Torte

☐ eine Kiste Getränke

☐ drei Tüten Bonbons

☐ sechs Dosen Cola

☐ drei Tuben Senf

☐ einen Sack Kartoffeln

☐ ein Paket Hundekuchen

☐ zwei Flaschen Saft

☐ ein Pfund Birnen

☐ einen Sack Holzkohle

☐ zwei Gläser Gurken

4 Er kauft Mehl, weil er einen Kuchen backen will.

Was passt zusammen? Überlegen Sie zusammen mit einem Partner/einer Partnerin
und vergleichen Sie die Lösungen im Kurs.

a. Er kauft Mehl, 5

b. Sie kauft Nudeln, ☐

c. Sie kauft Getränke, ☐

d. Sie kauft Bonbons, ☐

e. Er kauft Hähnchenschenkel, ☐

f. Sie kauft Hundekuchen, ☐

g. Er kauft Fischstäbchen, ☐

h. Sie kauft Birnen, ☐

i. Sie kauft Holzkohle, ☐

1. weil Bello das gern frisst.

2. weil seine Kinder gern Fisch essen.

3. weil Obst gesund ist.

4. weil sie eine Nudelsuppe kochen will.

5. weil er einen Kuchen backen will.

6. weil sie eine Party geben will.

7. weil ihre Kinder gern Süßigkeiten essen.

8. weil sie grillen will.

9. weil er gern Geflügel isst.

| Er kauft Fischstäbchen. | Die Kinder **essen** gern Fisch. |
| Er kauft Fischstäbchen, **weil** die Kinder | gern Fisch **essen.** |

Fokus Strukturen

5 Am Buffet 1|18

a. Hören Sie zu und ergänzen Sie die Antworten.

 kein Gemüse esse lieber Nudelsalat esse keinen Hunger habe mir zu salzig sind mir zu fett ist kein Schweinefleisch esse

1. ⊙ Warum isst du keine Bohnen?   ◆ *Weil ich kein Gemüse esse.*
2. ⊙ Warum nimmst du keine Gurken?   ◆ *Weil sie* .
3. ⊙ Warum isst du kein Kotelett?   ◆ *Weil ich* .
4. ⊙ Warum probierst du den Kartoffelsalat nicht?   ◆ *Weil ich* .
5. ⊙ Warum nimmst du keinen Gänsebraten?   ◆ *Weil er* .
6. ⊙ Warum isst du so wenig?   ◆ *Weil ich* .

b. Ergänzen Sie die Sätze zusammen mit einem Partner/einer Partnerin.
   Vergleichen Sie dann die Lösungen.

1. mir zu scharf sein 2. mir zu sauer sein 3. abnehmen wollen 4. mir zu süß sein
5. Durst haben 6. viel Obst essen sollen 7. mir zu bitter sein

1. ⊙ Warum nimmst du keinen Pfeffer?   ◆ *Weil* .
2. ⊙ Warum nimmst du keine Zitrone zum Fisch?   ◆ *Weil* .
3 ⊙ Warum nimmst du keine Sahne?   ◆ *Weil* .
4. ⊙ Warum isst du keinen Kuchen?   ◆ *Weil* .
5. ⊙ Warum nimmst du drei Gläser Saft?   ◆ *Weil* .
6. ⊙ Warum nimmst du so viele Trauben?   ◆ *Weil* .
7. ⊙ Warum tust du so viel Zucker in den Tee?   ◆ *Weil* .

c. Machen Sie ein Frage- und Antwortspiel im Kurs.

⊙ *Warum isst du kein Eis?*   ◆ *Weil es mir zu süß ist.*
⊙ *Warum nimmst du keinen Wein?*   ◆ *Weil ich keinen Alkohol trinke.*   ⊙ *Warum …?*

6 Essen in der Schulkantine

a. Lesen Sie den Zeitungsbericht.

Immer nur Pizza?

Essen in der Schulkantine: Es soll gut schmecken, frisch, gesund und auch noch preiswert sein. Für den Koch ist das gar nicht so einfach. 800 Kinder und Jugendliche mögen nicht alle dasselbe. Eine Schülergruppe an der „Albert Einstein" – Gesamtschule hat eine Umfrage in der Kantine gemacht: „Was magst du am liebsten?" Die Antworten sollen dem Küchenchef in Zukunft bei der Planung helfen. „Am liebsten mag ich Hamburger und Pommes", sagt Cecilia aus der 7. Klasse, „aber das kriegt man ja hier nicht." – „Pizza natürlich!" ist die Antwort von Sven, 9. Klasse. Mirko aus Klasse 6 möchte am liebsten jeden Tag Nudeln haben. Interessant ist die Antwort von den Zwillingen Miriam und Janina aus der 11. Klasse. „Wir mögen überhaupt nicht dasselbe. Janina mag am liebsten Schnitzel und ich bin Vegetarierin", sagt Miriam.

Und hier die Hitliste aus allen Antworten: Auf Platz 1 – weit vor allen anderen: Pizza! Nudeln mit Tomatensoße und Pommes frites folgen auf den Plätzen 2 und 3. Auf den Plätzen 4 bis 8 liegen: Fischstäbchen, Huhn, Würstchen mit Kartoffelsalat, Schnitzel, Bratkartoffeln mit Schinken. Überraschend: Hamburger und Frikadellen kommen erst auf den Plätzen 9 und 10. Und das mögen die Schüler nicht so gern: Gemüsesuppe, Salat, Reis, Pilze und Bohnen. W~~enn es nach den Wünschen~~ ~~Kinder ginge, dann würde nur~~ ...

b. Warum haben die Schüler eine Umfrage gemacht?

c. Was mögen Cecilia, Sven, Mirko, Miriam und Janina am liebsten?

d. Welche Speisen liegen auf den Plätzen 1 bis 10?

7 Ein Speiseplan für die Albert-Einstein-Schule

Entwerfen Sie in einer kleinen Gruppe einen Speiseplan für eine Woche (Montag bis Freitag) in der Albert-Einstein-Schule. Vergleichen Sie dann mit den anderen Gruppen und diskutieren Sie die Ergebnisse.

 Jeden Tag Salat? Das ist doch langweilig. ◆ *Nein, das ist gesund.*
□ *Salat ist wichtig, weil die Schüler Vitamine brauchen.* ▶ ...

8 Was haben Sie als Kind gemocht?

Machen Sie eine Umfrage im Kurs zu den folgenden Fragen.

* Was haben Sie als Kind am liebsten gegessen/getrunken?
  Mögen Sie das heute auch noch?

* Was haben Sie als Kind überhaupt nicht gemocht?
  Essen/trinken Sie das heute?

 Als Kind habe ich keine Tomaten gemocht. Heute mag ich sie gern.
◆ *Ich mag am liebsten Huhn. Das habe ich schon als Kind gern gemocht.*
□ *Früher habe ich am liebsten Fleisch gegessen. Heute mag ich lieber Fisch.*

gern – **lieber** – **am liebsten**

	mögen
ich	**mag**
du	**magst**
er/sie/es/man	**mag**
wir	mögen
ihr	mögt
sie/Sie	mögen
er/sie/es/man	**hat gemocht**

1 Lokale

a. Was passt wo?

1. ⬜ der Biergarten   4. ⬜ das Café   7. ⬜ die Autobahn-Raststätte

2. ⬜ das Stehcafé   5. ⬜ das Gasthaus   8. ⬜ das Hähnchen-Restaurant

3. ⬜ der Döner-Imbiss   6. ⬜ der Fisch-Imbiss   9. ⬜ das Hamburger-Restaurant

b. Was meinen Sie? Welche Quittung passt zu welchem Lokal?

5

Frühlingssuppe	3,20
Schweinebraten spezial	12,30
Glas Weißwein	3,20

Lokal ⬜

Schwarzwälder Kirschtorte	2,80
Apfelkuchen	1,90
Kännchen Kaffee (2)	5,40
	10,10

Mehrwertsteuer inklusive

Lokal ⬜

1 Weißbrot	1,90
5 Brötchen	2,25
1 Tasse Kaffee	0,80

Lokal ⬜

Fischbrötchen	1,49
Heringssalat	2,10
Cola	1,30
Portion Bratkartoffeln	1,59

Lokal ⬜

3 Pommes groß	3,90
2 Ketchup	1,80
1 Mayonnaise	0,90
1 Fischburger	2,10
1 Käseburger	1,55
1 Classic Burger	1,99

Lokal ⬜

Pott Kaffee	2,10
Frikadelle/Brötchen	2,40
Total	4,50
MwSt 16%	0,62

Vielen Dank für Ihren Besuch und gute Fahrt!

Lokal ⬜

2 „Wenn ich richtig Hunger habe ..." 1|19

a. Hören Sie die Interviews. Was passt zusammen?

A „Wenn ich richtig Hunger habe, _6_ (really)

B „Wenn ich wenig Zeit habe,

C „Wenn ich Hunger auf Fisch habe,

D „Wenn ich meine Freundin einladen möchte,

E „Wenn die Sonne scheint,

F „Wenn ich mal nicht kochen möchte,

G „Wenn ich Brötchen hole,

H „Wenn ich auf Reisen bin,

I „Wenn ich mit dem Auto unterwegs bin,

1. gehe ich mit Freunden in den Biergarten."

2. halte ich oft an einer Raststätte."

3. gehe ich meistens in ein Hamburger-Restaurant."

4. gehe ich in die ‚Nordsee'."

5. trinke ich immer eine Tasse Kaffee im Stehcafé."

6. gehe ich ins Gasthaus."

7. gehe ich zum Imbiss."

8. gehe ich mit meiner Familie in den ‚Wienerwald'."

9. gehe ich mit ihr ins Café."

	Er **hat**	richtig Hunger.	**Er**	geht	ins Gasthaus.
Wenn	er	richtig Hunger	**hat**,	geht	**er**	ins Gasthaus.

b. Hören Sie die Interviews noch einmal. Welche Begründung passt wo?

_7_ Das geht am schnellsten.

_2_ Da mache ich am liebsten Pause.

_5_ Da ist der Kaffee am billigsten.

_9_ Da ist die Atmosphäre am schönsten.

_8_ Da bekommt man am meisten für sein Geld.

_4_ Da schmeckt der Fisch am besten.

_1_ Da schmeckt das Bier am besten.

_3_ Das ist am einfachsten.

_6_ Da sind die Portionen am größten.

1. Biergarten
2. Raststätte
3. Hamburger-Restaurant
4. Nordsee
5. Stehkaffee
6. Gasthaus
7. Imbiss
8. Wienerwald
9. Café

	Superlativ
schnell	**am schnellsten**
groß	**am größten**
gern	**am liebsten**
viel	**am meisten**
gut	**am besten**

3 Und Ihr Lieblingslokal?

Wo gehen Sie am liebsten etwas essen oder trinken? Bei welchen Anlässen? Warum? _(occasion)_

☺ *Wenn ich wenig Zeit / richtig Hunger ... habe, gehe ich am liebsten / meistens / zu ...*

◆ *Wenn ich aus dem Schwimmbad / Theater / Kino / Deutschkurs ... komme, ...*

☐ *Wenn wir eine Familienfeier / ein Kurstreffen ... machen, ...*

▶ *Da ist es am billigsten.*
Da schmeckt es mir am besten
...

Menschen im Café

Betrachten Sie die Zeichnung. Was passt?

a. Die Frau vorne rechts

b. Die Frau hinten rechts

c. Der Mann hinten in der Mitte

d. Das Kind am Tisch links

e. Der Mann hinten rechts

1. bemalt die Tischdecke.

2. trägt einen Hut.

3. bestellt etwas von der Speisekarte.

4. liest Zeitung.

5. ist die Kellnerin.

5 **„Wenn Maria kommt ..." (Teil 1)**

Lesen Sie den Text auf der ersten Seite einmal schnell durch. Was ist richtig? **X**

a. Der Erzähler ist der Mann hinten in der Mitte.

b. Er wartet auf Maria.

c. Wenn Maria kommt, bringt sie eine Nachricht.

d. Er bestellt eine Flasche Bier.

e. Tee ist gut für Marias Stimme.

f. Maria mag keinen Tee.

Wenn Maria kommt

Hoffentlich kommt Maria. Sie hat es nicht versprochen. Sie kommt, wenn sie es schafft – hat sie gesagt. Nach der Probe.

Wenn Maria kommt, hat sie eine Nachricht. Hoffentlich.

Ich habe Durst. Eigentlich möchte ich ein Bier trinken, aber das schmeckt mir nicht, weil es im Café nur Bier in Flaschen gibt. Was steht auf der Speisekarte? Wasser, Cola, Limonade ... Keine Zeit zum Überlegen, weil die Bedienung schon neben mir steht. Ich bestelle ein Kännchen Kaffee und ein Stück Schwarzwälder Kirschtorte. Die mag ich am liebsten. Wenn ich Kaffee trinke, kann ich nachts nicht schlafen. Aber es ist ja erst vier Uhr. Und schlafen kann ich heute Nacht sicher sowieso nicht.

Die Frau am Nachbartisch isst einen Eisbecher mit viel Sahne. Sie trägt einen Hut und hat ihre Handtasche auf den Tisch gestellt.

Ich trinke den Kaffee vorsichtig in kleinen Schlucken, weil er sehr heiß ist. Ich habe immer noch Durst. Warum habe ich keinen Eistee bestellt?

Neben der Garderobe sitzt eine Mutter mit einem Kleinkind. Sie redet ohne Pause mit einer Freundin. Das Kind malt mit einem Buntstift auf die Tischdecke. Alle Tische haben Decken. Einige haben Kaffeeflecken. Die da kriegt jetzt auch noch rote Striche. Was macht die Bedienung wohl, wenn sie das sieht?

Wenn Maria kommt, bestellt sie sicher ein Glas Tee. Sie trinkt immer Tee. Der ist gut für ihre Stimme, sagt sie.

Mein Tischnachbar liest Zeitung. Sicher hat er seine Brille vergessen, weil er die Zeitung so dicht vor seine Nase hält.

80

6 **„Wenn Maria kommt ...“ (Teil 2)**

a. Lesen Sie den zweiten Textteil. Was passt? Arbeiten Sie mit einem Partner/einer Partnerin.

Maria (A)   Der Erzähler (B)   Das Mädchen am Fenster (C)

1. _c_ sieht traurig aus.
2. ◯ heißt Curt.
3. ◯ küsst den Erzähler.
4. ◯ bestellt noch ein Stück Kirschtorte.
5. ◯ bestellt einen Eisbecher.
6. ◯ beobachtet das Mädchen am Fenster.
7. ◯ weint vielleicht.
8. ◯ bestellt einen Kognak.
9. ◯ ruft die Kellnerin und zahlt.
10. ◯ kommt von der Probe für ein Theaterstück.
11. ◯ schaut Maria in die Augen.
12. ◯ ist aufgeregt.
13. ◯ bringt eine Nachricht vom Regisseur.
14. ◯ nimmt ihren Mantel und geht.
15. ◯ kriegt eine Rolle in dem Theaterstück.

b. Lesen Sie den ganzen Text noch einmal genau. Welche Stellen sind am wichtigsten für die Geschichte? Markieren Sie die Sätze.

c. Schreiben Sie zusammen mit einem Partner/einer Partnerin eine kurze Zusammenfassung. Vergleichen Sie im Kurs.

Der Erzähler sitzt in einem Café. Er wartet auf ... Erst bestellt er ... Dann ... Endlich kommt ...

~ ❦ ❦ ~ ❦ ❦ ~ ❦ ❦

Halb fünf. Maria ist immer noch nicht da. Am Tisch vor dem Fenster sitzt ein Mädchen. Wie alt mag sie sein? Ich sehe ihr Gesicht nur halb. Sind das Tränen in ihren Augen? Schaut sie aus dem Fenster, weil sie auch wartet?

Jetzt winkt sie der Kellnerin und bezahlt. „Stimmt so“, sagt sie, steht langsam auf, nimmt langsam ihren Mantel von der Garderobe, geht langsam zur Tür, schaut noch einmal zurück zum Tisch. Er ist jetzt leer. Weil er nicht gekommen ist? Weil sie jetzt gehen muss? Weil seine Liebe nicht groß genug war? Weil ein Traum zu Ende ist ...?

Ich rufe die Kellnerin. „Noch ein Stück bitte!“ – „Oh, Ihnen schmeckt es aber!“ – „Wie immer!“ antworte ich. Stimmt, die Kirschtorte ist heute besonders gut. Aber am besten schmeckt es mir, wenn ich nicht allein essen muss. Eigentlich habe ich auch keinen Hunger mehr, aber vielleicht kommt Maria ja ...

Viertel vor fünf. Mein Blick wandert zur Tür. Nichts. Immer noch nichts. Wenn sie nicht bald kommt, ist auch mein Traum zu Ende. Dann gehe ich. Dann sollen sie es ohne mich machen. Was denkt die Bedienung wohl, wenn ich jetzt noch einen Kognak bestelle? Egal.

Da kommt der Kognak. Und da kommt – Maria. Ich habe sie nicht gesehen. Nur einen Augenblick habe ich die Tür nicht beobachtet. Aber jetzt ist sie da. Nur nicht nervös werden! Jetzt ruhig bleiben! Wenn ihre Nachricht schlecht ist – dann war's das eben. Dann kann man nichts machen. Irgendwie geht es trotzdem weiter.

„Hallo!“, sage ich und stehe auf. Sie lächelt und küsst mich flüchtig auf die Wange. „Tut mir leid“, sagt sie, „die Probe hat so lange gedauert.“

„Macht nichts“, höre ich mich ganz ruhig sagen. „Wie war's denn?“ Mein Puls schlägt 150. „Was?“ – „Na, die Probe.“ – „Ach so. Gut. Prima. Also, das Stück ist toll!“ Das weiß ich, aber das will ich nicht hören.

Wenn sie jetzt nichts sagt, dann ... Ich schaue ihr in die Augen. „Aber nimm doch erst mal Platz!“

Wieder kommt die Bedienung. Maria bestellt einen Becher Eis mit Sahne. Aber sie sagt nichts. Na gut, es hat nicht geklappt. Es gibt auch noch andere Städte für mich. Und andere Theater.

Was ich am meisten an Maria mag? Ihre Augen. Graublau, immer ein bisschen traurig. Aber plötzlich funkeln sie. Am schönsten ist Maria, wenn sie aufgeregt ist: „Weißt du was, mein lieber Curt? Ich habe mit dem Regisseur gesprochen. Alles klar – du bekommst die Rolle!“

81

Fokus Hören

1 Alles für das Frühstück

a. Was ist was? Arbeiten Sie mit einem Partner/einer Partnerin.

H der Honig

D der Toast

A das Schwarzbrot, das Graubrot

C das Brötchen

L das Ei

G der Käse

I das Müsli

B das Weißbrot

E der Zwieback, das Knäckebrot

K der Quark

J das Gebäck

F die Wurst, der Schinken, die Salami

b. Was kennen Sie (nicht)? Was mögen Sie (nicht)?

2 Eine Umfrage: Was frühstücken Erwachsene an Wochentagen vor der Arbeit?

adult

a. Lesen Sie die drei Umfrage-Ergebnisse rechts.

b. Was ist richtig? ✗

1. ✗ Tee trinkt man am meisten.
2. ☐ Nur fünf Prozent essen morgens Knäckebrot oder Zwieback.
3. ✗ Am liebsten essen die Leute morgens Brötchen.
4. ✗ 32 Prozent essen Honig oder Marmelade.
5. ☐ Kuchen oder Gebäck essen die Leute am wenigsten.
6. ☐ 2 Prozent mögen am liebsten Kakao.
7. ✗ 63 Prozent trinken gern Saft zum Frühstück.
8. ☐ Käse zum Frühstück mögen 32 Prozent.
9. ✗ Nur 2 Prozent essen gern ein Ei.

c. Besprechen Sie Ihre Ergebnisse im Kurs.

⊙ *Satz 1 ist nicht richtig. Die Leute trinken am liebsten Kaffee.*

◆ *Satz ... ist richtig/falsch. ...*

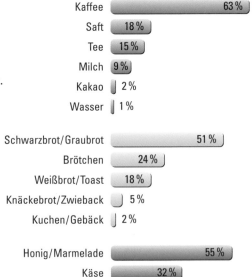

Kaffee 63 %
Saft 18 %
Tee 15 %
Milch 9 %
Kakao 2 %
Wasser 1 %

Schwarzbrot/Graubrot 51 %
Brötchen 24 %
Weißbrot/Toast 18 %
Knäckebrot/Zwieback 5 %
Kuchen/Gebäck 2 %

Honig/Marmelade 55 %
Käse 32 %
Wurst 25 %
Quark 8 %
Müsli 7 %
Ei 5 %

3 „Wie frühstücken Sie?"

a. Hören Sie die Interviews. Welches Interview passt zu welcher Person?

Interview 1: Person Nr.

Interview 2: Person Nr.

Interview 3: Person Nr.

Interview 4: Person Nr.

b. Welche Aussagen passen zu welcher Person?

A frühstückt früher als die Familie.

B trinkt nur eine Tasse Kaffee und frühstückt später in der Kantine.

C isst morgens mehr als mittags oder abends.

D frühstückt nicht viel, sondern isst lieber gut zu Mittag.

E trinkt ein Glas Orangensaft.

F isst ein Brötchen mit Marmelade oder Honig.

G verträgt Tee besser als Kaffee.

H ist bei der Arbeit fröhlicher, wenn er gut gefrühstückt hat.

I isst ein Ei, Brötchen mit Wurst und Schwarzbrot mit Schinken.

J isst manchmal eine Scheibe Brot mit Käse.

K isst einen Teller Müsli.

L isst einen Becher Joghurt.

M gewinnt das Buch „Gesund frühstücken".

	Komparativ	
spät	spät**er**	
früh	früh**er**	
gern	**lieber**	als …
viel	**mehr**	
gut	**besser**	

4 Was frühstücken Sie gewöhnlich?

a. Was isst man in Ihrem Land zum Frühstück? Erzählen Sie im Kurs.

☉ *Ich trinke lieber Milch als Kaffee.*

◆ *Sonntags esse ich morgens mehr als sonst.*

☐ *Käse schmeckt mir besser als Wurst.*

▶ *Bei uns trinkt man viel mehr Tee als Kaffee.*

◇ *In meinem Land isst man Reis und Gemüse zum Frühstück.*

b. Machen Sie ein Interview mit einem Partner.

☉ *Hast du morgens viel Appetit oder wenig?*

☉ *Um wie viel Uhr frühstückst du meistens?*

☉ *Was hast du heute gefrühstückt?*

5 **Eine Einladung zum Essen**

a. Lesen Sie die Sätze. Dabei können Sie zuerst im Kurs raten: Was ist vielleicht richtig?

1. ◯ Es gibt zuerst Salat und danach Schweinebraten.
   ◯ Es gibt zuerst Suppe und danach Lammbraten.

2. ◯ Herr Breuer hat die Knödel gemacht.
   ◯ Herr Breuer hat die Suppe gemacht.

3. ◯ Frau Amato probiert den Wein. Aber sie möchte auch Mineralwasser.
   ◯ Frau Amato trinkt keinen Wein. Sie möchte nur Mineralwasser.

4. ◯ In Süddeutschland gibt es viel Sonne, aber keine Weinberge.
   ◯ In Süddeutschland gibt es viele Weinberge und viel Sonne.

5. ◯ Frau Amato möchte das Rezept einer Freundin geben.
   ◯ Frau Amato möchte das Rezept gern selbst ausprobieren.

6. ◯ Als Dessert gibt es Kirschen mit Sahne.
   ◯ Als Dessert gibt es Erdbeeren mit Sahne.

b. Hören Sie das Gespräch. Was ist richtig? ✗ 1|21 ◉

c. Hören Sie das Gespräch noch einmal und achten Sie auf die Ausdrücke.

1. Was sagt man, wenn man einen Stuhl anbietet?
   ◯ „Machen Sie bitte Platz!"
   ◯ „Nehmen Sie bitte Platz!"
   ◯ „Platzen Sie bitte!"

2. Was sagt man, wenn man Wein trinkt?
   ◯ „Zum Wohl!"
   ◯ „Alles Gute!"
   ◯ „Viel Spaß!"

3. Was sagt man, wenn man mit dem Essen anfängt?
   ◯ „Na dann!"
   ◯ „Viel Glück!"
   ◯ „Guten Appetit!"

4. Wie heißt die Antwort auf „Guten Appetit"?
   ◯ „Danke gleichfalls!"
   ◯ „Egal!"
   ◯ „Sie auch!"

5. Was kann man sagen, wenn man nichts mehr essen möchte?
   ◯ „Es schmeckt ausgezeichnet, aber ich bin wirklich satt."
   ◯ „Es schmeckt ausgezeichnet, aber ich mag nicht mehr."
   ◯ „Es schmeckt ausgezeichnet, aber ich will nicht mehr."

6 Ein Gespräch beim Essen

Bilden Sie Dreiergruppen. Bereiten Sie in jeder Gruppe ein Gespräch (ähnlich wie in Übung 5) vor.
Besprechen Sie zuerst: Wer ist Gast, wer ist Gastgeber? Was gibt es zu essen und zu trinken?
Üben Sie kurz in der Gruppe und spielen Sie das Gespräch dann im Kurs vor.

- Bitte nehmen Sie doch Platz.
- Geben Sie mir bitte Ihren Teller?
- Wie schmeckt Ihnen der/die/das ...?
- Möchten Sie ... oder lieber ...?
- Der/Die/Das ... ist/sind ausgezeichnet!
- Ich gebe Ihnen gern das Rezept.
- Kann ich bitte noch etwas/noch ein ... haben?
- Darf ich Ihnen noch etwas/ein ... geben?
- Vielen Dank, aber es geht wirklich nicht mehr.
- ...

7 Im Restaurant

a. Hören Sie das Gespräch. Was ist richtig?

1. Arnold und Sonja ...
   - müssen warten, weil kein Tisch frei ist.
   - haben einen Tisch reserviert.
   - haben keinen Tisch reserviert.

2. Wie viel Bargeld hat Arnold dabei?
   - 170,– Euro
   - 50,– Euro
   - 40,– Euro

3. Sonja sagt:
   - „Nimm doch deine Kreditkarte."
   - „Nimm doch meine Kreditkarte."
   - „Hol doch deine Kreditkarte."

4. Arnold sagt:
   - „Gehen wir wieder."
   - „Kommen wir wieder."
   - „Gehen wir lieber."

5. Sonja sagt:
   - „Bestell ruhig das Kotelett. Ich nehme das Omelett."
   - „Bestell ruhig das Omelett. Ich nehme das Kotelett."
   - „Bestell ruhig das Omelett. Ich nehme auch das Omelett."

6.
   - Sie essen beide eine Vorspeise.
   - Nur Sonja isst eine Vorspeise.
   - Sie essen beide keine Vorspeise.

Aussagesatz	Imperativ
Wir gehen.	**Gehen wir.**
Wir nehmen die Kreditkarte.	**Nehmen wir** die Kreditkarte.

b. Diskutieren Sie die Situation.
Wie finden Sie die Situation? Lustig? Schrecklich?
Haben Sie so eine Situation selbst schon einmal erlebt? Was kann man da machen?

○ *Da muss man wieder gehen.* ◆ *Man kann auch nach Hause fahren und Geld holen.*
□ *Vielleicht kann man dem Kellner das Problem erklären und später bezahlen.* ▶ *Oder ...*

1 **Michael ist wirklich richtig fleißig.** 1|23 8

a. Hören Sie die Sätze und sprechen Sie im Chor nach. Achten Sie dabei auf „-lich" und „-ig".

Michael ist wirklich richtig fleißig.
Sein Kuss war eigentlich ungewöhnlich flüchtig.
In der Küche ist es plötzlich unheimlich ruhig.
Die Nachricht ist hoffentlich wenig wichtig.
Michael spricht natürlich ein bisschen tschechisch.
Die Würstchen schmecken wirklich nicht schlecht.
Das Mädchen in der Küche isst ein Brötchen mit Honig.

b. Schreiben Sie mit einem Partner/einer Partnerin selbst Sätze. Tragen Sie sie dann im Kurs vor.

wirklich ◎ eigentlich ◎ ungewöhnlich ◎
plötzlich ◎ unheimlich ◎ hoffentlich ◎
natürlich ◎ herzlich ◎ pünktlich ◎ ... ◎

richtig ◎ fleißig ◎ ruhig ◎ wenig ◎
wichtig ◎ langweilig ◎ traurig ◎
notwendig ◎ günstig ◎ ... ◎

Ich bin immer unheimlich pünktlich. Gestern war er traurig, heute ist er glücklich. ...

2 **„Trinkst du gerne Apfelsaft?"** 1|24 9

a. Hören Sie zu und sprechen Sie nach.
Markieren Sie dann die Betonung.

⊙ Trinkst du gerne <u>Saft</u>?
◆ Ja, am liebsten <u>Apfel</u>saft.
⊙ Ich mag lieber <u>Trauben</u>saft.

⊙ Isst du gerne Suppe?
◆ Ja, am liebsten Hühnersuppe.
⊙ Ich mag lieber Zwiebelsuppe.

⊙ Isst du gerne Braten?
◆ Ja, am liebsten Rinderbraten.
⊙ Ich mag lieber Schweinebraten.

⊙ Essen wir ein Eis?
◆ Ja, für mich Zitroneneis.
⊙ Und für mich Bananeneis.

b. Variieren Sie und tragen Sie im Kurs vor.

Saft: Orangensaft, Karottensaft, Birnensaft, Tomatensaft, ...
Suppe: Kartoffelsuppe, Nudelsuppe, Tomatensuppe, Gurkensuppe, ...
Eis: Erdbeereis, Schokoladeneis, Sahneeis, Joghurteis, ...
Salat: Reissalat, Fischsalat, Tomatensalat, Wurstsalat, ...

das Schwein	**der** Braten	→ **der** Schweine**braten**
das Huhn	**die** Suppe	→ **die** Hühner**suppe**
die Zitrone	**das** Eis	→ **das** Zitronen**eis**

3 **Wenn Maria kommt ...**

a. Hören Sie zu und sprechen Sie die Sätze nach. Achten Sie dabei auf die Intonation.

Wenn Maria kommt, ↗ bestellt sie sicher ein Glas Tee. ↘

Wenn ich Durst habe, ↗ trinke ich am liebsten Mineralwasser. ↘

Ich esse keine Sahne, ↗ weil ich abnehmen will. ↘

Herr Loos kauft kein Huhn, ↗ weil er kein Geflügel mag. ↘

Herr Meyer frühstückt nicht viel, ↗ sondern isst lieber gut zu Mittag. ↘

Frau Amato probiert den Wein, ↗ aber sie möchte auch Mineralwasser. ↘

b. Sprechspiel im Kurs

Beginnen Sie mit dem ersten Satz und sprechen Sie ihn laut.
Der Nächste spricht den gleichen Satz mit einer kleinen Variation usw.

⊙ *Wenn Maria kommt, bestellt sie sicher ein Glas Tee.*

◆ *Wenn Maria kommt, bestellt sie sicher ein Glas Milch.*

▢ *Wenn Curt kommt, bestellt er sicher ein Glas Milch.*

▶ *Wenn Curt kommt, bestellt er vielleicht ein Glas Bier.*

◇ *Wenn ...*

4 **„Nimmst du?" – „Nimm doch."**

a. Hören Sie zu und markieren Sie die Intonation.
Geht die Stimme nach unten **oder nach oben** ↗ **?**

Nimmst du noch ein Stück Kuchen?    Bringen Sie mir bitte die Speisekarte.

Nimm doch noch ein Stück Kuchen.   Bringen Sie mir bitte die Speisekarte?

Trinken Sie doch noch eine Tasse Kaffee.   Gehen wir?

Trinken Sie noch eine Tasse Kaffee?   Gehen wir.

b. Üben Sie die Intonation von Fragen und Aufforderungen im Kurs.

Gehen wir ins Restaurant?   – Gehen wir ins Restaurant.
Trinken wir ein Mineralwasser?   – Trinken wir ein Mineralwasser.
Nehmen wir eine Vorspeise?   – Nehmen wir eine Vorspeise.
Essen wir eine Suppe?   – Essen wir eine Suppe.

⊙ *Nehmen wir eine Vorspeise?*   ⊙ *Essen wir ...*

◆ *Das ist eine Frage, oder?*   ◆ *Das ist eine Aufforderung.*

⊙ *Ja, richtig!*   ⊙ *...*

Gasthaus „Zum roten Hirsch"

Speisekarte

Suppen

Gemüsesuppe	3,30
Hühnersuppe	3,80
Rinderbouillon	2,95

Kalte Gerichte

Wurstbrot	4,20
Käsebrot	3,90
Schinkenbrot	4,80
Salatteller	5,50

Salate

Tomatensalat	2,80
Gurkensalat	2,20
Bohnensalat	2,40

Hauptgerichte
(Beilagen inklusive)

Kotelett	8,50
Schnitzel mit Pilzsoße/Sahnesoße	11,50
Rinderbraten	13,00
Schweinebraten	12,50
Hirschragout	15,00
Fischplatte	16,00

Beilagen

Kartoffeln
Knödel
Pommes frites
Reis

Nachspeisen

Eisbecher mit Sahne	3,95
Erdbeeren mit Sahne	3,80
Obstsalat	3,25

Getränke

Bier vom Fass	1,50
Weißwein	3,50
Rotwein	4,50
Limonade/Cola	1,40
Mineralwasser	1,20
Orangensaft	2,40
Cola	2,00
Kaffee (Tasse)	1,60
Tee (Tasse)	1,40

5 Eine Speisekarte

Besprechen Sie im Kurs: Was kann man hier essen und trinken? Was kosten die Gerichte?

⊙ *Es gibt drei Suppen: Eine Gemüsesuppe, eine ... und eine ...*
◆ *Das Schnitzel kann man mit Pilzsoße oder mit Sahnesoße bekommen.*
□ *Ein Obstsalat kostet ...*

6 „Haben Sie gewählt?"

a. Hören Sie das Gespräch und lesen Sie dabei leise mit.

⊙ Haben Sie gewählt?
◆ Ja. Ich hätte gerne das Schnitzel mit Pilzsoße.
⊙ Mit Reis oder Pommes frites?
◆ Lieber mit Pommes frites.
⊙ Und was möchten Sie trinken?
◆ Einen Rotwein. Würden Sie mir die Weinkarte bringen?
⊙ Ja, natürlich. Ich bringe Ihnen die Karte sofort.

b. Üben Sie das Gespräch mit einem Partner/einer Partnerin und spielen Sie es im Kurs vor.

c. Variieren Sie das Gespräch mit Hilfe der Speisekarte und tragen Sie es dann im Kurs vor.

7 „Ich möchte ein Bier." 1|28 13

a. Lesen Sie das Gespräch zuerst leise und hören Sie es dann.

☉ Ich möchte ein Bier. Und bringen Sie mir bitte die Speisekarte.

◆ Gern, aber zwischen 15 und 18 Uhr können Sie nur kalt essen.

☉ Ach so; und was kann ich jetzt bekommen?

◆ Wurstbrot, Käsebrot, Schinkenbrot, Salatteller ...

☉ Ist der Salatteller mit Ei?

◆ Ja, mit Ei und Schinken.

☉ Gut. Dann bringen Sie mir bitte einen Salatteller.

◆ Einen Salatteller, ein Bier ... Kommt sofort.

b. Üben Sie das Gespräch mit einem Partner/einer Partnerin. Tragen Sie es dann im Kurs vor.

c. Variieren Sie das Gespräch. Arbeiten Sie in einer Kleingruppe und schreiben Sie zusammen das Gespräch neu.

⊚ Ich möchte eine Cola / einen Wein / einen Saft / ...

⊚ Was kann ich jetzt haben / essen / bestellen?

⊚ Ist der Salatteller mit Tomaten / Zwiebeln / ...?

⊚ Nein, bringen Sie mir lieber ein Käsebrot / Wurstbrot ...

⊚ Gern, aber ...

⊚ Vor 12 Uhr / nach 21 Uhr / nachmittags / ...

⊚ Möchten Sie ...?

⊚ ... bringe ich Ihnen sofort.

8 „Die Rechnung, bitte!" 1|29 14

a. Hören Sie das Gespräch und lesen Sie dabei leise mit.

☉ Herr Ober, bringen Sie mir bitte die Rechnung.

◆ Ja gern. Hat es Ihnen geschmeckt?

☉ Ja, danke.

◆ Zusammen oder getrennt?

☉ Zusammen, bitte.

◆ Das macht 27,90 Euro.

☉ 30 Euro. Das stimmt so.

◆ Danke schön.

b. Gibt man in Ihrem Land im Restaurant auch Trinkgeld?
Wie macht man das? Was ist höflich oder unhöflich? Wem geben Sie Trinkgeld?

☉ *Bei uns bleibt das Trinkgeld einfach auf dem Tisch liegen.*

◆ *Im Restaurant gibt man kein Trinkgeld, aber beim Frisör.*

□ *Ich gebe nur Trinkgeld, wenn das Essen sehr gut war.*

1 Hören Sie zu und schreiben Sie. 1|30

.... Café. .... , weil ....
.... Nachbartisch ....
.... Brötchen .... Danach ....
bríngt .... Herr Wagner ....

2 Jemand spült einen Topf. Ein Topf wird gespült.

Was passt zusammen? Ergänzen Sie die Nummern.

a. Jemand spült einen Topf. 4

b. Jemand schneidet eine Karotte.

c. Jemand hängt ein Handtuch auf.

d. Jemand kocht Eier.

e. Jemand brät einen Fisch.

f. Jemand backt einen Kuchen.

g. Jemand schält eine Orange.

h. Jemand stellt Kannen auf den Tisch.

1. Eine Karotte wird geschnitten.

2. Eier werden gekocht.

3. Ein Fisch wird gebraten.

4. Ein Topf wird gespült.

5. Ein Handtuch wird aufgehängt.

6. Eine Orange wird geschält.

7. Kannen werden auf den Tisch gestellt.

8. Ein Kuchen wird gebacken.

Aktiv		Passiv	
	Akkusativ	Nominativ	
Jemand spült	**einen** Topf.	**Ein** Topf	**wird gespült.**
Jemand spült	eine Tasse.	Eine Tasse	**wird gespült.**
Jemand spült	ein Messer.	Ein Messer	**wird gespült.**
Jemand spült	Töpfe.	Töpfe	**werden gespült.**

3 Was wird hier gemacht?

Ergänzen Sie die Nummern.

a. Der Salat wird gewaschen. ②   **e.** Der Salat wird geschnitten.

b. Die Kartoffel wird geschält.   **f.** Die Kartoffel wird gewaschen.

c. Das Ei wird geschnitten.   **g.** Das Ei wird gebraten.

d. Die Kartoffeln werden gebraten.   **h.** Die Kartoffeln werden geschält.

4 Fragespiel: „In der Küche"

Fragen und antworten Sie reihum im Kurs. Wählen Sie dabei jeweils eine Möglichkeit aus.

⊙ *Was wird in deiner Küche gewaschen?*
◆ *Da wird ein Apfel gewaschen.*

◆ *Was wird in deiner Küche geschält?*
□ *Da werden Zwiebeln geschält.*

□ *Was wird in deiner Küche gekocht?*
▶ *Da werden ...*

⑥ waschen	– ein Apfel / eine Birne / Trauben
⑥ schälen	– Karotten / Zwiebeln / eine Banane
⑥ kochen	– Kartoffeln / Nudeln / Spaghetti
⑥ schneiden	– Obst / Gemüse / Fleisch
⑥ braten	– ein Fisch / eine Wurst / Koteletts
⑥ backen	– eine Pizza / ein Kuchen / Plätzchen
⑥ spülen	– Geschirr / Besteck / Töpfe
⑥ aufhängen	– ein Handtuch / eine Pfanne / Pfannen
⑥ putzen	– der Boden / der Kühlschrank / ein Schrank
⑥ aufmachen	– Türen / Fenster / Schränke
⑥ zumachen	– der Backofen / die Spülmaschine / der Kühlschrank
⑥ anmachen	– der Herd / das Radio / der Fernseher

5 Ein Rezept: Bauernfrühstück

Lesen Sie das Rezept.

Bauernfrühstück

Zutaten:

800 g Kartoffeln
60 g Butter
2 Zwiebeln
6 Eier
1/4 l Sahne
Salz
Pfeffer
1 Bund Petersilie
200 g Schinken in Scheiben

- die Kartoffeln kochen
- die Kartoffeln schälen
- die Kartoffeln in Scheiben schneiden
- die Zwiebeln schälen
- die Zwiebeln in Würfel schneiden
- die Petersilie klein hacken
- die Butter in die Pfanne geben
- die Zwiebelwürfel kurz braten
- die Kartoffelscheiben dazutun
- die Kartoffelscheiben goldbraun braten
- die Eier schlagen
- die Sahne in die Eier gießen
- Eier und Sahne mit den Kartoffeln vermischen
- die Petersilie auf die Kartoffeln streuen
- das Ganze mit Salz und Pfeffer würzen
- zum Schluss den Schinken auf das Gericht legen

6 Was kocht, schält ... man?

Ergänzen Sie die Informationen aus dem Rezept.

a. Was kocht man?   6

b. Was schält man?

c. Was schneidet man in Scheiben?

d. Was schneidet man in Würfel?

e. Was hackt man?

f. Was schlägt man?

g. Was gießt man in die Eier?

h. Was vermischt man mit den Kartoffeln?

i. Was streut man auf die Kartoffeln?

j. Wie würzt man das Ganze?

k. Was legt man zum Schluss auf das Gericht?

1 Die Zwiebeln.
2 Mit Salz und Pfeffer.
3 Die Eier.
4 Die Petersilie.
5 Den Schinken.
6 Die Kartoffeln.
7 Die Sahne.
8 Eier und Sahne.

7 **Schreiben Sie das Rezept.**

⑥ geschlagen ⑥ gebraten ⑥ gelegt ⑥ gehackt ⑥ gestreut ⑥ geschnitten ⑥
⑥ gegeben ⑥ gegossen ⑥ dazugetan ⑥ vermischt ⑥ gewürzt ⑥ geschält ⑥

a. Zuerst werden die
   Kartoffeln gekocht.

b. Dann werden sie
   geschält.

c. Danach

d. Anschließend

e. Dann

f. Danach

g. Anschließend

h. Dann

i. Danach

j. Anschließend

k. Dann

l. Danach

m. Anschließend

n. Dann

o. Schließlich

p. Zum Schluss

Das können Sie jetzt:

- Über Einkäufe sprechen
- Lebensmittel und Mengen benennen
- Über Essgewohnheiten/ Essvorlieben reden
- Sich beim Essen unterhalten
- Erklären, wie ein Gericht zubereitet wird
- In Lokalen etwas bestellen
- Über Statistiken sprechen
- Gründe angeben

Anker

Durst-Probleme   1|31

✪ Guten Abend, mein Herr! Haben Sie einen Wunsch?

⊞ Ja. Ich möchte etwas trinken.

✪ Natürlich, sehr gern. Vielleicht ein Bier?

⊞ Ein Bier? Ich weiß nicht. Wenn ich Bier trinke, werde ich immer gleich müde.

✪ Möchten Sie dann lieber ein Glas Wein?

⊞ Wein ist gut. Aber wenn ich Wein trinke, bekomme ich immer Kopfschmerzen.

✪ Dann nehmen Sie doch ein Mineralwasser, mein Herr.

⊞ Nein, Mineralwasser mag ich nicht. Das trinke ich nie, weil es mir nicht schmeckt.

✪ Wir haben natürlich auch Saft, Limonade oder Cola.

⊞ Auf keinen Fall Cola. Wenn ich abends Cola trinke, kann ich nicht schlafen.

✪ Dann einen Saft? Wir haben Apfelsaft, Orangensaft, Tomatensaft …

⊞ Saft trinke ich sehr gern, aber nur zum Frühstück.

✪ Ach so. Aber was kann ich Ihnen dann bringen?

⊞ Ich weiß nicht … Sie haben ja nichts!

✪ Ich bitte Sie, mein Herr! Wir haben Bier, Wein, Wasser, Cola, Limonade, Säfte …

⊞ Dann nehme ich vielleicht doch ein Bier …

✪ Sehr gern. Ich bringe es Ihnen sofort.

⊞ Nein, warten Sie. Wenn ich Bier trinke, werde immer gleich müde. Aber Wein geht
   auch nicht, weil ich dann …

Themenkreis
Umzug und Einrichtung

Fokus Strukturen

1 Sie fängt an. Er hört auf.

a. Beschreiben Sie zuerst die Zeichnungen.

b. Überlegen Sie: Welche Sätze passen zusammen?

Bild A Der Briefumschlag ist geöffnet. **4**

Bild B Das Buch ist langweilig.

Bild C Das Bild gefällt ihr überhaupt nicht.

Bild D Die Bohrmaschine ist heiß.

Bild E Der Mixer ist angeschaltet.

Bild F Es gibt viele Sonderangebote.

1. Sie hat keine Lust weiterzumalen.
2. Sie beginnt, die Sahne zu schlagen.
3. Er hört auf zu lesen.
4. Sie fängt an, den Brief zu lesen.
5. Er hat Lust einzukaufen.
6. Er hört auf zu bohren.

> Sie liest. Sie hat Lust **zu** lesen.
> Sie liest ein Buch. Sie hat Lust, ein Buch **zu** lesen.
> Sie liest weiter. Sie hat Lust weiter**zu**lesen.

2 „Hast du Lust fernzusehen?"

Lesen Sie das Gespräch. Variieren Sie es dann mit einem Partner.

⊙ Hast du Lust fernzusehen?
◆ Eigentlich möchte ich jetzt nicht fernsehen.
⊙ Wollen wir lieber ins Kino gehen?
◆ Ja, gute Idee. Dazu habe ich Lust.

> ◉ fernsehen – ins Kino gehen ◉ einen Film sehen – Fotos anschauen ◉ wandern – spazieren gehen ◉
> ◉ ein Konzert besuchen – in die Disco gehen ◉ im Park laufen – Rad fahren ◉
> ◉ ein Museum besuchen – etwas essen ◉ ein Computerspiel machen – Karten spielen ◉
> ◉ eine Urlaubskarte schreiben – eine SMS schicken ◉ lernen – Musik hören ◉ ... ◉

3 Sie haben heute Zeit ...

Was passt zusammen? Sie können mit einem Partner/einer Partnerin arbeiten.

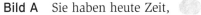

Bild A Sie haben heute Zeit,	**1.** den Tisch zu decken.
Bild B Er hilft ihr,	**2.** die Tür zuzumachen.
Bild C Er hat vergessen,	**3.** lange im Bett zu bleiben und auszuschlafen.
Bild D Er hat versucht,	**4.** das Geschirr zu spülen und gleichzeitig zu telefonieren.
Bild E Sie schafft es,	**5.** den Stecker in die Steckdose zu stecken.
Bild F Es gelingt ihnen nicht,	**6.** den Mixer zu reparieren, aber das war zu kompliziert.

4 Was geht gleichzeitig?

a. Lesen Sie die Beispiele.

Er kann eine SMS schreiben und gleichzeitig trinken.
Er schafft es, eine SMS zu schreiben und gleichzeitig zu trinken.

Sie kann fernsehen und gleichzeitig Hausaufgaben machen.
Sie schafft es, fernzusehen und gleichzeitig Hausaufgaben zu machen.

b. Was können Sie gleichzeitig? Notieren Sie einige Beispiele für sich selbst.

c. Fragen Sie dann einen Partner/eine Partnerin und berichten Sie im Kurs.

☉ *Was kannst du gleichzeitig?*
◆ *Ich schaffe es, zu spülen und gleichzeitig zu telefonieren. Was schaffst du gleichzeitig?*
☉ *Ich kann gleichzeitig ...*

☉ *Er schafft es, zu spülen und gleichzeitig zu telefonieren.*
◆ *Sie kann gleichzeitig ...*

5 **Was wollen die Personen machen? Was benutzen sie dazu?**

A B C D E

F

Was passt zusammen? Ergänzen Sie mit einem Partner/einer Partnerin.

A Er benutzt die Zange, 2
B Er benutzt das Bügeleisen,
C Sie benutzt den Besen,
D Sie benutzt den Föhn,
E Sie benutzt die Kochlöffel,
F Er benutzt die Bohrmaschine,
G Sie benutzt das Wörterbuch,
H Er benutzt die Taucherbrille,

1. um ein Bild zu malen.
2. um die Flasche zu öffnen.
3. um den Tisch zu stützen.
4. um die Zeitung glatt zu machen.
5. um die Sahne zu schlagen.
6. um seine Augen zu schützen.
7. um die Farbe zu trocknen.
8. um Schlagzeug zu spielen.

G

H

Er **will** die Flasche öffnen.	Er **will** die Flasche aufmachen.	Die Farbe **soll** schnell trocken werden.
Er benutzt die Zange, **um** die Flasche **zu** öffnen.	Er benutzt die Zange, **um** die Flasche auf**zu**machen.	Sie nimmt den Föhn, **um** die Farbe schnell **zu** trocknen. *oder:* Sie nimmt den Föhn, **damit** die Farbe schnell trocknet.

6 **Wozu benutzt man das normalerweise?**

Betrachten Sie noch einmal die Zeichnungen oben und ergänzen Sie dann.

a. Normalerweise benutzt man einen Föhn, *um die Haare zu trocknen.*

Aber die Frau nimmt den Föhn, *damit die Farbe schneller trocknet.*

b. Normalerweise benutzt man ein Wörterbuch, ...

Aber die Frau nimmt das Wörterbuch, ...

c. Normalerweise benutzt man eine Taucherbrille, ...

Aber der Mann nimmt die Taucherbrille, ...

d. Normalerweise benutzt man eine Bohrmaschine, ...

Aber der Mann nimmt die Bohrmaschine, ...

◎ damit die Zwiebeln nicht die Augen reizen ◎ um Wörter nachzuschlagen ◎
◎ um im Meer zu tauchen ◎ damit der Tisch nicht wackelt ◎
◎ damit die Sahne steif wird ◎ um ein Loch in die Wand zu bohren ◎

7 Eine Schülerumfrage zum Thema: Computer oder Handy? 1|32

Hören Sie die Interviews. Was ist richtig? **X**

a. Sie benutzt den Computer oft,

    ⊙ um zu telefonieren.   ⊙ um E-Mails zu schreiben.

b. Manchmal benutzt sie den Computer,

    ⊙ um Fotos zu bearbeiten.   ⊙ um zu surfen.

c. Sie benutzt ihn selten,

    ⊙ um Musik herunterzuladen.   ⊙ um zu chatten.

d. Er verwendet sein Handy meistens,

    ⊙ um zu fotografieren.   ⊙ um SMS zu schreiben.

e. Manchmal verwendet er es,

    ⊙ um zu telefonieren.   ⊙ um Termine zu notieren.

f. Er verwendet sein Handy selten,

    ⊙ um Musik zu hören.   ⊙ um fernzusehen.

8 „Wozu benutzt du das Handy? Wozu verwendest du den Computer?"

Fragen Sie andere Teilnehmer im Kurs und berichten Sie dann.

> ◎ Freunde anrufen ◎ telefonieren ◎ im Internet surfen ◎ E-Mails lesen ◎ Musik hören ◎
> ◎ SMS schicken ◎ Videos speichern ◎ fotografieren ◎ Termine notieren ◎ Adressen aufschreiben ◎
> ◎ fernsehen ◎ Spiele machen ◎ chatten ◎ Musik herunterladen ◎ ... ◎

○ *Meistens benutzt er das Handy, um Freunde anzurufen.*

Oft benutzt er es, um E-Mails zu lesen.

Manchmal benutzt er es, um Spiele zu machen.

◆ *Sie verwendet den Computer eigentlich nur, um zu surfen.*

Sie verwendet ihn selten, um zu chatten.

Sie verwendet ihn fast nie, um Videos zu sehen.

1 „Hoffentlich kommt der Techniker bald."

a. Hören Sie das Gespräch. Wer sagt was?
Markieren Sie: Herr Lindner H , Frau Lindner F .

○ Ich hoffe, der Mann ist bald da.

○ Gerade fährt ein Wagen auf den Parkplatz.

○ Ich sehe, dass der Wagen schnell weiterfährt.

○ Es ist so wichtig, dass der Techniker rechtzeitig kommt.

○ Sie haben gesagt, bis 4 Uhr ist auf jeden Fall jemand da.

○ Es stimmt, dass der Kundendienst letztes Mal zu spät gekommen ist.

○ Jetzt sehe ich: Unten hält ein Wagen.

○ Das ist der Mann, glaube ich.

○ Ich höre Schritte auf der Treppe.

Sie sieht:	Ein Wagen **fährt** auf den Parkplatz.
Sie sieht,	**dass** ein Wagen auf den Parkplatz **fährt**.
Sie sieht:	Der Wagen **fährt** schnell **weiter**.
Sie sieht,	**dass** der Wagen schnell **weiterfährt**.

b. Was kann das Problem sein? Was vermuten Sie?

☉ *Ich glaube, sie haben ein Problem mit dem Computer.*

◆ *Vielleicht funktioniert ihre Waschmaschine nicht.*

□ *Es kann sein, dass etwas mit dem Herd nicht in Ordnung ist. ...*

> ◎ der Computer ◎ die Waschmaschine ◎
> ◎ der Herd ◎ der Wäschetrockner ◎
> ◎ eine Lampe ◎ die Stereo-Anlage ◎
> ◎ die Spülmaschine ◎ die Heizung ◎
> ◎ der Rasierapparat ◎ ... ◎

2 „Der Techniker ist da."

Lesen Sie die Texte und hören Sie dann das Gespräch.

Überlegen Sie mit einem Partner/einer Partnerin: Welcher Text passt?

A

Frau Lindner öffnet die Tür. Der Techniker geht in die Wohnung und fragt: „Wo ist denn das Problem?" Herr Lindner ruft aus dem Wohnzimmer und erklärt ihm, dass das Fernsehgerät nicht funktioniert. Der Mann vom Kundendienst versucht, es zu reparieren. Er schafft es, aber nicht rechtzeitig. Das Fußballspiel hat schon vor einer Viertelstunde angefangen.

B

Der Techniker betritt die Wohnung. Herr Lindner sitzt im Wohnzimmer und möchte fernsehen. Er denkt, dass sein Apparat kaputt ist. Der Techniker kontrolliert das Gerät und die Fernbedienung. Er wechselt die Batterien und da geht der Fernseher wieder. Frau Lindner ist glücklich, weil das Fußballspiel nur noch 15 Minuten dauert und dann zu Ende ist.

C

Der Techniker soll hereinkommen. Er hört, dass Herr Lindner aus dem Wohnzimmer ruft. Der Mann vom Kundendienst kontrolliert zuerst den Stromanschluss, dann öffnet er die Fernbedienung. Er bemerkt, dass die Batterien alt sind und wechselt sie. Am Ende funktioniert der Apparat wieder. Herr Lindner ist glücklich, dass er das Fußballspiel von Anfang an sehen kann.

3 Eine Straße

a. Betrachten Sie das Foto. Was erkennen Sie? Was vermuten Sie?

b. Was passiert hier? Sammeln Sie Ideen mit einem Partner und vergleichen Sie dann im Kurs.

Man sieht, dass …	Leute	über die Straße	gehen
Man erkennt, dass …	Fußgänger	an der Haltestelle	warten
Wir glauben, dass …	Radfahrer	auf dem Parkplatz	stehen
Wir vermuten, dass …	Lastwagen	vor der Ampel	parken
	Autos	auf dem Radweg	fahren
	ein Briefträger	vor einem Haus	sitzen
	Vögel	auf einem Schild	abbiegen
	…	…	fliegen
			einkaufen wollen
			Briefe bringen
			…

 Man sieht ein Paar mit einem Kinderwagen. Wir glauben, dass es …

◆ *Sie gehen spazieren, glauben wir. Wir vermuten, dass …*

4 Eine Stadt am Morgen …

Erfinden Sie eine Straßenszene mit einem Partner/einer Partnerin. Lesen Sie die Texte dann im Kurs vor.

ⓖ ein Bus ⓖ ein Wagen ⓖ
ⓖ ein Ufo ⓖ ein Taxi ⓖ
ⓖ jemand ⓖ Leute ⓖ
ⓖ ein Mann ⓖ eine Frau ⓖ
ⓖ ein Kind ⓖ ein Hund ⓖ
ⓖ Vögel ⓖ Nachbarn ⓖ
ⓖ ein Taxifahrer ⓖ ein Dieb ⓖ
ⓖ ein Polizist ⓖ … ⓖ

ⓖ kommen ⓖ wegfahren ⓖ landen ⓖ eine Tür abschließen ⓖ
ⓖ halten ⓖ aussteigen ⓖ einsteigen ⓖ über die Straße gehen ⓖ
ⓖ Zeitungen bringen ⓖ auf einen Baum fliegen ⓖ
ⓖ das Radio anmachen ⓖ den Fernseher anschalten ⓖ duschen ⓖ
ⓖ die Garage aufschließen ⓖ Brötchen backen ⓖ singen ⓖ
ⓖ Kaffee kochen ⓖ Wäsche aufhängen ⓖ aus dem Haus gehen ⓖ
ⓖ ein Fenster öffnen ⓖ die Zeitung aus dem Briefkasten nehmen ⓖ
ⓖ die Betten machen ⓖ auf einer Treppe stehen ⓖ … ⓖ

Man sieht, dass ein Bus kommt. Man kann hören, dass ein Wagen wegfährt. Man riecht, dass ein Nachbar Kaffee kocht. …

5 „Mia" (Teil 1)

a. Lesen Sie zunächst die vier Textabschnitte.

b. Welche Zeichnung passt zu welchem Textabschnitt? (1–4)

Glühbirne: Abschnitt   Aquarium: Abschnitt   Stiefel: Abschnitt   Straßenszene: Abschnitt

6 Wer sind die Männer? Wozu sind sie gekommen?

Was meinen Sie? Diskutieren Sie im Kurs.

> ⊚ die Wohnung streichen ⊚ die Pflanzen gießen ⊚
> ⊚ etwas reparieren ⊚ etwas abholen ⊚
> ⊚ jemanden befragen ⊚ etwas bringen ⊚
> ⊚ etwas stehlen ⊚ ... ⊚

> ⊚ Maler ⊚ Nachbarn ⊚
> ⊚ Techniker ⊚ Polizisten ⊚
> ⊚ Briefträger ⊚ Einbrecher ⊚ ... ⊚

⊙ *Ich glaube, dass sie Maler sind. Sie sind gekommen, um die Wohnung zu streichen.*

◆ *Nein, das sind Techniker, glaube ich. Sie wollen etwas reparieren.*

Mia sitzt am Fenster. Es ist sehr früh am Morgen, die Straße still und leer. Sie schaut nach draußen: Zeitungen stecken schon in den Briefkästen, langsam biegt ein Lastwagen um die Ecke. Sie bemerkt, dass Tauben auf den Baum fliegen. Blätter fallen. Sie hat Zeit, findet es schön, dass sie noch ein wenig träumen kann und schließt für einen Moment die Augen. Es ist noch zu früh, um zu frühstücken.

Plötzlich sind Schritte auf der Treppe. Im Aquarium werden die Fische unruhig. Der große Lastwagen steht unten vor dem Haus. Der Flur wird dunkel. Ein Schatten ist an der Wohnungstür. Es klingelt, die Tür geht auf. Jemand stößt gegen das Telefon, eine Kiste fällt um. Noch ein Schatten! Sie versucht, so schnell wie möglich ins Schlafzimmer zu kommen. Da ist sie sicher und kann alles in Ruhe beobachten.

Sie kommen näher, einen Karton in den Händen. Jetzt sind sie direkt vor der Tür. Durch den Türspalt kann sie einen Stiefel sehen, schwarz und unglaublich groß. Ihr Herz klopft. Sie fürchtet, dass sie gleich im Zimmer sind. Doch sie gehen weiter, durch den Flur zum Treppenhaus. Waren sie da, um den Fernseher zur Reparatur abzuholen? Aber warum so früh am Morgen?

Vorsichtig schiebt sie die Tür zum Flur auf. Der steht voll mit Kisten und Schachteln. Niemand ist da. An der Decke brennt nur eine Glühbirne. Jetzt beginnt das Licht zu zittern. Sie spürt, dass die zwei gleich zurück sind, schafft es gerade noch, ins Bad zu flüchten. Sie bleibt ganz still in ihrem Versteck, damit niemand sie entdeckt. Aber was ist hier passiert?

12

7 „Mia" (Teil 2)

a. Lesen Sie den zweiten Teil der Geschichte schnell durch. Wer ist Mia?

b. Haben Sie die Lösung gefunden? Welche Textstellen geben Hinweise?
   Markieren Sie und vergleichen Sie im Kurs.

8 Fragen zum Text

a. Lesen Sie jetzt den ganzen Text noch einmal Abschnitt für Abschnitt.

b. Formulieren Sie in Gruppen Fragen zu den Textabschnitten und stellen Sie sie dann im Kurs.
   Wer richtig antwortet, macht weiter.

Was findet Mia schön?   *Was sieht sie durch den Türspalt?*
Warum flüchtet Mia?   *Was ist anders im Bad?*
Wohin flüchtet sie zuerst?   *Wie sieht das Wohnzimmer jetzt aus?*
Wohin läuft sie dann?   *Was macht Mia am Ende?*
                                 ...

Der Föhn liegt in der Badewanne neben ein paar Shampooflaschen und der Seife. Die Dusche ist voll mit Plastiksäcken. Im Waschbecken stehen Kartons und oben an der Wand fehlt der Spiegelschrank. Auch im Wohnzimmer ist alles anders. Man hat Schränke und Regale abgebaut und die Teile an die Seite gestellt. Die Vorhänge fehlen, die Teppiche sind zusammengerollt. Zwei Sessel liegen umgekehrt auf der Couch.

„Mia!" Sie hört, dass die ganze Familie schon wach ist. Man ruft sie, doch sie antwortet nicht. Jetzt kommen die Schritte näher und näher. Jemand stößt die Tür auf. Sie erschrickt. Vier Hände greifen nach Kisten und Kartons, zwei Augenpaare schauen sie an. Blitzschnell jagt sie zur Tür. Doch plötzlich ist alles dunkel. Sie kann nichts sehen. Sie ist gefangen. Ein Karton mit Vorhängen ist auf sie gefallen. Jetzt ist es zu spät. Von selbst kann sie nicht entkommen.

„Oh, wer ist das denn?" sagt eine Stimme. Jemand hebt ganz langsam den Karton und befreit sie. Sie bekommt sogar einen Keks. Sie denkt, dass die zwei vielleicht doch ganz nett sind. Aber da sind sie schon wieder weg. Ohne Pause zu machen, schleppen sie alle Möbel nach unten. Keine Kiste vergessen sie, jeden Karton räumen sie in ihren Lastwagen. Schließlich ist die Wohnung leer.

Dann geht es los. Jemand setzt sie vorne in die Mitte auf eine Kiste. Sie fahren durch viele Straßen. Später werden die Häuser selten. Bäume ziehen vorbei. Sie findet es spannend, neben dem Fahrer zu sitzen. So kann sie alles sehen. Am Horizont tauchen Wälder auf. Schließlich wird die Fahrt langsamer und dann hält der Wagen schon.

Das neue Haus ist weiß gestrichen, hinten im Garten wächst ein Apfelbaum. Sie ziehen ein. Alle tragen Kartons. Drinnen fangen sie an auszupacken. Jeder sucht etwas. „Wo ist die Kiste mit den Kassetten?" „In welchem Karton ist die Kaffeemaschine?" „Gibst du mir mal den Briefkastenschlüssel, damit ich unser Namensschild anbringen kann?" Es ist schwierig, die Sachen zu finden, denn überall herrscht Chaos.

Doch das neue Haus ist so schön und so groß. Vom Balkon ist die Aussicht wunderbar. Mia schaut nach oben. Zwischen den Blättern fliegen Schatten. Vögel! Da fällt ihr ein, dass sie noch nicht gefrühstückt hat. Ein Sprung! Aber sie springt nicht hoch genug. „Miau."

13

1 Im Möbelhaus

a. Welche Möbel und Gegenstände erkennen Sie? Schreiben Sie mit einem Partner/einer Partnerin eine Liste und vergleichen Sie dann im Kurs.

Auf Foto A gibt es ein Sofa und zwei Tische. Auf Foto … sieht man …

Schreibtisch Couchtisch Computertisch Esstisch Kleiderschrank Küchenschrank
Geschirrschrank Zweisitzersofa Kinderbett Doppelbett Waschbecken Fernsehsessel
Gästebett Schlafsofa Couch Bücherregal Spülbecken Kommode Lampe …

b. Wie finden Sie die Möbelstücke? Diskutieren Sie im Kurs.

⊙ *Das Sofa auf Foto … gefällt mir gut. Ich glaube, dass es sehr bequem ist.*

♦ *Ich finde den Schreibtisch im Schrank sehr praktisch.*
Da kann man im Zimmer Platz sparen.

□ *Der Sessel auf Foto … ist scheußlich. Er ist viel zu …*

praktisch – unpraktisch
bequem – unbequem
modern – unmodern
schön – hässlich
interessant – langweilig
…

2 Welche Möbel sind für Sie persönlich besonders wichtig?

⊙ *Am wichtigsten finde ich ein Bett. Es muss groß und bequem sein, damit ich gut schlafen kann.*

♦ *Ich finde Teppiche sehr wichtig, weil ich am liebsten auf dem Boden sitze.*

…

3 Ein Fernsehsessel im Sonderangebot 1|35

a. Lesen Sie zuerst die Aufgabe und hören Sie dann das Gespräch.

b. Was ist richtig? ✗

1. Was hat Herr Fischer für den Fernsehsessel bezahlt?

- 717 Euro
- 177 Euro
- 777 Euro

2. Herr Fischer hat den Sessel gekauft, um
- gemütlich fernsehen zu können.
- beim Fernsehen schlafen zu können.
- bequemer lesen zu können.

4. Herr Fischer findet, dass der Sessel
- gut zu seinem Couchtisch passt.
- eigentlich ein bisschen zu groß ist.
- perfekt zum Teppich passt.

3. Herr Fischer erzählt, dass er
- Filme am liebsten im Kino sieht.
- Kinos zu teuer findet.
- Filme lieber zu Hause als im Kino sieht.

5. Herr Fischer hat vor, den Sessel
- ganz nah an den Fernseher zu stellen.
- neben die Heizung zu stellen.
- vor sein Sofa zu stellen.

c. Wie sehen Sie am liebsten fern? Erzählen Sie im Kurs.

⊙ *Ich liege meistens auf dem Sofa, wenn ich fernsehe.*
◆ *Ich lege mich oft ins Bett, um fernzusehen. Das finde ich am bequemsten.*
□ *Mir ist es eigentlich egal. Ich …*

4 Ihr ‚Traumwohnzimmer'

a. Bilden Sie Dreiergruppen und richten Sie zusammen das Wohnzimmer ein. Diskutieren Sie.

- Wollen wir einen Tisch? Einen Holztisch oder einen Glastisch?
- Mit wie vielen Stühlen?
- Ein Sofa für X Personen?
- Einen Fernseher? Eine Musikanlage?
- Einen Schreibtisch und einen Computer?
- Ein Schlafsofa für Gäste?
- Bücherregale?
- Einen Schrank für Gläser und Geschirr? Blumen, Kerzen? …

b. Machen Sie eine Zeichnung von Ihrem Traumwohnzimmer.

c. Zeigen Sie den anderen Ihre Zeichnung und stellen Sie Ihr Wohnzimmer dann im Kurs vor.

⊙ *Der Tisch steht in der Mitte / vor dem Fenster / in der Ecke / neben dem Fenster / rechts neben der Tür / …*
◆ *Damit man bequem … kann, gibt es …*
□ *Einen Fernseher wollen wir nicht im Wohnzimmer haben, aber ein/eine/einen …*
▶ *Damit man gemütlich … kann, stellen wir … unter/neben/vor …*
◇ *Wir brauchen auch Platz für … . Deshalb …*

5 Else möchte Tapeten mit Blumen.

Teil 1

Hören Sie zu und lösen Sie dann die Aufgabe.
Was passt zusammen?

a. Else gibt Pfeffer in die Tomatensoße,

b. Else hat in einem Prospekt entdeckt,

c. Else möchte vor dem Essen

d. Else bittet ihren Mann,

e. Else sagt, dass sie nur ein paar Minuten braucht,

    1. ein Maßband zu holen.
    2. noch schnell den Flur ausmessen.
    3. um sie noch schärfer zu machen.
    4. um den Flur zu messen.
    5. dass es Sonderangebote gibt.

Teil 2

Hören Sie das Gespräch weiter und lösen Sie die Aufgaben.

a. Was passt zusammen?

A Alfred soll aufschreiben,   1. aber Else ist auch nicht viel größer.

B Alfred möchte jetzt essen,   2. damit Else die Höhe messen kann.

C Alfred ist nur 1 Meter 60 groß,   3. dass der Flur 2,50 Meter lang ist.

D Alfred soll einen Stuhl holen,   4. damit die Spaghetti nicht kalt werden.

b. Was ist richtig? X

Das Maßband ist	Die Glühbirne im Flur ist	Der Flur ist
länger als zwei Meter.	stärker als 40 Watt.	genau 2 Meter hoch.
kürzer als zwei Meter.	schwächer als 40 Watt.	höher als zwei Meter.
genau zwei Meter lang.	40 Watt stark.	niedriger als zwei Meter.

Teil 3

Hören Sie das Ende des Gesprächs. Was ist richtig? **X**

a.   Else möchte gern Tapeten mit Blumen an den Wänden haben.

b.   Else und Alfred fahren gleich nach dem Essen zum Baumarkt.

c.   Alfred ist einverstanden, am Nachmittag zum Baumarkt zu fahren.

d.   Else sagt, dass Alfred heute keinen Mittagsschlaf machen soll.

	Komparativ
scharf	schärfer
stark	stärker
lang	länger
groß	größer
hoch	höher
kurz	kürzer

6 Das kann ich auch.

Berichten Sie im Kurs: Haben Sie schon einmal ein Zimmer tapeziert oder eine Wohnung renoviert?
Was können Sie gut? Was können Sie nicht/nicht so gut?

○ *Ich kann ganz gut Wände streichen, aber tapeziert habe ich noch nie.*
◆ *Ich bin schon oft umgezogen und habe immer selbst renoviert. Am besten kann ich …*

> Nägel in die Wand schlagen ⊚ Löcher bohren ⊚ Lampen aufhängen ⊚ Glühbirnen wechseln ⊚
> ⊚ mit einer Bohrmaschine arbeiten ⊚ Dinge im Haushalt reparieren ⊚ Türen und Fenster streichen ⊚
> ⊚ Tapeten abreißen ⊚ Möbel bemalen ⊚ Stromleitungen überprüfen ⊚ … ⊚

7 Das Bild mit dem Hirsch

a. Betrachten Sie zuerst das Foto. Was wird da gemacht? Wie finden Sie das Bild mit dem Hirsch?
   Diskutieren Sie im Kurs.

Teil 1
Hören Sie den Anfang des Gesprächs. Was passt zusammen?

A Hans-Dieter ist gerade dabei,

B Elena ruft Hans-Dieter,

C Hans-Dieter sagt zu Elena,

D Sie müssen das Bild heute aufhängen,

    1. dass er das Bild mit dem Hirsch kitschig findet.
    2. im Esszimmer ein Loch zu bohren.
    3. weil Tante Marga morgen zum Kaffee kommt.
    4. um mit ihm über das Bild zu sprechen.

Teil 2
Hören Sie das Gespräch weiter. Was ist richtig?

A Elena möchte, dass sie das Bild neben dem Sofa aufhängen.

B Hans-Dieter schlägt vor, das Bild erst einmal zu messen.

C Das Bild ist einen Meter breit und 70 Zentimeter hoch.

D Es ist gefährlich zu bohren, weil eine Stromleitung in der Wand ist.

E Der Vermieter hat verboten, im Wohnzimmer Bilder aufzuhängen.

F Elena meint, dass das Bild auch gut über den Schreibtisch passt.

G Hans-Dieter bittet Elena, die Höhe über dem Schreibtisch zu messen.

> Er bohrt **gerade** Löcher.
> Er **ist dabei**, Löcher **zu** bohren.

Teil 3
Hören Sie das Ende des Gesprächs. Besprechen Sie dann gemeinsam im Kurs:

• Wer klingelt und klopft an der Tür? Warum ist der Besuch gekommen?
• Sind Elena und Hans-Dieter von dem Besuch überrascht?
• Welches Problem haben Elena und Hans-Dieter?

b. Spielen Sie die Szene im Kurs nach.

1 Vokale – lang oder kurz?

a. Hören Sie zu und notieren Sie dabei: Ist der Vokal kurz ⟨k⟩ **oder lang** ⟨l⟩ **?**

| Suppe | Reisepass | Schnee | bequem | gut | schlafen | Socken |
| Puppe | nass | Tee | Problem | Hut | Hafen | trocken |

b. Sprechen Sie die Wortpaare nach.

2 Ein Haar liegt in der Suppe

a. Sprechen Sie nach und achten Sie auf die Vokale.

Ein Haar liegt in der Suppe.   Der Kellner will nur schlafen.
Sie spielt mit einer Puppe.   Ein Boot liegt still im Hafen.
Der Kellner ist bequem.   Das Haar ist von der Puppe.
Das Haar ist ein Problem.   Es liegt noch in der Suppe.

b. Sprechen Sie abwechselnd mit einem Partner nach.

- ☉ Die Jacke ist ganz nass.
- ◆ Und auch mein Reisepass.
- ☉ Schau: Alles ist voll Schnee.
- ◆ Macht nichts, wir kochen Tee.

- ☉ Der Ofen heizt sehr gut.
- ◆ Er trocknet deinen Hut.
- ☉ Die Mützen und die Socken…
- ◆ Sie sind bestimmt bald trocken.

3 Wölfe und Schafe

a. Hören Sie zu. Achten Sie dabei wieder auf die Vokale.

Zwei Wölfe liegen auf dem Dach
und sieben Schafe toben.
Drei Kinder spielen nah am Bach,
die Wölfe sind noch oben.

So ein Glück! Die Wölfe schlafen.
Kinder, seht doch auf das Dach!
Geht nach Hause mit den Schafen,
denn die Wölfe sind bald wach.

Unten liegen ein paar Katzen
bequem auf ihren Luftmatratzen.
Sie sehen, dass oben Hunde fliegen.
Die sehen, dass unten Katzen liegen.

Die Hunde winken mit den Ohren.
Laut sind ihre zwei Motoren.
Die Katzen winken mit den Füßen,
um die Piloten zu begrüßen.

b. Tragen Sie die Verse abwechselnd mit einem Partner/einer Partnerin vor.

- ☉ *Zwei Wölfe liegen auf dem Dach*
- ◆ *und sieben Schafe toben.*
- ☉ *Drei Kinder …*

4 Der Clown fällt auf die Nase.

a. Welche Wörter passen, damit ein Reim entsteht? Überlegen Sie mit einem Partner/einer Partnerin.

Der Clown fällt auf die __Nase__.   Am Morgen steht er schon am _____,

Der Ball fällt auf die __Vase__.   denn Delfine mag er _____.

Ein Pfarrer mit acht _____   Gute Nacht, jetzt noch ein _____,

kann viel Shampoo _____.   aber dann ist wirklich _____.

Die Spinne sitzt im _____   Das Krokodil liegt ganz _____,

und spinnt ein Netz wie _____.   weil es am Nil schlafen _____.

| ⊚ will ⊚ Haaren ⊚ |
| ⊚ sparen ⊚ Kuss ⊚ |
| ⊚ immer ⊚ Schluss ⊚ |
| ⊚ Meer ⊚ ~~Vase~~ ⊚ |
| ⊚ sehr ⊚ Zimmer ⊚ |
| ⊚ still ⊚ ~~Nase~~ ⊚ |

b. Hören Sie jetzt die Verse und vergleichen Sie. **2|7** ⊙   **20** ⊙

5 Erfinden Sie selbst Verse.

Reimen Sie mit einem Partner/einer Partnerin oder in einer Gruppe. Viel Spaß!

Reimschema 1:
Er sitzt auf einer Kiste
und schreibt schnell eine Liste
Dann isst er eine Wurst
Und danach hat er Durst

Reimschema 2:
Er sitzt auf einer Kiste
und isst schnell eine Wurst.
Dann schreibt er eine Liste.
Und danach hat er Durst.

⊚ Kiste – Liste	⊚ breit – weit	⊚ Wind – Kind	⊚ Bart – hart
⊚ Wurst – Durst	⊚ schön – Föhn	⊚ machen – lachen	⊚ Brot – rot
⊚ Puppe – Suppe	⊚ Ecke – Decke	⊚ brauchen – tauchen	⊚ Butter –Mutter
⊚ Schnee – Tee	⊚ Licht – Gesicht	⊚ bald – Wald	⊚ Platz – Satz
⊚ Stecker – Wecker	⊚ schlagen – fragen	⊚ Baum – Traum	⊚ ...

6 So groß wie ... größer als ...

Betrachten Sie die Zeichnungen und vergleichen Sie.

a. hoch   **b.** hoch   **c.** stark   **d.** lang   **e.** hoch   **f.** lang   **g.** groß   **h.** groß

a. Der Turm ist so hoch wie der Tisch.
b. Die Wurst liegt höher als der Fisch.
c. Das Kind ...

...

so hoch		höher	
so lang	**wie ...**	länger	**als ...**
so groß		größer	

7 **Wohnungsanzeigen**

2 Zimmer-Wohnung, KB, 43 m², ohne Makler, ohne Kaution. 450,– € inkl. Nebenkosten. 04402/51413	**3 Zimmer**, Küche, Bad, 65 m², komplett renoviert, 490,– € +NK, 2 Monatsmieten Kaution Damm-Immobilien, 0441/340043	**1 Zimmer**, Bad, Balkon, ab sofort von privat. 32 m², 280,– € + 70,– € Nebenk. + Kaution 04431/5175
A	**B**	**C**

a. Vergleichen Sie die Wohnungen gemeinsam im Kurs.

☉ *Wohnung A ist billiger als Wohnung B, aber sie ist auch kleiner.*

◆ *Wohnung C ist am billigsten und sie hat einen Balkon.*

> ◎ kleiner als ... ◎ größer als ... ◎ billiger als ... ◎
> ◎ am teuersten ◎ am billigsten ◎ am größten ◎ am kleinsten ◎
> ◎ ist renoviert ◎ hat einen Balkon ◎ bekommt man über einen Makler ◎
> ◎ bekommt man ohne einen Makler ◎ ... ◎

b. Erzählen Sie von sich / von Ihrem Land.

Haben Sie oder Ihre Familie / Freunde schon einmal eine Wohnung gesucht? Haben Sie Erfahrungen mit Anzeigen oder Maklern? Wie sind die Mietpreise? Muss man Nebenkosten und Kaution bezahlen? ...

8 **„Soll ich die Wohnung nehmen?"** 2|8 21

a. Hören Sie das Telefongespräch.

b. Was passt zusammen? Ordnen Sie die Antworten zusammen mit einem Partner/einer Partnerin.

A Was kostet die Wohnung?

B Musst du einen Makler bezahlen?

C Musst du eine Kaution bezahlen?

D Wie hoch sind die Nebenkosten?

E Wie alt ist die Wohnung?

F Musst du Geräte für die Küche kaufen?

G Gibt es eine U-Bahn-Haltestelle in der Nähe?

H Gibt es eine Zentralheizung?

I Hat das Bad eine Wanne oder nur eine Dusche?

1. Nein, die Wohnung ist direkt vom Vermieter.

2. Nein, aber zur Straßenbahn ist es nicht weit.

3. Ja, zwei Monatsmieten.

4. Die Miete ist nicht billig: 520 Euro.

5. Ja, die Heizung ist neu und modern.

6. Das Haus ist ziemlich alt, aber der Vermieter hat die Wohnung vor drei Jahren komplett renoviert.

7. Es gibt eine Badewanne und auch eine Dusche.

8. 150 Euro für Strom, Gas und so weiter.

9. Ja, die Küche ist ganz leer.

c. Spielen Sie das Gespräch im Kurs.

d. Was finden Sie selbst bei einer Wohnung wichtig? Diskutieren Sie im Kurs.

☺ *Für mich ist der Mietpreis am wichtigsten. Ich will nicht so viel Geld für eine Wohnung bezahlen.*

◆ *Ich finde die Lage sehr wichtig. Mitten in einer Stadt kann ich nicht leben.*

☐ *Die Lage finde ich auch sehr wichtig, aber ich brauche auf jeden Fall ...*

@ die Lage: in der Stadtmitte/
am Stadtrand/auf dem Land

@ Nähe zu Bus oder Bahn

@ Park oder Wald in der Nähe

@ die Größe @ der Preis

@ ein Parkplatz @ eine Garage

@ Balkon / Terrasse / Garten

@ Qualität: Fenster / Heizung /
Böden ... neu / modern

@ Satellitenantenne / Kabelanschluss
für den Fernseher

@ ...

---

9 **Probleme mit der Wohnung** 2|9 22

a. Hören Sie das Gespräch und spielen Sie es dann im Kurs.

☺ Bist du denn zufrieden mit deiner Wohnung?

◆ Eigentlich schon, aber es gibt ein Problem: Die Decke im Bad ist feucht.

☺ Feucht? Das ist sehr ungesund! Hast du mit dem Vermieter gesprochen?

◆ Ja, ich habe ihn angerufen. Er meint, dass ich das Bad mehr heizen soll.

☺ Das hilft bestimmt nicht. Wenn die Decke feucht ist, muss ein Handwerker
kommen.

◆ Da hast du wahrscheinlich recht ...

**b. Variieren Sie das Gespräch gemeinsam mit
einem Partner/einer Partnerin.
Tragen Sie es dann im Kurs vor.**

@ im Bad ein Loch in der Wand

@ Heizung im Wohnzimmer wird nicht
richtig warm

@ Fenster nicht dicht

@ Aufzug schon seit einer Woche kaputt

@ Wände sehr dünn; man kann die
Nachbarn hören

@ Dusche funktioniert nicht richtig

@ einige Steckdosen kaputt

@ Küche zu klein und eng

@ Balkon hat keine Sonne

@ ...

@ dem Vermieter Bescheid sagen

@ den Vermieter informieren / fragen

@ einen Elektriker rufen

@ einen Handwerker holen

@ Da kann man nichts machen.

@ ...

**c. Erzählen Sie von Ihren Erfahrungen.
Welche Probleme mit Haus und Wohnung kennen Sie? Was haben Sie gemacht?**

Fokus Schreiben

---

1 **Hören Sie zu und schreiben Sie.** `2|10`

.... Fischer .... , ... In ....

.... , alles

.... Problem ....

.... Meter .... Sohn .... , ...

Aber ....

---

2 **Wohnungstausch im Urlaub**

a. Lesen Sie die sechs Anzeigen.

Tauschbörse: Häuser – Wohnungen – Apartments

Wilhelmshaven
Luxuswohnung im 4. Stock, Balkon, Blick auf die
Nordsee, Entfernung zum Strand 150 m, Läden,
Kneipen, Restaurants, Tankstelle usw. 300 m
Gesucht:
Ferienwohnung in den Bergen, Österreich,
Schweiz oder Italien, Frühling oder Herbst
Angebote bitte an:
u.h.prinzhorn@web.de
Bitte keine Raucher!

 **1**

Österreich
Zeit: 1. bis 24. August
Wir bieten:
Unser Einfamilienhaus in Oberösterreich.
Herrliche Lage, direkt am Mondsee.
Wir suchen:
Haus mit Garten, an der Ostsee.
Wir haben 2 Kinder (9 und 12).
Wer möchte mit uns tauschen?
Fam. Goldau
A-5310 St. Lorenz, Tel: +43 62 32 99 51 76

 **2**

Zürich
Student sucht für Semesterferien:
Zimmer in Hamburg, Zentrum
DSL-Anschluss
Bietet:
Zimmer (36 m²) mit Kochecke, Bad,
etwas außerhalb von Zürich
Verkehrsverbindungen gut, DSL vorhanden
Interesse? Mail an: urs.roesch@gmx.ch

 **3**

Hochschwarzwald-Kreis
Bieten:
Schwarzwaldhaus für 4-6 Personen
Viel Natur, Ruhe und Erholung, ideal für
Senioren
Suchen:
Haus auf Mallorca oder Ibiza mit
Schwimmbad, nahe Tennis- oder Golfplatz
Mai / Juni
Susanne & Ralf Pfister
Chiffre: WSQTZ-13

⑤

Berlin-Mitte   **④**
Biete:
3 ZKB 83 m² Erdgeschoss
(1 Zimmer bleibt geschlossen)
mitten im Regierungsviertel
alle Sehenswürdigkeiten in der Nähe
Suche:
Apartment auf Nord- oder Ostsee-Insel
Keine Autos, kein Lärm
1. – 21. Juli
anita.unruh@berlin.de

Insel Usedom
Unser Angebot:
Haus Nähe Strand, Meerblick
4 Zimmer, Küche, 2 Bäder, Garten, Garage
Ende Juli - Anfang September
Was wir suchen:
Schweiz oder Österreich
Haus für Ehepaar mit 2 Kindern
Berge, See in der Nähe
Ulrike und Stefan Mönnig
Heringsdorf / Ostsee
us.moennig@t-online.de

⑥

b. Wer kann mit wem tauschen? Anzeige ⬤ und ⬤
   Besprechen Sie die Lösung im Kurs.

3 Mehr Informationen

Wählen Sie zusammen mit einem Partner/einer Partnerin eine Anzeige aus.

Welche Informationen braucht man noch, wenn man mit der Person/Familie tauschen möchte?

Schreiben Sie eine Liste von Fragen und vergleichen Sie dann im Kurs.

Kann man dort ...?
Gibt es ...?
Wie groß / weit / hoch ...?
Wie kommt man ...?
Wann ...?
...

◎ segeln ◎ angeln ◎ reiten ◎ wandern ◎
◎ Rad fahren ◎ tauchen ◎ bergsteigen ◎ ... ◎

◎ Fernseher ◎ Internet ◎ Spülmaschine ◎ Wäschetrockner ◎ ... ◎

◎ Kinderspielplatz ◎ Theater ◎ Flughafen ◎
◎ Kirche ◎ Berge ◎ Sehenswürdigkeiten ◎ Gasthaus ◎ ... ◎

4 Informationen für die Tauschpartner

a. Lesen Sie den Brief und ergänzen Sie die Sätze auf Informationsblatt 1. Vergleichen Sie dann.

St. Lorenz am Mondsee

Liebe Familie Mönnig,

vielen Dank für Ihren Brief und die Informationen zu Ihrem Haus an der Ostsee. Wir wünschen Ihnen ebenfalls viel Spaß und einen schönen Urlaub bei uns hier am Mondsee. Auf den beiden Blättern finden Sie Informationen über unser Haus. Einen schönen Urlaub wünscht Ihnen

Familie Goldau

Infoblatt 1

Für alle Fälle:

- Eine Liste mit Telefonnummern liegt neben dem Telefon (Ärzte, Feuerwehr, Autowerkstatt, Taxi usw.).
- Wichtig: Sie müssen immer zuerst eine Null wählen, ...
  ....

Hauptsicherung

Ankunft / Allgemeines:

- Schlüssel: Holen Sie die Hausschlüssel bitte bei den Nachbarn (Familie Mitteregger) ab.
- Am besten machen Sie zuerst einen Rundgang durch das Haus,
  ....
- Strom: Neben der Kellertür ist der Kasten mit den Sicherungen. Schalten Sie bitte die Hauptsicherung ein,
  ....

Hauptschalter

- Heizung: Sie müssen nur den Hauptschalter drücken. Normalerweise leuchtet dann die Kontrolllampe.
  ...., warten Sie bitte ein paar Minuten und versuchen Sie es dann noch einmal.
- Warmwasser im Bad: Normalerweise soll der Regler auf Stufe I stehen. ....,
  müssen Sie den Regler auf III stellen.
- Der Müll wird immer am Donnerstag sehr früh morgens abgeholt. Deshalb ist es am besten, die Mülltonne schon am Mittwoch-
  abend ....

Wärmer stellen

- Um zu duschen
- damit Sie Strom haben
- wenn Sie telefonieren wollen
- an die Straße zu stellen
- Wenn sie nicht sofort leuchtet
- damit Sie alle Zimmer kennen.

b. Lesen Sie Informationsblatt 2 und ergänzen Sie die Sätze zusammen mit einem Partner.

Infoblatt 2

- _____,
  finden Sie die Holzkohle im Keller.

- _____,
  muss man einen Trick benutzen: Drücken Sie fest gegen den
  Griff und drehen Sie ihn gleichzeitig nach rechts.

- Noch eine Bitte: Unsere Fische haben jeden Tag Hunger.
  Vergessen Sie bitte nicht, _____.

- Bitte beachten: Der Wasserhahn im Gäste-WC tropft,
  _____.

- Die Kühlschranktür klemmt ein bisschen. Es ist wichtig,
  _____.

- Ausflüge: Sie haben bestimmt vor, _____
  _____. Karten und Reiseführer vom
  Mondsee und von ganz Österreich finden Sie in der Kommode.

- Wenn Sie mal etwas reparieren müssen, _____
  _____.

- Schließen Sie bitte immer die Kellertür, _____
  _____.

Abreise:

- Vergessen Sie nicht, _____
  _____. Machen
  Sie bitte alle Fensterläden zu, schließen Sie die Tür zweimal ab
  und bringen Sie dann den Schlüssel wieder zu Mittereggers.

Fest drücken und drehen

Bitte fest zumachen

Bitte nicht vergessen!

- Um das Garagentor zu öffnen
- sie zu füttern
- Wenn Sie grillen wollen
- die Hauptsicherung und die Heizung auszuschalten
- finden Sie Werkzeug im Keller
- dass Sie sie fest zumachen
- damit keine Mäuse ins Haus kommen
- wenn man ihn nicht fest zudreht
- hier zu wandern

5 Was soll der Tauschpartner beachten?

Erfinden Sie eine Wohnung, ein Haus oder ein Apartment für die Tauschbörse.

Arbeiten Sie in einer kleinen Gruppe.
Schreiben Sie selbst Informationen für einen Tauschpartner.

Was muss man machen, wenn man ankommt / abreist?
Was ist besonders? Was funktioniert nicht, klemmt, tropft ...?
Wo findet man ...? ...

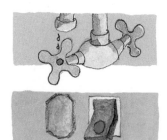

Das können Sie jetzt:

- Angeben, wie groß ein Raum oder ein Gegenstand ist
- Sich über Möbel und Einrichtung äußern
- Über das Thema Wohnen sprechen
- Beginn und Ende von Tätigkeiten angeben
- Ausdrücken, dass man Lust bzw. keine Lust zu etwas hat
- Sagen, wozu man etwas macht / benutzt
- Äußern, dass man etwas sieht bzw. hört
- Ausdrücken, dass gerade etwas geschieht

Ein Bett, um zu schlafen 2|11

✪ Gefällt Ihnen das Bett? Liegen Sie bequem?

▦ Oh ja, ich liege sehr bequem.

✪ Damit es noch bequemer wird, drücken Sie bitte diesen Knopf.

▦ Hier?

✪ Ja, das ist der Knopf, um das Kopfende höher zu stellen.

▦ Ja, herrlich! Das ist noch besser.

✪ Um auch das Fußende anzuheben, müssen Sie nur hier drücken.

▦ Wunderbar!

✪ Es gibt auch eine Massagefunktion. … Ist es gut so? Ich kann es Ihnen auch stärker oder schwächer stellen.

▦ Nein danke, es ist wundervoll so!

✪ Ich lasse Sie kurz alleine, damit Sie das Bett richtig ausprobieren können.

▦ Vielen Dank! … chhhhr chhhrrrrr chhhhhhr …

***

✪ Oh, habe ich Sie aufgeweckt? Das tut mir leid.

▦ Nein, nein, das macht nichts. Ich muss jetzt auch aufstehen. Meine Mittagspause ist gleich zu Ende.

✪ Möchten Sie noch ein Bett ausprobieren? Unser Angebot ist groß.

▦ Nein danke, dieses Bett ist ideal.

✪ Und es ist sogar ein Sonderangebot! Es kostet nur 950 Euro.

▦ Vielen Dank, aber ich habe nicht vor, das Bett zu kaufen.

✪ Nein? Gefällt es Ihnen denn nicht?

▦ Doch, doch, das Bett ist herrlich. Ganz ideal für meine Mittagspause. Passen Sie bitte auf, dass es morgen wieder frei ist, ja?

Themenkreis
Aussehen und Geschmack

16 **Fokus Strukturen**

1 Der Ring ist rot.

Welche Farben haben die Gegenstände? Betrachten Sie die Zeichnungen und ergänzen Sie.

> ◎ gelb ◎ violett ◎ braun ◎ grau ◎ ~~rot~~ ◎ grün ◎ blau ◎ schwarz ◎

Nr. 1 Der Ring ist ___rot___ .

Nr. 2 Die Brille ist _____ .

Nr. 3 Das Auto ist _____ .

Nr. 4 Die Stiefel sind _____ .

Nr. 5 Der Hut ist _____ .

Nr. 6 Die Geldbörse ist _____ .

Nr. 7 Das Kleid ist _____ .

Nr. 8 Die Handschuhe sind _____ .

2 Wie finden Sie die Gegenstände?

Ergänzen Sie zunächst selbst. Vergleichen Sie dann im Kurs.

a. Der rote Ring sieht *interessant aus* _____ .

b. Die gelbe Brille sieht *lustig aus* _____ .

c. Das graue Auto sieht *gefährlich aus* _____ .

d. Die grünen Stiefel sehen *unbequem aus* _____ .

e. Der violette Hut sieht _____ .

f. Die schwarze Geldbörse _____ .

g. Das blaue Kleid _____ .

h. Die braunen Handschuhe _____ .

> ◎ interessant ◎ lustig ◎ verrückt ◎
> ◎ langweilig ◎ schön ◎ hässlich ◎
> ◎ bequem ◎ unbequem ◎ gefährlich ◎
> ◎ unheimlich ◎ modern ◎ ... ◎

> der rote Ring
> die rote Brille
> das rote Auto
> die roten Stiefel

3 Ein Keller wird aufgeräumt.

Vergleichen Sie die zwei Bilder gemeinsam mit einem Partner/einer Partnerin.
Welche 12 Dinge fehlen im Keller rechts?

a. der _rote_ Ball

b. die _schwarze_ Handtasche

c. das _gelbe_ Auto

d. die _grünen_ Gummistiefel

e. das _____ Fahrrad

f. der _____ Regenschirm

g. der _____ Koffer

h. die _____ Handschuhe

i. die _____ Vase

j. der _____ Hut

k. die _____ Strümpfe

l. die _____ Schuhe

⊚ blauen ⊚ schwarze ⊚ blaue ⊚ rote ⊚ grüne ⊚ schwarzen ⊚ gelben ⊚ rote ⊚

4 Der rote Hut ist groß. Der große Hut ist rot.

Bereiten Sie mit einem Partner/einer Partnerin die Sätze vor und üben Sie dann reihum im Kurs.

⊙ *Der rote Hut ist groß.*

◆ *Der große Hut ist rot.*

☐ *Die braunen Schuhe sind bequem.*

▶ *Die bequemen Schuhe sind braun.*

...

⊚ Hut: rot – groß / groß – rot

⊚ Schuhe: braun – bequem / bequem – braun

⊚ Handtasche: blau – klein / klein – blau

⊚ Regenschirm: alt – kaputt / kaputt – alt

⊚ Strümpfe: weiß – neu / neu – weiß

⊚ Handschuhe: grün – schön / schön – grün

⊚ Katze: jung – weiß / weiß – jung

⊚ ...

5 **Im Schlaraffenland**

a. Was ist auf dem Bild? Beschreiben Sie es gemeinsam im Kurs.

◉ *Da ist ein Käse. Er ist rund.*

◆ *Da sind Bananen. Sie sind gelb.*

☐ *Da ist/sind ...*

> ◎ Käse ◎ Bananen ◎ Topf ◎ Brücke ◎
> ◎ Brot ◎ Bonbons ◎ Pferd ◎ ... ◎

> ◎ grau ◎ weiß ◎ groß ◎ bunt ◎
> ◎ lang ◎ braun ◎ ... ◎

b. Was passt zusammen? Arbeiten Sie mit einem Partner/einer Partnerin.

1. Ein alter Mann ⬭
2. Eine dicke Frau ⬭
3. Ein verliebtes Paar ⬭
4. Fette Würste ⬭
5. Ein großer Käse ⬭
6. Eine heiße Suppe ⬭
7. Ein langes Brot ⬭
8. Rote Kirschen ⬭

A trinkt Wein.
B steht auf dem Herd.
C läuft über die Brücke.
D schwimmen im Sahnesee.
E nascht Schokolade.
F isst ein Eis.
G liegt auf der Wiese.
H hängen im Apfelbaum.

der Mann	ein alter Mann
die Frau	eine alte Frau
das Paar	ein altes Paar
die Würste	fette Würste

c. Was ist noch auf dem Bild? Ergänzen Sie.

1. ein _____ Fluss
2. eine _____ Torte
3. ein _____ Schwein
4. _____ Weintrauben

5. eine _____ Limonade
6. ein _____ Pudding
7. ein _____ Pferd
8. _____ Hühner

> ◎ gelbe ◎ roter ◎
> ◎ blauer ◎ dickes ◎
> ◎ weißes ◎ große ◎
> ◎ bunte ◎ blaue ◎

6 Ein heller Stern ...

a. Ergänzen Sie.

Auf dem Bild ist ein *heller* Stern.

Der _____ Stern ist links oben.

Oben in der Mitte ist ein _____ Flugzeug.

Das _____ Flugzeug fliegt hoch.

Rechts oben sind _____ Vögel.

Die _____ Vögel sitzen auf einer Wolke.

Links unten ist ein _____ Haus.

Da brennt Licht. Das _____ Haus ist hell.

Unten sind _____ Bäume.

Die _____ Bäume stehen in der Mitte.

Rechts unten ist ein _____ Turm.

Der _____ Turm ist braun.

⊚ helle ⊚ heller ⊚ weiße ⊚ weißen ⊚
⊚ schwarzen ⊚ schwarze ⊚ runder ⊚ runde ⊚
⊚ rote ⊚ rotes ⊚ blaue ⊚ blaues ⊚

b. Hören Sie die Beschreibung und kontrollieren Sie. 2|12

7 Ein Bild aus sechs Elementen

a. Wählen Sie mit einem Partner/einer Partnerin sechs Gegenstände/Personen und verteilen Sie sie in Ihrem Bild.

⊚ Mann ⊚ Frau ⊚ Kind ⊚ Leute
⊚ Baum ⊚ Torte ⊚ Haus ⊚ Blumen
⊚ Koffer ⊚ Schachtel ⊚ Auto ⊚ Kisten

⊚ dick ⊚ dünn ⊚ lustig ⊚ traurig ⊚ rund ⊚
⊚ geöffnet ⊚ geschlossen ⊚ leer ⊚ voll ⊚ bunt ⊚
⊚ rot ⊚ grün ⊚ blau ⊚ schwarz ⊚ ... ⊚

b. Beschreiben Sie Ihr Bild einer Partnergruppe. Diese Gruppe zeichnet.

Da ist ein kleiner Baum. Der kleine Baum ist links oben.

Da ist auch eine runde Lampe. Die runde Lampe ist rechts unten.

Dann ist da noch ein kleines ...

Und da sind ...

c. Vergleichen Sie anschließend gemeinsam die Zeichnung mit der Beschreibung.

17 Fokus Lesen

1 Leider konnte ich nicht kommen.

a. Lesen Sie Lindas E-Mail.

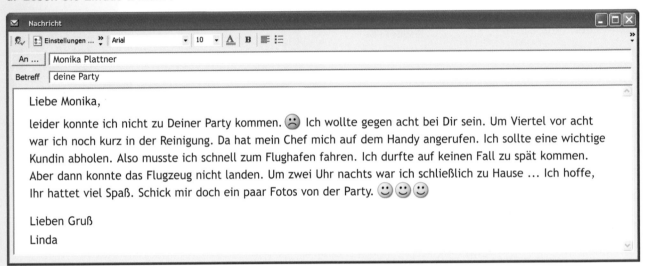

Nachricht

Einstellungen ... » | Arial | 10 | A B

An ... | Monika Plattner

Betreff | deine Party

Liebe Monika,

leider konnte ich nicht zu Deiner Party kommen. 🙁 Ich wollte gegen acht bei Dir sein. Um Viertel vor acht war ich noch kurz in der Reinigung. Da hat mein Chef mich auf dem Handy angerufen. Ich sollte eine wichtige Kundin abholen. Also musste ich schnell zum Flughafen fahren. Ich durfte auf keinen Fall zu spät kommen. Aber dann konnte das Flugzeug nicht landen. Um zwei Uhr nachts war ich schließlich zu Hause ... Ich hoffe, Ihr hattet viel Spaß. Schick mir doch ein paar Fotos von der Party. 🙂 🙂 🙂

Lieben Gruß

Linda

b. Was passt zusammen? Überlegen Sie mit einem Partner/einer Partnerin.

1. Linda wollte gegen acht Uhr
2. Linda konnte nicht zur Party kommen,
3. Linda sollte eine Kundin
4. Linda durfte auf keinen Fall
5. Linda musste am Flughafen
6. Ihre Freundin soll ihr

A. zu spät kommen.
B. vom Flughafen abholen.
C. auf das Flugzeug warten.
D. bei Monika sein.
E. Fotos von der Party schicken.
F. denn sie hatte keine Zeit.

	Präsens	Präteritum
	will	wollte
ich	soll	sollte
er/sie/es/man	muss	musste
	darf	durfte
	kann	konnte

2 „Wollten wir uns nicht treffen?"

Variieren Sie das Gespräch mit einem Partner/einer Partnerin.
und spielen Sie es im Kurs vor.

⊙ Wo warst du denn gestern? Wollten wir uns nicht treffen?
◆ Tut mir leid. Ich konnte nicht. Ich musste für eine Prüfung lernen.
⊙ Schade. Kannst du vielleicht morgen?
◆ Ja, da geht es bestimmt.

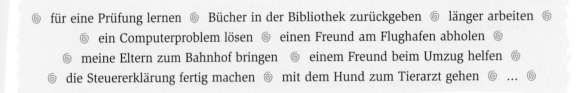

◉ für eine Prüfung lernen ◉ Bücher in der Bibliothek zurückgeben ◉ länger arbeiten ◉
◉ ein Computerproblem lösen ◉ einen Freund am Flughafen abholen ◉
◉ meine Eltern zum Bahnhof bringen ◉ einem Freund beim Umzug helfen ◉
◉ die Steuererklärung fertig machen ◉ mit dem Hund zum Tierarzt gehen ◉ ... ◉

3 „Was soll ich denn zum Vorstellungsgespräch anziehen?" 2|13

Hören Sie das Gespräch. Was ist richtig? ✗

a. Der rote Rock steht Clara gut.

b. Clara möchte den roten Rock anziehen.

c. Clara will keinen dunklen Rock tragen.

d. Clara will eine helle Bluse anziehen.

e. Die hellen Jeans sind Clara zu eng.

f. Helle Jeans gefallen Sina nicht.

g. Das blaue Kleid gefällt Clara gut.

h. Ein dunkles Kleid möchte Clara nicht.

i. Clara findet die flachen Schuhe bequem.

j. Die hohen Schuhe findet Clara zu unmodern.

k. Sina findet, hohe Schuhe sind richtig.

l. Sie wollen zusammen Schuhe kaufen.

Ich mag	den **roten** Rock. die blau**e** Bluse. das hell**e** Hemd. die schwarz**en** Schuhe.

Ich brauche	eine**n roten** Rock. eine blau**e** Bluse. ein hell**es** Hemd. schwarz**e** Schuhe.

dunkel – die dunk**len** Schuhe hoch – die ho**hen** Schuhe

4 Welche Farben tragen Sie gerne? Was ziehen Sie an, wenn ...?

Überlegen Sie und stellen Sie dann Ihre Sätze im Kurs vor.

◎ in der Freizeit ◎ bei der Arbeit ◎ zu einem Bewerbungsgespräch ◎
◎ am Sonntag ◎ zu Hause ◎

◎ Fahrrad fahren ◎ in die Oper gehen ◎ im Garten arbeiten ◎
◎ zu einer Hochzeit eingeladen sein ◎ in die Disco gehen ◎ essen gehen ◎ ... ◎

◎ kurz ◎ lang ◎ hell ◎ dunkel ◎ rot ◎ blau ◎ grün ◎ gelb ◎ weiß ◎
◎ braun ◎ bunt ◎ bequem ◎ eng ◎ weit ◎ hoch ◎ flach ◎ alt ◎ ... ◎

◎ T-Shirt ◎ Jeans ◎ Anzug ◎ Hemd ◎ Krawatte ◎ Pullover ◎
◎ Mütze ◎ Hose ◎ Bluse ◎ Kleid ◎ Rock ◎ Schuhe ◎ Sportschuhe ◎
◎ Stiefel ◎ Gummistiefel ◎ Strümpfe ◎ Handschuhe ◎ ... ◎

☉ *Blau ist meine Lieblingsfarbe. In der Freizeit trage ich gerne blaue T-Shirts.*

◆ *Grau finde ich schön. Bei der Arbeit trage ich einen grauen Anzug, ein weißes Hemd und eine dunkle Krawatte.*

□ *Gelb mag ich gerne. Wenn ich Fahrrad fahre, ziehe ich ein gelbes T-Shirt und gelbe Sportschuhe an.*

5 Lesen Sie die Textabschnitte auf dieser Seite.

a. Über welche Themen schreibt die Autorin hier? **X**

Musik ⬤   Kleidung ⬤   Essen und Trinken ⬤   Schmuck ⬤   Wohnen ⬤   Kunst ⬤

b. Was passt zusammen? Lösen Sie die Aufgaben mit einem Partner/einer Partnerin.

1. Helga findet ⬤
2. Helgas Kleidung ist langweilig, ⬤
3. Michael wollte eine schwarze Decke, ⬤
4. Noch mehr Piercings bei Lara ⬤
5. Helga denkt, ⬤
6. Michael denkt, ⬤

A Erwachsene können junge Menschen nicht verstehen.
B denn das Universum ist auch dunkel.
C würde Helga gerne verhindern.
D denkt ihre Freundin.
E die Freundschaft wichtiger als Diskussionen über Mode.
F dass Laras Geschmack einfach verrückt ist.

Über Geschmack kann man nicht streiten.

Oder doch? – Unsere Redakteurin Helga Fächer, 39 und Mutter von zwei Kindern, macht sich heute Gedanken zum Thema Geschmack.

Liebe Leserin, lieber Leser,
habe ich eigentlich das Recht, über den Geschmack von anderen Leuten zu urteilen?

Da fällt mir zum Beispiel meine Freundin Vera ein. Sie macht jede Mode mit: kurze Röcke, lange Röcke, enge Kleider, weite Kleider, hohe Schuhe, flache Schuhe, kleine Hüte, große Hüte. Leider hat sie kein Gefühl dafür, was zu ihr passt. Wenn ich sie treffe, ist ihre erste Frage immer: „Na, wie steht mir das?" Ich gebe ihr schon lange keine ehrliche Antwort mehr, weil sie dann beleidigt ist. Ich selbst trage meistens eine dunkle Hose und einen hellen Pullover. Das findet Vera ziemlich langweilig. Vielleicht hat sie ja sogar ein bisschen recht, aber über dieses Thema will ich mit Vera nicht diskutieren. Schließlich ist unsere Freundschaft wichtiger. **Sie hat einfach ihren eigenen Geschmack und ich habe meinen.**

Mein Sohn heißt Michael und ist 17. Er hat einen ganz speziellen Geschmack. Neulich hat er sein Zimmer renoviert. Jetzt gibt es da drei schwarze Wände. Die Decke wollte er auch schwarz streichen, aber da habe ich protestiert. Jetzt ist die Decke grau. Das war unser Kompromiss. Warum keine schwarze Zimmerdecke? Mein Sohn findet das schön. Er sagt, dass er dann an das dunkle, unendliche Universum denkt, wenn er im Bett liegt. Davon bekommt man schreckliche Alpträume, sage ich. Michael bleibt bei seiner Meinung. Er ist sowieso sicher, dass die Erwachsenen ihn nicht verstehen können. **Deshalb habe ich aufgehört, mit Michael über Geschmack zu streiten.**

Mit meiner Tochter Lara ist es auch nicht ganz einfach. Unser aktuelles Thema heißt ‚Piercing'. Ist es nicht verrückt, überall Löcher in die Haut zu bohren, nur um Schmuckstücke zu befestigen? Diese Mode ist einfach scheußlich, finde ich. Meine Tochter hat da eine andere Meinung. Sie findet es toll. Bisher konnte ich das Schlimmste verhindern, weil sie erst 14 ist und manchmal noch auf mich hört. So hat sie bisher nur drei Ringe im linken und einen im rechten Ohr. Glücklich bin ich nicht, weil ich finde, dass einer pro Ohr genug ist. Außerdem weiß ich, dass Lara feste Pläne hat: Erst will sie einen kleinen Ring am Auge und dann einen roten Stein an der Nase. Aber was soll ich tun? **Meine Tochter hat einfach einen verrückten Geschmack.**

12

6 **Lesen Sie die Textabschnitte auf dieser Seite.**

Was passt zusammen? Lösen Sie die Aufgaben mit einem Partner/einer Partnerin.

1. Wenn sie ihr Sonntagskleid anziehen musste,

2. Obwohl sie ihre Zöpfe behalten sollte,

3. Helga konnte nicht auf Bäume klettern,

4. Weil ihre Nichte ein weißes Kleid haben wollte,

5. Weil das weiße Kleid nicht schmutzig werden durfte,

A ist Helga mit ihr in die Stadt gegangen.

B wenn sie ihr weißes Kleid getragen hat.

C hat Helga jedes Mal einen Wutanfall bekommen.

D konnte Helga nicht richtig spielen.

E hat Helga sie abgeschnitten.

7 **Was ist Ihre Meinung?**

☉ *Ich finde Michaels Geschmack in Ordnung, denn ...*

◆ *Lara kann ich gut verstehen, aber ...*

▶ *Ich wollte/durfte als Kind ...*

Doch meine Eltern hatten es auch nicht leicht mit mir. Als kleines Kind musste ich sonntags immer ein weißes Kleid tragen. Das war damals so üblich. Aber ich habe dieses Kleid gehasst. Es war unbequem und ich konnte nicht richtig spielen, denn es musste natürlich sauber bleiben und durfte keine Flecken bekommen. Wenn ich es anziehen musste, habe ich jedes Mal einen Wutanfall bekommen. Ich wollte viel lieber Jeans anziehen, weil ich dann rennen und auf Bäume klettern konnte. Nur Jeans waren für mich schön, genau mein Geschmack. Aber meine Eltern hatten eine klare Meinung: **Ein Kind hat noch keinen Geschmack.**

Das war natürlich nicht der einzige Konflikt. Bis zum fünften Schuljahr hatte ich lange blonde Zöpfe. Die waren für mich irgendwann genauso schrecklich wie vorher das weiße Kleid. Und natürlich hatten meine Eltern wieder kein Verständnis. Ich musste diese Frisur haben, weil alle braven kleinen Mädchen Zöpfe hatten. Aber erstens wollte ich kein braves Kind sein und zweitens waren lange Haare nicht mehr modern. Ich wollte eine freche kurze Frisur wie meine Freundinnen. „Diese Mädchen sehen aus wie Jungen", haben meine Eltern geantwortet. Zum Frisör durfte ich nicht gehen. Also habe ich meine Haare selbst heimlich abgeschnitten. Meine Mutter hatte einen Nervenzusammenbruch und mein Vater hat eine Woche nicht mehr mit mir gesprochen. **Meine Eltern hatten einfach keinen Geschmack, das war mir klar.**

Gerade muss ich an meine kleine Nichte denken, weil sie heute Geburtstag hat. Sie hat lange Haare und trägt am liebsten Zöpfe. Ihre Mutter findet diese Frisur sehr unpraktisch, weil es viel Zeit kostet, die Haare zu kämmen. Aber meine Nichte will keine kurzen Haare, weil sie nicht wie ein Junge aussehen möchte. Gestern war ich mit ihr in der Stadt, um für sie ein Geburtstagsgeschenk zu kaufen. Sie wollte unbedingt ein weißes Kleid haben. Immer muss sie Jeans tragen, das arme Kind. Also habe ich ihr ein weißes Kleid gekauft, und sie sieht entzückend aus. **Das Kind hat Geschmack.**

Bis zum nächsten Mal
Ihre Helga Fächer

13

Fokus Hören

1 „Meine Handtasche ist weg!"

a. Lesen Sie die drei Texte.

A Die alte Dame ist auf dem Polizeirevier, um einen Diebstahl zu melden. Sie erzählt, dass sie mit dem Bus gefahren ist. Neben ihr hat ein junger Mann mit langen Haaren gesessen. Er hatte eine rote Mütze auf und eine schwarze Lederjacke an. An der Haltestelle ‚Goetheplatz' ist er ausgestiegen. Ein paar Minuten später wollte die alte Dame ein Taschentuch aus ihrer Handtasche nehmen. Da hat sie gemerkt, dass ihre Handtasche nicht mehr da war. Zum Glück war nur wenig Geld in der Tasche.

B Die alte Dame ist auf dem Polizeirevier, um einen Diebstahl zu melden. Sie sagt, dass sie mit der Straßenbahn nach Hause fahren wollte. Da ist ein Mann mit einem schwarzen Bart und einer grünen Mütze eingestiegen und hat sie nach der Uhrzeit gefragt. Danach ist eine Frau mit einem bunten Kleid gekommen. An der nächsten Station hat ihr diese Frau plötzlich die Handtasche weggerissen. Dann sind beide ausgestiegen und weggerannt. Zum Glück war kein Geld in der Tasche.

C Die alte Dame ist auf dem Polizeirevier, um einen Diebstahl zu melden. Sie ist sehr aufgeregt, weil man ihr die Handtasche gestohlen hat. Der Dieb war ein kleiner Mann mit einem schwarzen Bart und einer großen Sonnenbrille. Die alte Dame erzählt, dass sie mit der U-Bahn gefahren ist und gerade aussteigen wollte. Plötzlich hat dieser Mann neben ihr gestanden. Er hat ihr die Tasche aus der Hand gerissen und ist weggerannt. Zum Glück hatte sie kein Geld dabei.

b. Welche Unterschiede gibt es zwischen den drei Texten?
   Überlegen Sie mit einem Partner/einer Partnerin.

A	B	C
• *ist mit dem Bus gefahren*	• *ist mit der Straßenbahn gefahren*	• *ist mit der U-Bahn gefahren*
• *junger Mann*	• *ein Mann und eine Frau*	• *ein kleiner Mann*
• *mit langen Haaren*	• *mit einem schwarzen Bart*	• *mit einem schwarzen Bart*
• *mit einer roten Mütze*	• *mit einer grünen Mütze*	• *...*
• *...*	• *...*	

⊙ *In Text A steht, die alte Dame ist mit dem Bus gefahren.*
◆ *In Text B steht, sie ist ...*

c. Hören Sie jetzt das Gespräch. Welcher Text ist richtig? ✗ 2|14 ◎

d. Was hatte die alte Dame in ihrer Handtasche?

⊙ *Sie hatte Fotos von ihren Kindern in der Handtasche.*
◆ *Und dann hatte sie noch ...*

e. Hat man Ihnen auch schon einmal etwas gestohlen? Oder haben Sie schon einmal einen Gegenstand vergessen oder verloren? Erzählen Sie im Kurs.

2 „Das ist die Person!"

a. Üben Sie das Gespräch im Kurs.

☺ *Haben Sie den Mann genau gesehen?*

◆ *Ja, es war ein Mann mit einem runden Gesicht.*

☺ *Erkennen Sie die Person hier wieder?*

◆ *Ja. Der Mann mit der blauen Mütze, das ist er!*

mit	dem einem	langen	Bart
	der einer	roten	Mütze
	dem einem	runden	Gesicht
	den —	kurzen	Haaren

b. Variieren Sie:

◉ Mann	◉ mit dem / mit einem	◉ rund ◉ grün	◉ Gesicht ◉ Mütze
◉ Frau	◉ mit der / mit einer	◉ schmal ◉ grau	◉ Brille ◉ Augen
◉ Person	◉ mit dem / mit einem	◉ lang ◉ groß	◉ Mund ◉ Lippen
	◉ mit den / mit	◉ kurz ◉ klein	◉ Nase ◉ Hals
		◉ blau ◉ gelb	◉ Hut ◉ Bart

3 „Ich kenne ihn doch gar nicht!"

a. Hören Sie das Gespräch. Was ist richtig? ✗ 2|15

Der Kollege …

1. ◉ kommt mit dem Flugzeug aus Berlin.
2. ◉ kommt um Viertel nach drei am Bahnhof an.
3. ◉ ist ziemlich groß.
4. ◉ ist nicht sehr groß.
5. ◉ trägt eine schmale Brille.
6. ◉ hat immer eine bunte Krawatte an.
7. ◉ trägt meistens einen schwarzen Hut.
8. ◉ hat schwarze Haare.
9. ◉ ist rothaarig.
10. ◉ trägt einen Ohrring im linken Ohr.
11. ◉ ist noch ziemlich jung.

b. Erfinden Sie mit einem Partner/einer Partnerin ein ähnliches Gespräch. Spielen Sie es dann im Kurs vor.

4 „Das muss ich unbedingt mitnehmen!"

a. Beschreiben Sie die Situation auf dem Foto.

b. Hören Sie das Gespräch. Wer sagt was? (= Mann   F = Frau)

1. ⬤ „Was für ein Koffer ist das denn?"
2. ⬤ „Ich habe ihn geliehen, weil er so schön groß ist."
3. ⬤ „Welches Hemd ist schmutzig?"
4. ⬤ „Was für eine Krawatte ist besser?"
5. ⬤ „Welche Jacke passt besser zu dieser Hose?"
6. ⬤ „Aber du hast doch schon zwei eingepackt!"
7. ⬤ „Welcher Schal ist nicht da?"
8. ⬤ „Ich will im Urlaub meine Ruhe haben!"
9. ⬤ „Ich habe meinem Chef gesagt, dass er mich anrufen kann."
10. ⬤ „Was für Ferien sollen das sein?"

| **Welcher** Schal? | → **Der** graue Schal. |
| **Was** für **ein** Schal? | → **Ein** grauer Schal. |

c. Welches Problem haben der Mann und die Frau?
Was ist Ihre Meinung dazu? Diskutieren Sie im Kurs.

⊙ *Ich finde, dass die Frau Recht hat. Im Urlaub ...*

◆ *Da bin ich anderer Meinung. Der Mann ...*

5 Und Ihr Urlaub?

a. Was ist für Sie wichtig, wenn Sie Urlaub machen?

⊙ *Ich will im Urlaub nette Leute kennenlernen. Abends möchte ich immer tanzen gehen.*

◆ *Ich brauche im Urlaub nur Sonne und Wasser. Und gutes Essen ist mir wichtig.*

□ *Ich muss aktiv sein im Urlaub. Sport ist für mich ...*

b. Was nehmen Sie mit? Was brauchen Sie nicht?

⊙ *Ich nehme immer ein kleines Kopfkissen mit. Sonst kann ich in einem fremden Bett nicht schlafen.*

◆ *Ich nehme viele Bücher und Zeitschriften mit, weil ich im Urlaub gern lese.*

□ *Ich brauche im Urlaub nicht viel Kleidung, denn meistens liege ich am Strand.*

◎ viel unternehmen ◎ Spaß haben ◎
◎ schwimmen und tauchen ◎
◎ Sehenswürdigkeiten besichtigen ◎
◎ morgens lange schlafen ◎ braun werden ◎
◎ viel Natur   Tiere beobachten ◎
◎ neue Städte / Länder kennenlernen ◎
◎ interessante Menschen treffen ◎ ... ◎

◎ viele Badeanzüge ◎ ein Wörterbuch ◎
◎ meine eigenen Handtücher ◎
◎ Medikamente gegen Schnupfen und Husten ◎
◎ Kartenspiele ◎ Tennisschläger ◎
◎ Musik-CDs ◎ Briefpapier ◎
◎ ein Mittel gegen Mücken ◎ ... ◎

6 „Das ist ein schrecklicher Typ!"

a. Astrid spricht über ihren neuen Kollegen. Was glauben Sie: Wie passen die Satzhälften zusammen?

1. „Alle Frauen finden ihn toll,
2. „Er merkt einfach nicht,
3. „Ich habe keine Lust,
4. „Es geht mir auf die Nerven,
5. „Wenn er morgens ins Büro kommt,
6. „Mit seinen weißen Socken
7. „Wenn der Chef ins Zimmer kommt
8. „Morgens kommt er meistens zu spät,

A trinkt er immer zuerst Milch."
B ihm dauernd Ratschläge zu geben."
C wird er immer ganz nervös."
D dass ich seine Witze blöd finde."
E sieht er einfach lächerlich aus."
F weil er Probleme mit seinem Auto hat."
G dass er so viel redet."
H weil er so gut aussieht."

b. Hören Sie das Gespräch. Was haben Sie richtig geraten?　2|17

c. Was kritisiert Astrid? Was meinen Sie dazu? Diskutieren Sie im Kurs.

7 Was gefällt Ihnen bei anderen Menschen? Was gefällt Ihnen nicht?

☉ *Ich mag lustige, fröhliche Menschen.*
◆ *Ich finde es toll, wenn jemand eine schöne Stimme hat.*
☐ *Ich finde es sympathisch, wenn jemand gut zuhören kann.*
▶ *Ich mag keine aggressiven Menschen.*
◇ *Nervöse Menschen finde ich ...*

◎ starkes Parfüm benutzen ◎ sehr laut reden ◎
◎ immer sehr leise sprechen ◎ dauernd SMS schreiben ◎
◎ überall mit dem Handy telefonieren ◎
◎ negativ über andere Leute sprechen ◎
◎ den ganzen Tag Musik hören ◎ sehr viel Schmuck tragen ◎
◎ unpünktlich sein ◎ immer über Politik reden ◎
◎ oft schlechte Laune haben ◎ betrunken sein ◎
◎ rauchen ◎ zu neugierig sein ◎ ... ◎

Fokus Sprechen

1 Ein schlauer Bauer ...

a. Hören Sie die Reime und sprechen Sie nach.

 2|18 23

Fritz ist ein schlauer Bauer.
Er steigt auf eine Mauer.
Da merkt der schlaue Bauer:
Die Äpfel sind noch sauer.

Fritz ist ein lieber Vater
und Kurt ein schwarzer Kater.
Der liebe Fritz sucht Kurt im Keller.
Der schwarze Kater ist viel schneller.

b. Ändern Sie die Adjektive und tragen Sie Ihre Verse im Kurs vor.

Fritz ist ein müder Bauer ... Da merkt der müde Bauer ...
Fritz ist ein alter Vater und Kurt ein weißer Kater ...

⦿ jung ⦿ alt ⦿ schön ⦿ groß ⦿ klein ⦿
⦿ müde ⦿ süß ⦿ grau ⦿ weiß ⦿ gut ⦿ ... ⦿

c. Machen Sie ein Reihenspiel im Kurs.

⦿ *Der schwarze Kater ist schnell.*
♦ *Der schnelle Kater ist schwarz.*
□ *Der schlaue Bauer ist ...*

⦿ Kater: schwarz / schnell ⦿ Keller: klein / sauber
⦿ Bauer: schlau / alt ⦿ Birne: hart / schlecht
⦿ Vater: lieb / langsam ⦿ Mutter: fleißig / glücklich
⦿ Apfel: grün / sauer ⦿ Katze: gesund / schön
⦿ Mauer: nass / kalt ⦿ ...

2 Eine hübsche, kleine, weiche Puppe ...

a. Sprechen Sie die Reime nach. 2|19 24

Eine hübsche, kleine, weiche Puppe
isst eine gute, heiße, scharfe Suppe.

Eine dicke, warme, rote Mütze
fliegt in eine tiefe, kalte, nasse Pfütze.

Eine große, schwere, schwarze Tasche
liebt eine kleine, leichte, rote Flasche.

b. Schreiben Sie zusammen mit einem Partner/einer Partnerin weitere Verse.
Achten Sie auf die Endungen der Adjektive.

Eine liebe, kleine, graue Maus wohnt in einem schönen, großen, neuen Haus.
Ein lieber, alter, dummer Igel ...

⦿ Maus / Haus
⦿ Igel / Spiegel
⦿ Fisch / Tisch
⦿ Mutter / Butter
⦿ Mücke / Brücke
⦿ ...

3 Beim Pferderennen

a. Welche Personen und Gegenstände sehen Sie?
Beschreiben Sie die Zeichnung gemeinsam im Kurs.

b. Hören Sie das Gespräch und lesen Sie es mit verteilten Rollen. 2|20 25

○ Siehst du die Frau da drüben? Die kenne ich.

◆ Wen meinst du?

○ Die Frau mit dem großen Hut und der grünen Jacke.

◆ Meinst du die mit dem gelben Schirm in der Hand?

○ Ja, die meine ich. Komm, lass uns mal zu ihr gehen.

c. Variieren Sie das Gespräch.

○ *Siehst du den Mann da unten? Den kenne ich.*

◆ *Wen meinst du?*

○ *Den Mann mit dem blauen Mantel und dem roten Schal.*

◆ *Meinst du den mit der braunen Tasche?*

○ *Ja, den meine ich. Komm, ich möchte ihn gern begrüßen.*

…

... Frau da vorne
... mit dem langen Kleid und den grünen Schuhen
... mit dem kleinen Hund?
... lass uns mal „Guten Tag" sagen

... Mann da hinten
... mit der roten Jacke und der schwarzen Mütze
... mit dem blauen Koffer?
... möchte dich gern vorstellen

... Frau da oben
... mit dem weißen Rock und dem schwarzen Pullover
... mit den langen Haaren?
... möchte gern mit ihr reden

4   Der große nasse Fisch ... 2|21 26

a. Hören Sie die Reime und sprechen Sie nach.

Ist er denn auch frisch,
der große nasse Fisch?

    Ein großer nasser Fisch
    ist doch immer frisch!

Macht sie sehr viel Durst,
die lange scharfe Wurst?

    Eine lange scharfe Wurst
    macht doch immer Durst!

War es heute brav,
das kleine weiße Schaf?

    Ein kleines weißes Schaf
    ist doch immer brav!

b. Variieren Sie zusammen mit einem Partner/einer Partnerin die Adjektive in den Reimen.

Fisch:
- klein/dick
- flach/dünn
- bunt/schön
- ...

Wurst:
- heiß/kurz
- fett/warm
- kalt/rot
- ...

Schaf:
- groß/schwarz
- alt/müde
- jung/dumm
- ...

5   Ein Spiel mit Adjektiven

**a. Suchen Sie rechts eine Bildkarte aus und fragen Sie Ihren Nachbarn/Ihre Nachbarin danach.
Bei einer richtigen Antwort stellt er/sie die nächste Frage usw.**

Variante 1
- ⊙ *Was ist auf Karte 14?*
- ◆ *Da ist eine Katze mit einem roten Schal.*
- ⊙ *Das stimmt. Du bist dran.*
- ◆ *Was ist auf Karte ....?*
- ☐ *Da ist ...*

Variante 2
- ⊙ *Auf der Karte ist eine Katze.*
  Sie hat einen roten Schal.
- ◆ *Das ist Nummer 14.*
- ⊙ *Stimmt! Du darfst weitermachen.*
- ◆ *Auf der Karte ist ein Mann.*
  Er hat einen schwarzen Hund.
- ☐ *Das ist Nummer ...*

b. Wer ist am schnellsten?

Ein Teilnehmer beginnt und stellt die erste Frage. Wer die Antwort zuerst weiß, ruft sie laut in die Klasse
und stellt dann die nächste Frage usw.

- ⊙ *Wo ist das Kind mit dem gelben Ball?*
- ◆ *Auf Karte 10! ... Wo ist ...?*

Fokus Schreiben

1 Hören Sie zu und schreiben Sie. 2|22

Eine .... trägt .... , ...
.... Plötzlich ....
.... durch .... Doch ....
....

2 Eine dumme Geschichte!

a. Lesen Sie den Text und ergänzen Sie die Sätze.

○ ○ ○   Neue E-Mail

Hallo Gitty,

es tut mir leid, dass ich gestern nicht zu Dir *kommen konnte* , aber mir ist eine dumme Geschichte passiert.

Die muss ich Dir .... :

Ich bin um sechs mit der U-Bahn .... , weil ich noch ein Buch ....

Zwischen Schillerplatz und Bahnhof hat ein komischer Typ dicht .... Mitten im Sommer

hatte er einen langen braunen Mantel und .... Er hatte blonde Haare, einen kurzen

Bart und über dem linken Auge ein Piercing. Weil er eine große Sonnenbrille aufhatte, konnte ich seine Augenfarbe

.... In der Buchhandlung habe ich dann gemerkt, dass meine Brieftasche

.... Ich bin sicher, dass der Typ aus der U-Bahn sie .... Natürlich bin ich sofort

zur Polizei gegangen.

Die haben ein Phantombild .... Aber dann hatte ich ein Problem:

Sie wollten meinen Ausweis und meine Aufenthaltserlaubnis sehen. Die waren natürlich in der Brieftasche! Also musste

ich zu meinem Konsulat gehen und .... Zum Glück war es noch geöffnet. Danach

musste ich noch einmal zur Polizei und .... Da war es schon sehr spät und ich

wollte Dich .... Treffen wir uns morgen?

Beste Grüße, Toshio

◎ kaufen wollte ◎ neue Papiere besorgen ◎ neben mir gestanden ◎ weg war ◎
◎ ~~kommen konnte~~ ◎ nicht erkennen ◎ in die Stadt gefahren ◎
◎ die neuen Papiere zeigen ◎ nicht mehr stören ◎ nach meiner Beschreibung gemacht ◎
◎ schwere schwarze Schuhe an ◎ gestohlen hat ◎ unbedingt erzählen ◎

b. Zeichnen Sie zusammen mit einem Partner/einer Partnerin ein Phantombild von dem Mann in der U-Bahn.

3 Ein modernes Bild

a. Was erkennen Sie auf dem Bild?

Da ist ein roter Baum.
Im Baum sieht man große Augen.
Neben dem Baum steht eine grüne ...
Man erkennt auch ...

 Bäume Tisch Kerze Bücher
 Brücke Briefumschlag Augen Blumen
 Delfin Tauben Käfig Stern ...

b. Was finden Sie ungewöhnlich?

⊙ *Normalerweise sind Blätter grün.*
◆ *Stimmt, aber es gibt auch rote Blätter.*
...

c. Lesen Sie die Beschreibung und ergänzen Sie den Text.

In der Mitte steht ein rundes Haus. Es sieht ungewöhnlich aus: Das Dach ist aus einem gelben Briefumschlag,

die Wände bestehen aus _dicken_ Büchern. Links neben dem Haus brennt eine .... Kerze.

Daneben wächst ein .... Baum.

Zwischen seinen Blättern sieht man zwei braune und zwei .... Augen. Hinter dem Haus

beginnt ein Wald. Er ist auch .... Vor dem Haus gibt es einen .... Garten mit

.... Blumen und einer .... Brücke. Darüber hängt ein .... Käfig.

Darauf sitzen zwei .... Tauben. Links im Hintergrund kann man einen .... Stern

erkennen. Am rechten Rand sieht man einen .... Tisch, darunter einen See. Darin schwimmt

ein .... Delfin.

 bunten offener langen kleinen
 kleiner _dicken_ weißen weiße
 roter grüne grünen blau blaue

Ein Garten ist **vor** dem Haus.
Ein Garten ist **davor**.
Tauben sitzen **auf** dem Käfig.
Tauben sitzen **darauf**.

4 **Ein schönes Geburtstagsgeschenk**

a. Betrachten Sie die Bilder. Was erkennen Sie? Machen Sie zu zweit eine Liste.

b. Lesen Sie die E-Mail und ergänzen Sie den Text.

Neue E-Mail

johannes-d@gmx.de

Lieber Johannes,

Rainer hat doch nächste Woche Geburtstag. Und endlich habe ich eine Idee:
Wir schenken ihm ein Bild! Er mag doch naive Kunst. Gestern habe ich auf
einer Kunstmesse in Köln drei schöne Bilder gesehen. Leider durfte ich dort
nicht fotografieren. Deshalb gebe ich dir eine kurze Beschreibung.

Auf dem ersten Bild sieht man im Vordergrund einen langen Tisch. Darauf
liegt ein grüner Stern, darunter steht ein gelber Vogel. In der ....
gibt es eine blaue Lagune. .... fliegt ein weißer Luftballon. Im
Hintergrund geht ein Mann mit einem roten Schirm am Himmel spazieren.

Auf dem zweiten Bild ist im Vordergrund ein grünes Meer. Darauf fährt ein
.... In der Mitte sieht man eine ....
Darauf wachsen .... steht eine
.... Im Hintergrund erkennt man zwei ....
....

Auf dem dritten Bild kann man im .... ein ....
.... sehen. Darin sitzt eine ....
Sie hat lange .... und schöne braune ....
In der .... sieht man einen .... See. Darauf schwimmt
ein .... Im .... erkennt man ein
.... mit ....

Was meinst Du: Welches Bild sollen wir nehmen?
Liebe Grüße
Sonja

◎ Darunter ◎ Darüber ◎	◎ rot ◎ weiß ◎ bunt ◎	◎ Sofa ◎ Segelboot ◎ Haare ◎
◎ Darauf ◎ Mitte ◎	◎ blau ◎ gelb ◎ grün ◎	◎ Blumen ◎ Puppe ◎ Brücke ◎
◎ Mitte ◎ Hintergrund ◎	◎ offen ◎ gelb ◎	◎ Augen ◎ Buch ◎ Bäume ◎
◎ Vordergrund ◎	◎ blau ◎ blond ◎ rund ◎	◎ Kerze ◎ Fenster ◎ Haus ◎

5 „Ich habe das ideale Haus gefunden."

a. Hören Sie das Gespräch. Welches Foto passt dazu? ✗

Haus 1

Haus 2

Haus 3

b. Was sieht man auf dem Foto nicht? Hören Sie das Gespräch noch einmal und machen Sie sich Notizen.

See, Bushaltestelle, ...

....

c. Beschreiben Sie das Haus zusammen mit einem Partner/einer Partnerin. Vergleichen Sie dann im Kurs.

Das Haus liegt ...

Es hat ...

Der Eingang ist ...

Daneben steht ...

Wenn man aus dem Haus geht, ...

Zwischen dem Haus und ... ist ...

Der Garten ...

Davor ist ...

Das Tor ist aus ...

Hinter dem Haus liegt ...

...

⊚ Dach ⊚ Garten ⊚ Eingang ⊚
⊚ Fenster ⊚ Straße ⊚ Fußweg ⊚
⊚ Bushaltestelle ⊚ Briefkasten ⊚
⊚ Mülltonne ⊚ Balkon ⊚
⊚ Erdgeschoss ⊚ erster Stock ⊚
⊚ Dachgeschoss ⊚ Keller ⊚
⊚ Rasen ⊚ Treppe ⊚
⊚ Fensterladen ⊚ Wand ⊚ Tor ⊚
⊚ Turm ⊚ Garage ⊚ Parkplatz ⊚
⊚ Terrasse ⊚ Baum ⊚ Rasen ⊚
⊚ See ⊚ Berg ⊚ Fluss ⊚ Holz ⊚
⊚ Metall ⊚ Stein ⊚ ... ⊚

⊚ klein ⊚ groß ⊚ rund ⊚ eckig ⊚
⊚ spitz ⊚ rot ⊚ weiß ⊚ grün ⊚
⊚ schwarz ⊚ ruhig ⊚ ... ⊚

⊚ davor ⊚ daneben ⊚
⊚ dazwischen ⊚ oben ⊚
⊚ unten ⊚ nebenan ⊚ ... ⊚

d. Wählen Sie zusammen mit einem Partner/einer Partnerin ein anderes Foto und beschreiben Sie das Haus.

6 Unser Traumhaus

Diskutieren Sie in einer kleinen Gruppe und machen Sie eine Beschreibung von Ihrem gemeinsamen Traumhaus. Stellen Sie es dann zusammen im Kurs vor.

Denken Sie auch an: Lage / Größe / Räume / Material / Farbe / Aussicht / Nebengebäude ...

Das können Sie jetzt:

- Über das Aussehen von Personen sprechen
- Sich über den Geschmack von Personen äußern
- Sich über Charakter/Verhaltensweisen von Menschen unterhalten
- Gegenstände, Bilder und Fotos genauer beschreiben
- Sich für eine versäumte Verabredung entschuldigen
- Berichten, was man im Urlaub gemacht hat
- Angeben, welche Kleidung man zu welchen Anlässen trägt
- Ein Haus mit Umgebung beschreiben

Reine Geschmacksache

✪ Mama? ... Was ist denn los? Warum hast du diesen doofen Hut auf?

▦ Ich war gerade bei einem neuen Frisör.

✪ Ja und?

▦ Eine Katastrophe ...

✪ Was ist denn passiert?

▦ Er sollte mir braune Haare mit blonden Strähnchen machen.

✪ Na und? Du hast doch immer dunkle Haare und helle Strähnchen.

▦ Ja, aber er hat die falschen Farben genommen. Jetzt habe ich rote Haare mit grünen Strähnchen.

✪ Ach ja? Konnte der Frisör die Farben denn nicht mehr ändern?

▦ Nein, so schnell geht das nicht. Das macht die Haare kaputt.

✪ Dann wartest du eben noch ein bisschen.

▦ Ja, ein paar Tage muss ich mindestens warten.

✪ Und wie lange willst du den schrecklichen Hut tragen? Setz ihn doch bitte endlich ab!

▦ Lieber nicht. Ich möchte nicht, dass mich jemand so sieht.

✪ So ein Quatsch! Es ist doch niemand da.

▦ Na gut. Und? Was sagst du?

✪ Nicht zu glauben! Das ist ja extrem!

▦ Ja, total extrem. Ich sehe aus wie ein Papagei.

✪ Genau. Die grünen Strähnchen sind der Hit, Mama!
  Bitte, bitte!!! Darf ich auch zu diesem tollen Frisör gehen?

Themenkreis
Ausbildung und Berufswege

MAX-PLANCK-GYMNASIUM

ZEUGNIS

FÜR Hafe Julia

KLASSE 9a

LEISTUNGEN:

RELIGIONSLEHRE: sehr gut
DEUTSCH: befriedigend
GESCHICHTE: gut
ERDKUNDE: gut
LATEINISCH: sehr gut
ENGLISCH: gut
FRANZÖSISCH: sehr gut
MATHEMATIK: befriedigend
PHYSIK: gut
CHEMIE: gut
BIOLOGIE:
MUSIK: sehr gut
KUNSTERZIEHUNG: gut
LEIBESÜBUNGEN: befriedigend

1 Er rasiert ihn. Er rasiert sich.

Betrachten Sie die Zeichnungen. Ergänzen Sie dann die Sätze.

a. Er rasiert ihn.   **b.** Er rasiert sich.   **c.** Sie schaut sie an.   **d.** Sie schaut sich an.

e. Es versteckt es.   **f.** Es versteckt sich.   **g.** Sie waschen sie.   **h.** Sie waschen sich.

i. Er ....   **j.** Er ....   **k.** Sie ....   **l.** Sie ....

m. Sie .... ins Bett.   **n.** Sie .... ins Bett.   **o.** Er ....   **p.** Er ....

> ◎ fotografiert sich ◎ legen sie ◎ zeichnet sich ◎ kämmt es ◎
> ◎ legen sich ◎ fotografiert sie ◎ zeichnet ihn ◎ kämmt sich ◎

er versteckt **ihn**	er versteckt **sich**
sie versteckt **sie**	sie versteckt **sich**
es versteckt **es**	es versteckt **sich**
sie verstecken **sie**	sie verstecken **sich**

2 Der Mann schaut den Hund an.

Erfinden Sie Satzpaare mit einem Partner/einer Partnerin. Lesen Sie Ihre Sätze dann im Kurs vor.

⑥ er ⑥ sie ⑥ der Mann ⑥ ⑥ der Frisör ⑥ die Frisörin ⑥ ⑥ die Mutter ⑥ der Vater ⑥ ⑥ die Krankenschwester ⑥ ⑥ die Fotografin ⑥ der Maler ⑥ ⑥ der Briefträger ⑥ ... ⑥	⑥ rasieren ⑥ kämmen ⑥ ⑥ wiegen ⑥ waschen ⑥ ⑥ anschauen ⑥ anziehen ⑥ ⑥ fotografieren ⑥ malen ⑥ ⑥ zeichnen ⑥	⑥ sich ⑥ ⑥ den Mann ⑥ die Frau ⑥ ⑥ das Kind ⑥ die Tochter ⑥ ⑥ das Baby ⑥ den Wagen ⑥ ⑥ die Eltern ⑥ die Leute ⑥ ⑥ den Hund ⑥ ... ⑥

Der Mann schaut den Hund an. Dann schaut er sich an.

Der Frisör rasiert sich. Dann rasiert er den Mann.

...

3 „Komm, wir verstecken uns!"

Betrachten Sie die Zeichnungen und ergänzen Sie die Nummern.

a. ⑥ „Komm, wir verstecken uns!"

b.   „Ich muss sie unbedingt kämmen."

c.   „Du musst dich unbedingt rasieren."

d.   „Du musst ihn schnell rasieren."

e.   „Ich muss mich unbedingt kämmen."

f.   „Schauen Sie sie bitte genau an!"

g.   „Ihr müsst euch waschen!"

h.   „Ihr müsst ihn waschen!"

i.   „Schauen Sie sich doch im Spiegel an!"

j.   „Komm, wir verstecken sie!"

> **sich waschen**
>
> **ich** wasche **mich**
> **du** wäschst **dich**
> **er/sie/es/man** wäscht **sich**
>
> **wir** waschen **uns**
> **ihr** wascht **euch**
> **sie/Sie** waschen **sich**

4 Die Arbeiter demonstrieren ...

Was passt?

a. Die Arbeiter demonstrieren 3 .

b. Die Sekretärin denkt ___ .

c. Die Lehrer nehmen ___ teil.

d. Die Chefin ruft ___ .

e. Die Studentin hilft der Schülerin ___ .

f. Der Manager berichtet ___ .

g. Der Patient wartet ___ .

h. Die Marktfrau spricht ___ .

i. Die Touristin fragt ___ .

1. an den Urlaub	4. mit der Kundin	7. an einer Konferenz
2. auf den Arzt	5. bei den Hausaufgaben	8. nach der Sekretärin
3. ~~für mehr Lohn~~	6. über den Export	9. nach dem Weg

warten auf berichten über demonstrieren für	+ Akkusativ

helfen bei fragen nach sprechen mit	+ Dativ

teilnehmen an	+ Dativ
denken an	+ Akkusativ

5 „Wie war Ihr Arbeitstag?"

Was sagen die drei Personen über ihren Arbeitstag? Hören Sie das Gespräch und ergänzen Sie.

a. Er hat sich *über seinen Wagen* geärgert.

b. Die Sekretärin hat sich sehr _____ gefreut.

c. Er hat sich _____ vorbereitet.

d. Eine Firma hat sich _____ erkundigt.

e. Der Praktikant hat sich _____ gekümmert.

f. Ein Abiturient hat sich _____ beworben.

g. Drei Kollegen haben sich nur _____ unterhalten.

h. Die Kollegen haben sie _____ gefragt.

i. Sie hat sich noch nie _____ interessiert.

j. Eine Kundin hat sich _____ beschwert.

⊚ über den Blumenstrauß ⊚ nach einer Bestellung ⊚ über eine falsche Lieferung ⊚
⊚ für Sportsendungen ⊚ ~~über seinen Wagen~~ ⊚ um eine Lehrstelle ⊚ über Fußball ⊚
⊚ auf einen wichtigen Termin ⊚ um die Rechnungen ⊚ nach ihrer Meinung ⊚

6 Ich freue mich, ärgere mich, interessiere mich ...

Überlegen Sie für sich jeweils drei Beispiele und berichten Sie anschließend im Kurs.

⊚ Blumen ⊚ die Sonne ⊚ ⊚ ein Blumenstrauß ⊚ ⊚ Glückwunschkarten ⊚ ⊚ Geschenke ⊚ Feiertage ⊚ ⊚ E-Mails von Freunden ⊚ ⊚ der Regen ⊚ der Schnee ⊚ ⊚ freundliche Anrufe ⊚ ... ⊚	⊚ Verspätungen ⊚ ⊚ kaputte Ampeln ⊚ ⊚ Wartezeiten ⊚ Unfreundlichkeit ⊚ ⊚ schlechtes Wetter ⊚ ⊚ Anrufe beim Essen ⊚ ⊚ Spam-Mails ⊚ mein Computer ⊚ ⊚ ein voller Terminkalender ⊚ ... ⊚	⊚ Sport ⊚ Musik ⊚ Mode ⊚ ⊚ Kunst ⊚ Museen ⊚ ⊚ Ausstellungen ⊚ Filme ⊚ ⊚ Konzerte ⊚ Reisen ⊚ ⊚ Sprachen ⊚ Grammatik ⊚ ⊚ Gedichte ⊚ Fußball ⊚ ⊚ Kochbücher ⊚ ... ⊚

Ich freue mich über Blumen.
Über ... freue ich mich auch.
Ich freue mich über ...

Ich ärgere mich über ...
Manchmal ärgere ich mich über ...
Über ... ärgere ich mich selten.

Ich interessiere mich für ...
Besonders interessiere ich mich für ...
Für ... interessiere ich mich überhaupt nicht.

sich freuen über sich ärgern über sich unterhalten über sich beschweren über	+ Akkusativ

sich kümmern um sich bewerben um sich vorbereiten auf sich interessieren für	+ Akkusativ

sich erkundigen nach	+ Dativ

1 „Ich bin dabei, unser Treffen zu organisieren."

Hören Sie das Telefongespräch. Was ist richtig? ✗

a. ◯ Birgit ist dabei, ein Treffen des Abiturjahrgangs zu organisieren.

b. ◯ Sandra gibt ihr Auskunft über einen früheren Mitschüler.

c. ◯ Birgit weiß schon, dass Alexander verheiratet ist.

d. ◯ Birgit ist neugierig und möchte den Namen der Ehefrau wissen.

e. ◯ Alexander war sehr intelligent und hat ein tolles Abiturzeugnis bekommen.

f. ◯ Er hat an der Universität Jura studiert.

g. ◯ Nach dem Abschluss des Studiums hatte er eine befristete Stelle bei einer Krankenkasse.

h. ◯ Später hat er die Firma des Großvaters übernommen.

i. ◯ Alexander hat das Haus der Großeltern bekommen.

j. ◯ Sandra kann sich nicht an die Telefonnummer der Mathematiklehrerin erinnern.

der Lehrer	die Adresse **des** Lehrers
die Lehrerin	die Adresse **der** Lehrerin
das Mädchen	die Adresse **des** Mädchens
die Großeltern	die Adresse **der** Großeltern

2 Eine Einladung zum Abiturtreffen

a. Lesen Sie die schriftliche Einladung.

Liebe ehemalige Mitschülerinnen und Mitschüler unseres Abiturjahrgangs,

vor fast 10 Jahren haben wir unser Abitur gemacht. Deshalb wollen wir uns wiedersehen.

Was ist seit damals passiert? Wer ist verheiratet? Wer ist aus der Heimat weggezogen? Wer hat seinen Traumjob gefunden? Ist jemand Direktor eines Museums oder Komponist geworden? Vielleicht sind ja auch Chefs von Konzernen oder Manager von Luxushotels unter uns. Seid Ihr auch neugierig?
Unser Treffen findet am fünften März statt, um 20 Uhr im Gasthaus „Zum Adler". Ich hoffe, dass viele von Euch kommen können. Bitte schickt mir bald eine kurze Mitteilung, damit ich einfacher planen kann. Könnt Ihr mir bis Ende Januar Bescheid geben? Ich warte noch auf die Zusage unserer Lehrer.

Herzlich
Eure frühere Mitschülerin Birgit Deichmann

PS.: Ich brauche noch die Adresse einer Mitschülerin und eines Mitschülers. Wer weiß etwas von Ulla Ranke und Uwe Friedel?

b. Was passt zusammen? Ergänzen Sie.

A Das Abiturtreffen findet

B Ehemalige Mitschüler sind vielleicht

C Vielleicht ist ein ehemaliger Mitschüler

D Damit die Planung einfacher wird,

E Birgit Deichmann sucht noch

F Auch die Adresse eines Mitschülers

1. die Adresse einer Mitschülerin.

2. Direktor eines Museums.

3. Chefs von Konzernen.

4. wird noch gebraucht.

5. am fünften März statt.

6. soll man Birgit eine Mitteilung schicken.

ein Konzern		eines Konzerns
eine Firma	der Manager	einer Firma
ein Hotel		eines Hotels
Konzerne		**von** Konzernen

ein Lehrer		unseres Lehrers
eine Lehrerin	die Adresse	unserer Lehrerin
ein Kind		unseres Kindes
Kinder		unserer Kinder

3 „Leider kann ich nicht kommen."

a. Lesen Sie die Mitteilung.

Liebe Birgit,

für die Einladung zum Abi-Treffen bedanke ich mich. Leider kann ich zu dem Termin nicht kommen. Ich bin seit zwei Jahren Doktor der Biologie und reise Anfang März in die Antarktis, um die Wanderungen der Pinguine zu untersuchen. Sicher versteht Ihr, dass diese Reise sehr wichtig für mich und die Wissenschaft ist. Vielleicht nehme ich ja am nächsten Treffen teil. Anbei ein aktuelles Foto von mir.

Euer

Kevin

b. Berichten Sie: Warum kann Kevin nicht zu dem Abiturtreffen kommen?

4 Schreiben Sie ähnliche Entschuldigungen.

Eine ehemalige Mitschülerin (Angelika Huber)
- sich für die Einladung bedanken
- ihr Medizinstudium abgeschlossen haben
- ab Ende Februar auf Hochzeitsreise sein
- allen Teilnehmern des Treffens viel Spaß wünschen
- um ein Foto vom Treffen bitten

Ein ehemaliger Mitschüler (Urs Köhler)
- sich für die Einladung bedanken
- beim Fernsehen arbeiten
- Anfang März einen Film über das Leben der Neandertaler drehen
- allen ein fröhliches Treffen wünschen
- um eine Adressenliste von allen Teilnehmern bitten

5 Abiturtreffen (Teil 1)

a. Lesen Sie zuerst die Einleitung des Textes. Ergänzen Sie dann.

Vierzig _Schülerinnen_ und _fünfzig_ Schüler haben vor _____ Jahren am Herder-Gymnasium _____ gemacht. Damals wollten die meisten _____. Zum _____ nach zwanzig Jahren ist fast die _____ gekommen.

b. Lesen Sie den Textabschnitt über Claudia von Bornfeld. Was ist richtig? **X**

Claudia von Bornfeld …

1. ⬤ hatte nach dem Abitur ein Stipendium.
2. ⬤ hat neben dem Studium gearbeitet.
3. ⬤ wollte schon als Kind Richterin werden.
4. ⬤ hat sich am meisten für Handelsrecht interessiert.
5. ⬤ war Assistentin an der Universität.
6. ⬤ möchte noch ihren Doktor machen.

7. ⬤ hat sich bei einer Import-Firma beworben.
8. ⬤ arbeitet bei der Deutschen Bank.
9. ⬤ findet ihre Karriere sehr wichtig.
10. ⬤ mag keine Männer.
11. ⬤ ist beruflich oft im Ausland.
12. ⬤ kennt den größten Wunsch ihrer Eltern.

Abiturtreffen

Vor zwanzig Jahren haben sie Abitur gemacht, vierzig Schülerinnen und fünfzig Schüler des Herder-Gymnasiums unserer Stadt. Damals war alles offen und jeder hatte seine Träume und Pläne für die Zukunft. Die meisten wollten studieren, einige eine Lehre machen und ein paar wollten zunächst einmal ins Ausland gehen. Zum Treffen ist fast die Hälfte der Abiturienten von damals gekommen. Drei von ihnen haben wir gefragt: „Wie ist Ihr Leben seit dem Abitur verlaufen?"

Claudia von Bornfeld, 38

Nach dem Abitur habe ich ein Stipendium bekommen, weil ich gute Noten hatte. Das hat mir sehr geholfen, weil meine Eltern kein Geld hatten, mir das Jurastudium zu finanzieren. Und so musste ich neben dem Studium auch nicht arbeiten und konnte nach zehn Semestern mein erstes Staatsexamen machen. Da hatte ich auch schon das Ziel, in die Wirtschaft zu gehen. Richterin oder Rechtsanwältin wollte ich nicht werden. Am meisten habe ich mich für internationales Handelsrecht interessiert. Nach dem zweiten Staatsexamen war ich Assistentin an der Universität und habe meinen Doktor gemacht. Dann habe ich mich bei der Deutschen Bank beworben und hatte sofort Glück: Ich habe eine Stelle in der Auslandsabteilung bekommen. Mein Beruf und meine Karriere sind sehr wichtig für mich. Ich reise viel, beruflich und privat; deshalb habe ich in der ganzen Welt gute Bekannte. Der größte Wunsch meiner Eltern ist es, ein Enkelkind zu haben. Aber zu meinem Leben passt kein Kind und auch kein Ehemann. Welcher Mann akzeptiert schon, dass er immer an zweiter Stelle steht? Zurzeit bin ich mit einem Kollegen zusammen, aber jeder von uns hat seine eigene Wohnung und das soll auch so bleiben.

6 Abiturtreffen (Teil 2)

Lesen Sie die beiden Textabschnitte auf dieser Seite. Was ist richtig? **X**

a. Jens Zuchgarn hat sich …

　　 für den Beruf des Arztes entschieden.

　　 für ein Psychologie-Studium entschieden.

　　 für eine Lehre entschieden.

b. Jens Zuchgarn ist …

　　 seit dem Ende seiner Lehre arbeitslos.

　　 seit dem Abschluss seines Zivildienstes geschieden.

　　 seit dem Abschluss seines Studiums selbstständig.

c. Richard Schmitt hat …

　　 eine Stelle im Hotel seines Bruders gehabt.

　　 im Hotel seines Onkels gearbeitet.

　　 die Hotelküche neu eingerichtet.

d. Richard Schmitt ist heute …

　　 Geschäftsführer einer Filiale.

　　 Manager eines Hotels.

　　 Chef eines Konzerns.

7 Diskutieren Sie die Berufswege der Personen.

☺ *Ich finde den Berufsweg von … besonders interessant, weil …*

◆ *Die Entscheidung von … finde ich sehr mutig. Er/sie …*

Ich habe immer gedacht, dass ich einmal Arzt werde wie mein Vater und mein Großvater. Nach dem Abitur habe ich Zivildienst in einem Krankenhaus gemacht. Aber bei der Arbeit habe ich gemerkt, dass ich doch nicht für den Beruf des Arztes geboren bin. Ich konnte

Jens Zuchgarn, 39

einfach kein Blut sehen. Ich habe mich dann für das Studium der Psychologie entschieden. Mein Vater hat sich furchtbar über meine Entscheidung geärgert. Er wollte unbedingt, dass ich die Tradition der Familie fortsetze. Um mein Studium zu finanzieren, habe ich in einer Werbeagentur gearbeitet. Das hat mir großen Spaß gemacht und ich habe viele Erfahrungen gesammelt. Nach dem Abschluss des Studiums habe ich mich selbstständig gemacht. Ich habe jetzt eine eigene Werbeagentur. Meine Frau ist Grafikerin und arbeitet mit mir zusammen. In zwei Monaten bekommen wir unser erstes Kind. Wir wissen schon, dass es ein Mädchen wird. Auch meine Eltern freuen sich sehr auf ihr erstes Enkelkind. Und mein Vater ist inzwischen sogar ein bisschen stolz auf mich.

Meine Abiturnoten waren nicht so toll. Aber das war mir egal, ich wollte sowieso nicht studieren. Seit meiner Kindheit war klar, dass ich einmal das kleine Hotel meines Onkels bekommen sollte. Deshalb habe ich nach der Bundeswehr eine Lehre als Koch gemacht und anschlie-

Richard Schmitt, 38

ßend eine Hotelfachschule besucht. Danach habe ich bei meinem Onkel gearbeitet. Wir hatten vor, die Zahl der Zimmer zu vergrößern und die Einrichtung der Küche zu erneuern. Aber dann hatten wir Pech. Im Zentrum unseres Ortes hat ein Konzern ein großes Hotel gebaut. Diese Konkurrenz hat uns kaputt gemacht. Bald konnte mein Onkel die Kredite der Banken nicht mehr bezahlen und musste verkaufen. Vor acht Jahren habe ich mich dann bei einer Steak-House-Kette beworben. Heute bin ich Geschäftsführer einer Filiale. Mit meinem Beruf bin ich zufrieden. Am meisten Spaß macht mir aber mein Hobby. Jede freie Minute bin ich auf dem Flugplatz bei meinem Oldtimer-Flugzeug.

1 Schule in Deutschland

a. Lesen Sie zuerst die Sätze. Was glauben Sie: Was ist richtig? ✗

1. ◯ Alle Kinder ab 4 Jahren müssen eine Vorschule besuchen.

2. ◯ Mit 6 Jahren beginnt die Schulpflicht und alle Kinder müssen die Grundschule besuchen.

3. ◯ Nach der Grundschule kann man zwischen verschiedenen Sekundarschulen wählen.

4. ◯ Die Sekundarschulen unterscheiden sich in der Länge des Schulbesuchs.

5. ◯ Hauptschüler verlassen die Schule nach der 9. Klasse.

6. ◯ Bis zum Realschulabschluss braucht man 10 Jahre.

7. ◯ Nach dem Abschluss der Realschule kann man nicht auf das Gymnasium gehen.

8. ◯ Alle Schüler mit Abiturzeugnis müssen zuerst eine Lehre machen.

9. ◯ Nicht alle Schüler mit Abitur gehen auf die Universität oder Hochschule.

b. Hören Sie den Beginn einer Fernsehdiskussion. Was ist richtig?

2 Das deutsche Schulsystem

Betrachten Sie die Darstellung des deutschen Schulsystems und besprechen Sie im Kurs:
Welche Unterschiede gibt es im Vergleich zu Ihrem Land?

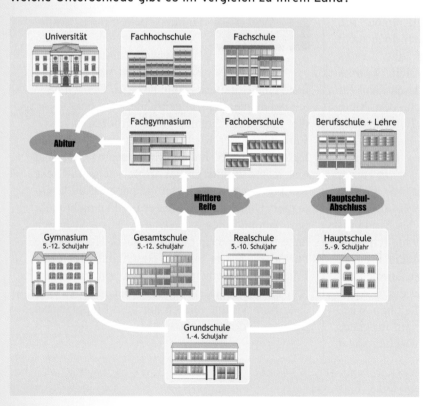

☺ *In meinem Land gehen die Kinder zuerst in eine Vorschule.*

◆ *Die Grundschule dauert ... Schuljahre.*

☐ *Wenn man Abitur gemacht hat, kann man nicht sofort ... Zuerst muss man ...*

▶ *Bei uns gibt es nur eine Gesamtschule, keine ...*

3 **Klasse 10b vor dem Realschulabschluss**

a. Hören Sie die Ansage des Reporters. **2|28**
Was passt zusammen?

A Wir besuchen heute

B Es sind nur noch wenige Wochen

C Wir haben uns schon mit einigen

D Wir wollen die Schulabgänger

1. bis zum Ende des Schuljahres.
2. nach ihren Zukunftsplänen fragen.
3. die Klasse 10b der Uhland-Realschule.
4. Schülern und Schülerinnen bekannt gemacht.

b. Interview mit Kira. Lesen Sie zuerst die zwei Texte und hören Sie dann das Interview. **2|29**
In welchem Text sind alle Angaben richtig? ✗

A   Kira hat zehn Bewerbungen geschrieben, bevor es geklappt hat. Im August kann sie in einem Frisörsalon anfangen. Später will sie sich selbstständig machen und ein eigenes Geschäft haben. Sie möchte aber auch Kinder haben, mindestens drei oder vier.

B   Kira hat schon eine Lehrstelle als Frisörin gefunden. Sie hat sich sehr über die Zusage des Salons gefreut. Frisörin ist ihr Traumberuf, weil sie da kreativ sein kann. Außerdem unterhält sie sich gern mit Menschen. Wenn sie später Kinder hat, will sie nur noch halbtags arbeiten.

c. Hören Sie das Interview mit Ulf. Was ist richtig? ✗ **2|30**

A   Ulf möchte später zur Polizei gehen.

B   Er hat sich um eine Lehrstelle als Flugzeugmechaniker bemüht.

C   Ulf freut sich auf das Ende der Schulzeit.

D   Sein Vater möchte, dass er zuerst eine Lehre macht.

E   Ulfs Vater ist Lehrer.

F   Für Kfz-Mechaniker gibt es wenige Stellen.

> Er freut sich **auf** das Ende der Schulzeit.
> Sie freut sich **über** die Zusage des Salons.

d. Interview mit Lisa. Welche Sätze hören Sie? ✗ **2|31**

A   „Ich wollte eine Ausbildung als Fotografin machen."

B   „Meine Noten sind leider schlecht."

C   „Niemand hat mir eine Chance gegeben."

D   „Nach dem Abitur will ich studieren."

E   „Ich gehe noch zwei Jahre aufs Gymnasium, um Abitur zu machen."

F   „Über die meisten Antworten habe ich mich sehr geärgert."

e. Welche Pläne für die Zukunft hatten Sie in Ihrer Schulzeit / haben Sie heute? Erzählen Sie im Kurs.

4 Helga Schneider, 27, Kellnerin

a. Was meinen Sie: Was gefällt ihr wohl an ihrem Beruf? Was gefällt ihr vielleicht nicht?

⊙ *Sicher hat sie einen langen Arbeitstag und danach tun ihr die Füße weh.*

◆ *Vielleicht muss sie auch am Wochenende arbeiten und kann ihre Familie wenig sehen.*

□ *Ich glaube, dass ihr der Beruf gefällt, weil ...*

b. Hören Sie das Interview. Was passt? 2|32

A Sie will nicht mehr in der Küche mithelfen,

B Sie beklagt sich darüber,

C Sie wartet darauf,

D Sie möchte am liebsten die Stelle wechseln,

E Sie bereitet sich darauf vor,

F Sie wartet auf ihren Mann,

1. dass sie endlich mehr Gehalt bekommt.
2. dass die Gäste immer weniger Trinkgeld geben.
3. ihre Führerscheinprüfung zu machen.
4. weil er sie heute abholen will.
5. weil der Geschäftsführer sich zu sehr für sie interessiert.
6. weil sie sich dafür nicht interessiert.

c. Vergleichen Sie Ihre Vermutungen mit Helga Schneiders Aussagen.

5 Martina Harms, 28, Fernfahrerin

a. Hören Sie das Interview. Welche Antwort passt? 2|33

A Worauf freut sie sich?

B Woran kann sie nicht teilnehmen?

C Worüber regt sie sich auf?

D Um wen muss sie sich kümmern?

E Wovor hat sie Angst?

1. An einem Tennisspiel.
2. Darüber, dass einige Kollegen dummes Zeug über sie reden.
3. Davor, dass sie ihre Stelle aufgeben muss.
4. Darauf, dass sie am Wochenende frei hat.
5. Um ihre kranke Mutter.

Worum kümmert sie sich? – **Darum.**
Um wen kümmert sie sich? – **Um sie.**

b. Welche beruflichen und privaten Probleme hat Martina Harms? Machen Sie zuerst mit einem Partner/einer Partnerin Notizen und sprechen Sie dann darüber im Kurs.

c. Wie finden Sie Martina Harms und ihren Beruf?

⊙ *Ich selbst möchte keine Fernfahrerin sein, aber ich finde die Frau sehr mutig.*

◆ *Sicher ist es sehr interessant und ein tolles Freiheitsgefühl, in ganz Europa unterwegs zu sein.*

□ *Ich finde, dass dieser Beruf für eine Frau ...*

6 Frauenberufe / Männerberufe

a. Welche typischen Frauenberufe gibt es in Ihrem Land? Was sind typische Männerberufe?

☉ *Krankenschwester ist ein typischer Frauenberuf.*

◆ *In der Grundschule gibt es fast nur Lehrerinnen, kaum Lehrer.*

□ *Ich glaube nicht, dass es bei uns Fernfahrerinnen gibt. Das ist ein typischer Männerberuf.*
…

b. In welchen Berufen gibt es wenige Frauen / wenige Männer? Was sind die Gründe dafür? Diskutieren Sie zuerst in einer kleinen Gruppe und dann gemeinsam im Kurs.

☉ *Es gibt sehr wenige Taxifahrerinnen. Wahrscheinlich ist das so, weil der Beruf für Frauen ziemlich gefährlich ist.*

◆ *In den technischen Berufen gibt es weniger Frauen als Männer. Ich glaube, dass Frauen sich nicht so sehr für Technik interessieren. …*

◎ Lehrer/in ◎ Arzt/Ärztin ◎ Automechaniker/in ◎ Künstler/in ◎ Taxifahrer/in ◎
◎ Frisör/in ◎ Verkäufer/in ◎ Kellner/in ◎ Polizist/in ◎ Fotograf/in ◎
◎ Rechtsanwalt/Rechtsanwältin ◎ Briefträger/in ◎ Fernfahrer/in ◎ Journalist/in ◎
◎ Sekretär/in ◎ Politiker/in ◎ Geschäftsführer/in ◎ Krankenschwester/Krankenpfleger ◎ … ◎

---

7 „Vielleicht bekomme ich diese Chance nie wieder."

a. Hören Sie das Telefongespräch. Ergänzen Sie ⓢ für Sara oder ⓙ für Jan.

⬡ soll eine neue Filiale in Hamburg leiten.

⬡ muss den Vertrag schnell unterschreiben, weil der Chef nicht warten kann.

⬡ kann jetzt nicht von Berlin weggehen.

⬡ hat Angst, dass diese Chance vielleicht nie wieder kommt.

⬡ hat sich noch nicht entschieden, aber möchte das Angebot gern annehmen.

⬡ fragt nach den Arbeitszeiten und dem Verdienst.

⬡ hat in den letzten Wochen nach einer gemeinsamen Wohnung gesucht.

⬡ meint, dass es auch in Berlin gute Stellen gibt.

⬡ will es sich noch überlegen.

b. Welches Problem haben Sara und Jan? Besprechen Sie die Situation der beiden im Kurs.

c. Was soll Sara Ihrer Meinung nach machen? Wie finden Sie die Reaktion von Jan?

☉ *Ich glaube, dass Sara einen Fehler macht, wenn sie das Angebot ablehnt. Sie muss zuerst an ihre Zukunft denken.*

◆ *Ja, aber ich kann auch Jan verstehen. Wahrscheinlich hat er Angst, dass Sara dann noch weniger Zeit für ihn hat.*

□ *Das ist doch egoistisch! Die beiden sind noch jung. Sie können …*

1 **Der Enkel singt, der Junge winkt.** 2|35 27

a. Hören Sie die Texte und sprechen Sie nach. Achten Sie dabei auf die Aussprache von „ng" und „nk" in den Wörtern.

Die Tante singt, der Onkel springt,
der Junge trinkt, der Enkel winkt.
Die Tante springt, der Onkel singt,
der Junge winkt, der Enkel trinkt.

Die Tante winkt, der Onkel trinkt,
der Junge singt, der Enkel springt.
Die Tante sinkt, der Onkel sinkt,
die Sonne sinkt, der Enkel winkt.

b. Ergänzen Sie die Infinitive der Verben. Sprechen Sie die Wortpaare abwechselnd im Kurs.

⊙ *singt – singen*   ◆ *sinkt –* ....   □ *springt –* ....   ▶ *trinkt –* ....   ◇ *winkt –* ....

c. Konjugieren Sie reihum im Kurs.   d. Üben Sie auch mit weiteren Verben.

⊙ *ich singe*   ◆ *ich sinke*
du singst   *du sinkst*
er ...   *er ...*

⊚ springen ⊚ trinken ⊚ bringen ⊚ winken ⊚ anfangen ⊚
⊚ danken ⊚ denken ⊚ aufhängen ⊚ schenken ⊚

2 **Er winkt langsam.**

a. Hören Sie zu, sprechen Sie nach. 2|36 28

b. Ergänzen Sie „ng" oder „nk" und vergleichen Sie die Lösungen im Kurs.

1. Er steht am Einga........ und wi........t la........sam.

2. Sie de........t an die Einladu........, denn sie braucht noch ein Gesche.........

3. Die la........e Schla........e liegt im Schra........ und ihre Augen fu........eln.

4. Der Ju........e ist kra........, deshalb hat er keinen Hu........er.

5. Sie machen die Vorhä........e zu und fa........en an zu tanzen.

6. Sie hat angefa........en, am Fluss zu a........eln.

c. Schreiben Sie mit einem Partner/einer Partnerin ähnliche Sätze und tragen Sie sie dann im Kurs vor.

Der kranke Sänger denkt an englische Lieder.
Die Angler fangen einen langen Fisch.
Er schenkt seinem Enkel ein Getränk.
Ein Junge hängt ...

⊚ denken ⊚ schenken ⊚ hängen ⊚
⊚ singen ⊚ angeln ⊚ winken ⊚ Sänger ⊚
⊚ Enkel ⊚ Junge ⊚ Angler ⊚ Bank ⊚
⊚ Getränk ⊚ Angst ⊚ Onkel ⊚ Ding ⊚
⊚ Erinnerung ⊚ Kleidung ⊚ Ring ⊚
⊚ jung ⊚ eng ⊚ pünktlich ⊚ englisch ⊚
⊚ angenehm ⊚ krank ⊚

3 Der Wagen ihres Vaters ...

a. Hören Sie die Sätze und sprechen Sie nach.

Der Wagen ihres Vaters ist schnell.
Die Hose ihres Bruders ist hell.
Die Pferde ihrer Tante sind grau.
Das Mofa ihres Freundes ist blau.

Die Pizza seiner Schwester ist heiß.
Die Hüte seines Onkels sind weiß.
Die Haare seiner Mutter sind rot.
Die Freundin seines Bruders fährt Boot.

b. Schreiben Sie selbst Sätze mit Genitiv und tragen Sie dann im Kurs vor.

Der Mann meiner Schwester ist blond.
Der Hund ihres Bruders ist alt.
Das Pferd ...

◉ Mann – Schwester – blond ◉ Hund – Bruder – alt ◉
◉ Pferd – Vater – schön ◉ Haus – Mutter – neu ◉
◉ Buch – Lehrerin – interessant ◉ Fisch – Tante – bunt ◉
◉ Beruf – Tochter – anstrengend ◉ ... ◉

4 Er sitzt auf dem Boden des Bootes.

a. Suchen Sie gemeinsam mit einem Partner/einer Partnerin passende Reime für die Sätze und vergleichen Sie im Kurs.

Er sitzt auf dem Boden des _Bootes_
und isst den Rest seines _Brotes_.

Sie steigt vom Rücken des _____
und wärmt sich am Feuer des _____.

Er sieht den Sprung eines _____
und winkt mit dem Bein eines _____.

Die Bratwurst im Mund des _____
hat fast das Gewicht eines _____.

Sie springt vom Rand des _____
ins kalte Wasser des _____.

Man sieht den Beginn eines _____
am blauen Ufer des _____.

◉ Kusses ◉ Tisches ◉ ~~Bootes~~ ◉ Hundes ◉
◉ Herdes ◉ Daches ◉ Pfundes ◉ Baches ◉
◉ Pferdes ◉ Flusses ◉ Fisches ◉ ~~Brotes~~ ◉

	Genitiv auf „-es"
der Fluss	des Flusses
der Tisch	des Tisches
der Bach	des Baches
der Hund	des Hundes
das Boot	des Bootes

b. Hören Sie dann und sprechen Sie nach. 2|38 30

5 „Arbeitest du jetzt hier?"

a. Betrachten Sie die Zeichnung. Was glauben Sie:
Wo sind die beiden Männer? Worüber sprechen sie?

b. Lesen Sie zuerst das Gespräch und hören Sie es dann.

⊙ Hallo Gerd, das ist ja eine Überraschung! Arbeitest du jetzt hier?

◆ Ja, ich habe mir eine neue Stelle gesucht. Jetzt bin ich schon seit vier Monaten hier.

⊙ Hat dir dein alter Arbeitsplatz denn nicht mehr gefallen?

◆ Na ja, weißt du, ich habe dort viel zu wenig verdient. Ich konnte mir ja nicht mal ein Auto leisten.
Außerdem habe ich mich überhaupt nicht mit dem Chef verstanden.

⊙ Ja, ich erinnere mich, dass du dich immer über ihn geärgert hast.

       ***

⊙ Und wie hast du diese Stelle gefunden?

◆ Durch eine Anzeige in der Zeitung. Ich habe mich beworben und sie wollten mich sofort einstellen.

⊙ Da hast du aber Glück gehabt.

◆ Ja das stimmt. Ich verdiene mehr, kann viel selbstständiger arbeiten und die Kollegen sind auch sehr nett.
Ich fühle mich hier richtig wohl.

⊙ Das kann ich mir vorstellen. Mehr kann man sich ja auch eigentlich nicht wünschen.

◆ Da hast du recht. – So, was kann ich für dich tun?

c. Üben Sie den ersten Teil des Gesprächs mit einem Partner/einer Partnerin und tragen Sie es
anschließend im Kurs vor.

d. Wechseln Sie die Rollen und üben Sie den zweiten Teil des Gesprächs.

6   Variieren Sie das Gespräch.

Entwerfen Sie mit einem Partner/einer Partnerin ein ähnliches Gespräch und spielen Sie es dann im Kurs.

In der **alten** Firma:
- sich nicht mit den Kollegen verstehen
- sich dauernd mit dem Chef streiten
- nicht selbstständig arbeiten können
- nicht genug verdienen
- einen weiten Weg zur Arbeit haben
- keine Aufstiegsmöglichkeiten haben
- sich nur eine kleine Wohnung leisten können
- …

In der **neuen** Firma:
- sich gut mit der Chefin verstehen
- mehr Verantwortung haben
- ein gutes Gehalt bekommen
- sympathische Kolleginnen und Kollegen
- ausgezeichnete Aufstiegsmöglichkeiten
- Abteilungsleiter werden können
- sich eine große Wohnung leisten können
- …

☉ *Warum hast du die Stelle gewechselt? Warst du nicht zufrieden?*

◆ *Nein. Ich hatte immer Probleme mit …*

☉ *Wirklich gut, dass du dir eine neue Stelle gesucht hast. Ist jetzt alles besser?*

◆ *Ja, auf jeden Fall! Ich …*

Akkusativ		
Ich verstehe	**mich**	
Du verstehst	**dich**	
Er/sie/es versteht	**sich**	mit dem Chef.
Wir verstehen	**uns**	
Ihr versteht	**euch**	
Sie/sie verstehen	**sich**	

Dativ		
Ich suche	**mir**	
Du suchst	**dir**	
Er/sie/es sucht	**sich**	eine Stelle.
Wir suchen	**uns**	
Ihr sucht	**euch**	
Sie/sie suchen	**sich**	

7   Was wünschen Sie sich für Ihren Beruf?

Was ist für Sie im Beruf wichtig? Was ist nicht so wichtig?

☉ *Ich möchte auf keinen Fall abends oder am Wochenende arbeiten.*

◆ *Ich will mir jedes Jahr einen langen Urlaub leisten, das ist mir wichtig.*

☐ *Ich wünsche mir einen Arbeitsplatz in der Nähe meines Wohnorts.*

▶ *Ich stelle mir vor, dass ich später mal selbstständig zu Hause arbeiten kann und …*

    ◎ Gehalt ◎ Arbeitszeiten ◎ Kollegen ◎
     ◎ Chef/Chefin ◎ Karrierechancen ◎
   ◎ schwere körperliche Arbeit ◎ Stress ◎
◎ Weg zur Arbeit ◎ Kontakte zum Ausland ◎
      ◎ viel reisen ◎ … ◎

Fokus Schreiben

1   Hören Sie zu und schreiben Sie.   2|40

.... Freundin. ....

.... Hausaufgaben .... Schnell ....

.... blondes .... Schülerin

.... , ... Endlich

....

2   Eine steile Karriere

a. Ergänzen Sie den Lebenslauf von Werner Hellmann.

A 1976:   Abitur

B 1978 – 1983:   Studium der Betriebswirtschaft

C 1984 – 1988:   Angestellter

D 1989 – 1994:   Manager

E 1995 – 1999:   Leiter der Exportabteilung

F 2000 – 2003:   Geschäftsführer der deutschen Filiale

G 2004 – 2006:   Direktor der Finanzabteilung

H seit 2006:   Mitglied des Aufsichtsrats

- einer norddeutschen Möbelfirma
- eines großen deutschen Automobilunternehmens
- einer mittelgroßen Werkzeugfabrik
- eines französischen Elektronikunternehmens
- eines bekannten Waschmittelherstellers
- eines internationalen Ölkonzerns

der Direktor des/eines	groß**en**	Konzerns
der Leiter der/einer	klein**en**	Firma
der Manager des/eines	bekannt**en**	Unternehmens
die Direktoren der	groß**en**	Konzerne
die Direktoren	groß**er**	Konzerne

b. Tragen Sie die Lösungen mit eigenen Worten im Kurs vor und vergleichen Sie.

1976 hat Werner Hellmann Abitur gemacht. Von 1978 bis 1983 hat er Betriebswirtschaft studiert.
Von 1984 bis 1988 war er Angestellter einer …

3 Ein ungewöhnlicher Lebensweg

a. Ergänzen Sie den Text gemeinsam mit einem Partner/einer Partnerin. Vergleichen Sie dann im Kurs.

1. Am 29. Februar des Jahres 1976 ist Tim Töpfer als Sohn des Bäckermeisters Friedrich Töpfer und der Lehrerin Helma Töpfer geb. Wissmann in Pinneberg in der Nähe von Hamburg geboren.

2. Zunächst hat er die Grundschule in Pinneberg besucht und ist dann in Hamburg _____ gekommen. Nur ein Jahr vor dem Abitur hat er _____ aufgehört und eine Lehre als Exportkaufmann gemacht.

3. Nach dem Abschluss der Lehre war er zunächst arbeitslos. Dann hat er für wenig Lohn als Tankwart _____ gearbeitet, weil er sich schon immer _____ interessiert hat.

4. Danach ist er zwei Jahre lang _____ auf einem Containerschiff gefahren.

5. 1997 hat er mit seinem Motorrad _____ teilgenommen. Weil ihm Afrika gefallen hat, ist er eineinhalb Jahre dort geblieben.

6. 1999 ist er mit einer Menge afrikanischer Waren im Gepäck nach Deutschland zurückgekommen und hat sich in Berlin _____ _____ selbstständig gemacht.

7. Anfang 2005 hat er sich _____ entschlossen. Ein halbes Jahr ist er durch Brasilien, Ecuador und Kolumbien gereist. In Bogotá hat er sich _____ verliebt und seine Reise unterbrochen.

8. Zurzeit lebt er mit ihr in einem Dorf in den Anden und beschäftigt sich damit, ein Buch _____ zu schreiben.

◉ über seine ◉ mit der ◉ in eine ◉ ◉ an der ◉ bei einer ◉ zu einer ◉ ◉ auf ein ◉ als ◉ für ◉ mit einem ◉

◉ junge Frau ◉ Tankstelle ◉ Reiseerlebnisse ◉ ◉ Schule ◉ Reise durch Südamerika ◉ ◉ Seemann ◉ Gymnasium ◉ Souvenirladen ◉ ◉ Rallye Paris-Dakar ◉ Autos und Motorräder ◉

b. Stellen Sie im Kurs reihum Fragen zu Tim Töpfer. Wer richtig antwortet, stellt die nächste Frage.

Wann ist Tim Töpfer geboren? Was war sein Vater/seine Mutter von Beruf? ...

c. Wie finden Sie das Leben von Tim Töpfer?

Was möchten Sie auch gern machen, was nicht? Was macht er vielleicht als Nächstes?

4 Stellenangebote

a. Lesen Sie die Anzeigen.

EUROTEXCO

Wir sind eine europäische Unternehmensgruppe der Textilindustrie und suchen zum 01.09. einen/eine

Einkäufer/in

für die Region Südostasien

Sie besuchen unsere Geschäftspartner im Raum Südostasien, wählen Stoffe und Designs für den Import nach Europa aus und beraten unsere Marketing-abteilung. Sie haben ein abgeschlossenes Studium der Betriebswirtschaft, mindestens drei Jahre Erfahrung im Einkauf und sprechen ausgezeichnet Englisch.

Schriftliche Bewerbung mit Lebenslauf und Zeugnissen bitte an

EUROTEXCO AG
Industriestr. 29
88241 Wasserburg

Bitte beachten: Die Bewerbungsfrist endet am 31.07.

Reiseunternehmen
sucht

Reiseführer/in

für Studienreisen nach Mittel- und Südamerika

Voraussetzungen:

- Gute bis sehr gute Kenntnisse in Spanisch, möglichst auch Portugiesisch
- Längerer Aufenthalt in mindestens einem Land Mittel- oder Südamerikas
- Kulturelles Interesse
- Erfahrung im Umgang mit Menschen

Bewerbung mit tabellarischem Lebenslauf und Foto an

Studienreisen Dr. Ziemann GmbH
Postfach 1492
23730 Neustadt

Bekannter Buchverlag sucht   **B**

Redakteur/in

für die Bereiche fremde Kulturen/Reiseliteratur

Aufgaben:

- selbstständiges Projektmanagement
- Entwicklung neuer Programme
- Zusammenarbeit mit ausländischen Partnerverlagen
- Beratung von Autoren/Autorinnen und Fotografen/Fotografinnen
- Kontrolle der Herstellung bis zum fertigen Buch

Voraussetzungen:
Auslandserfahrung, möglichst Hochschulstudium

Bewerbung über
F. Birger Personalberatung
Holbeinstr. 281
86150 Augsburg
info@f-birger.com

Für unsere Fabrik in Lemgo suchen wir ab sofort:

Leiter/in der Exportabteilung

Sie

- haben eine abgeschlossene Ausbildung als Export-kaufmann/Exportkauffrau
- sprechen mindestens eine Fremdsprache
- haben mehrere Jahre Berufserfahrung im Bereich Import/Export

Wir

- sind ein führendes Unternehmen der Möbelindustrie
- stellen moderne Küchenmöbel her und liefern unsere Produkte ins In- und Ausland
- bieten Ihnen zunächst einen befristeten Vertrag für die Dauer von sechs Monaten, danach eine feste Anstellung

Interessiert? Dann vereinbaren Sie am besten gleich einen Vorstellungstermin mit unserer Personalabteilung.

Plaut & CO.
Herweghstr. 32-38
32657 Lemgo
personal@kuechen-plaut.de

---

b. **Was für Bewerber suchen die Firmen? Berichten Sie im Kurs.**

Eurotexco sucht einen Einkäufer oder eine Einkäuferin für Südostasien. Er/sie soll Geschäftspartner in … besuchen und … Er/sie soll … haben und … sprechen. … Ein Reiseunternehmen sucht …

5   Tim Töpfer sucht eine neue Aufgabe

a. Tim Töpfer kommt nach Europa zurück und sucht eine neue Aufgabe.
Was meinen Sie: Welche Anzeigen aus Übung 4 kommen für ihn in Frage, welche nicht?

Er kann sich bei ... bewerben. Er hat ... Er kann ...
Die Stelle als ... kann er nicht bekommen. Er hat kein ...
Vielleicht kann er ...

b. Wählen Sie eine Anzeige aus und ergänzen Sie das Bewerbungsschreiben.

Arbeiten Sie mit einem Partner / einer Partnerin und benutzen Sie die Informationen aus Übung 3.
Überlegen Sie zuerst gemeinsam: Welche Informationen sind für eine Bewerbung wichtig?

Tim Töpfer
Pinguinweg 77

22527 Hamburg

....

....

....

Hamburg, ... 20 ....

Bewerbung auf Ihre Anzeige „ .... **"**

Sehr geehrte Damen und Herren,

hiermit bewerbe ich mich auf die Stelle als ....
Die Aufgabe finde ich sehr interessant und bringe viele Erfahrungen dafür mit.

Ich habe eine abgeschlossene Ausbildung als .... Nach der Lehre war ich
zunächst .... Ich habe dann einige Zeit als .... gearbeitet. Danach bin ich
zwei Jahre .... gefahren. Von .... bis .... war ich in
....

Dann bin ich .... und habe ....
.... Anfang 2005 ....
.... Anschließend habe ich ....
....

Ich spreche sehr gut .... und ....
Über Ihre Einladung zu einem Vorstellungsgespräch würde ich mich sehr freuen.

Mit freundlichen Grüßen

Tim Töpfer

Anlagen:
Tabellarischer Lebenslauf
Zeugnisse

Das können Sie jetzt:

- Über Schulsysteme berichten
- Über Ausbildung und Berufspläne sprechen
- Über Lebensläufe und Bewerbungen sprechen
- Über Arbeitsplatz und Arbeitssituation sprechen
- Über Berufe diskutieren
- Alltagstätigkeiten benennen
- Freude / Ärger über etwas / jemanden ausdrücken
- Zugehörigkeit / Besitz angeben

Alles klar

✖ Hast du dich ordentlich gewaschen?

▦ Klar.

✖ Hast du dir auch die Zähne geputzt?

▦ Klar.

✖ Und was macht der Hund hier? Du weißt doch, dass Berni nicht ins Bad darf!

▦ Klar. Aber Berni muss doch auch saubere Zähne haben. Sonst bekommt er Zahnschmerzen.

✖ Jetzt hör mal. Hunde können sich nicht die Zähne putzen.

▦ Klar. Deshalb habe ich das ja auch gemacht.

✖ Was hast du gemacht? Du hast ihm die Zähne geputzt?

▦ Klar.

✖ Doch nicht etwa mit deiner Zahnbürste?

▦ Natürlich nicht. Meine Zahnbürste ist doch viel zu klein. Ich habe Papas Zahnbürste genommen.

✖ Was? Das geht doch nicht! Zahnbürste und Zahnpasta sind für Menschen und nicht für Hunde!

▦ Klar. Deshalb habe ich ja auch Marmelade genommen.

✖ Marmelade? Du hast ihm die Zähne mit Marmelade geputzt?

▦ Klar. Marmelade mag er gern. Und mir schmeckt sie auch viel besser als Zahnpasta.

Themenkreis
Nachrichten und Berichte

1 Nachrichten aus der Zeitung

a. Betrachten Sie die Fotos.

b. Lesen Sie dann die Schlagzeilen.
   Überlegen Sie mit einem Partner/einer Partnerin: Welche Schlagzeile passt zu welchem Foto?

1. ○ **Minister kochte bei Kinderfest 100 Liter Gulaschsuppe.**

2. ○ Händler auf dem Kölner Flohmarkt verkaufte Original von Picasso für 50 Euro.

3. ○ **Fünfjähriger spielte erfolgreich beim Turnier des Schachclubs mit.**

4. ○ **Putzfrau fand 8000 Euro in einer Plastiktüte.**

5. ○ **Bekanntes Fotomodell heiratete in Seebruck unter Wasser.**

6. ○ *Vater vergaß seine Kinder auf einer Autobahnraststätte.*

7. ○ **80-jähriger Rentner fuhr beim Frankfurter Radrennen mit.**

8. ○ **Die Temperatur stieg in Helsinki auf 42 Grad.**

		Präteritum			Präteritum
kochen		kochte	finden		fand
verkaufen	er/sie/es	verkaufte	vergessen	er/sie/es	vergaß
mitspielen		spielte mit	mitfahren		fuhr mit
heiraten		heiratete	steigen		stieg

2 „Was steht denn in der Zeitung? Erzähl doch mal!"

Ergänzen Sie.

a. „Beim Kinderfest _hat_ ein Minister 100 Liter Gulaschsuppe _gekocht_."

b. „Auf dem Kölner Flohmarkt .... ein Händler ein Original
von Picasso für 50 Euro ...."

c. „Beim Turnier des Schachclubs .... ein Fünfjähriger
erfolgreich ...."

d. „In Seebruck .... ein bekanntes Fotomodell
unter Wasser ...."

e. „In einer Plastiktüte .... eine Putzfrau 8000 Euro
.............................."

f. „Auf einer Autobahnraststätte .... ein Vater seine Kinder ...."

g. „Beim Frankfurter Radrennen .... ein 80-jähriger Rentner ...."

h. „In Helsinki .... die Temperatur auf 42 Grad ...."

ⓖ hat ⓖ ist ⓖ

ⓖ gekocht ⓖ geheiratet ⓖ gestiegen ⓖ mitgefahren ⓖ
ⓖ mitgespielt ⓖ verkauft ⓖ gefunden ⓖ vergessen ⓖ

	Präteritum	**Perfekt**
finden	fand	hat gefunden
vergessen	vergaß	hat vergessen
mitfahren	fuhr mit	ist mitgefahren
steigen	stieg	ist gestiegen

3 Welche Nachricht finden Sie interessant?

Vergleichen Sie im Kurs.

⊙ *Ich finde die Nachricht von der Heirat unter Wasser interessant.*
Es ist bestimmt schön, unter Wasser zu heiraten.

◆ *Die Nachricht vom Fahrradrennen gefällt mir. Ich finde es gut, wenn alte Leute …*

☐ *Die Nachricht von der Raststätte finde ich etwas traurig. Leider vergessen Eltern …*

…

4 Kleiner Pilzratgeber für unsere Leser

Diese Pilze können Sie essen:	Achtung: Diese sind giftig!

Steinpilz Pfifferling Parasolpilz Bovist Fliegenpilz Knollenblätterpilz

Betrachten Sie die Fotos und überlegen Sie: Wo kann man sich über Pilze informieren?

5 Nie mehr Pilze aus dem Wald

a. Lesen Sie den Zeitungstext.

Im Bayrischen Wald machte eine Familie mit drei Kindern Urlaub. Bei einer Wanderung fanden sie viele Pilze und sammelten eine ganze Plastiktüte voll. In der Ferienwohnung gab es dann Reis mit Pilzsoße. Das Essen schmeckte auch den Kindern gut. Doch dann bekam die kleine Tamara Bauchweh. Wenig später fühlten sich die Geschwister nicht wohl. Und schließlich hatten die Eltern Bauchschmerzen. Die Mutter rief den Notdienst an. Man brachte die ganze Familie mit Pilzvergiftung ins Krankenhaus. Aber sie hatten Glück. Alle durften schon nach zwei Tagen wieder nach Hause. „Wir sind froh, dass man uns so schnell geholfen hat," sagte uns die Mutter. „Pilze gibt es bei uns nur noch aus der Dose!"

b. Wie heißt es im Text? Suchen und ergänzen Sie die Verbformen.

Eine Familie *macht* Urlaub   *machte*

Sie *finden* viele Pilze.   ....

Sie *sammeln* eine ganze Tüte voll.   ....

Es *gibt* Reis mit Pilzsoße.   ....

Das Essen *schmeckt* gut.   ....

Tamara *bekommt* Bauchweh.   ....

Die Geschwister *fühlen* sich nicht wohl.   ....

Die Eltern *haben* auch Bauchschmerzen.   ....

Die Mutter *ruft* den Notdienst an.   ....

Man *bringt* alle ins Krankenhaus.   ....

Sie *dürfen* nach zwei Tagen nach Hause.   ....

Die Mutter *sagt:* „Pilze gibt es nur noch aus der Dose!"   ....

c. Erzählen Sie im Kurs. Sammeln Sie selbst Pilze? Worauf muss man dabei achtgeben?

⊙ *Ich habe noch nie Pilze gesammelt …*

◆ *Ich esse gerne Pilze, aber …*

6 Ein vierblättriges Kleeblatt bringt Glück.

a. Lesen Sie die Zusammenfassung.

Franz K. will einen Baum pflanzen.
Er sucht dafür einen guten Platz im Garten.
Da findet er ein vierblättriges Kleeblatt.
An dieser Stelle gräbt er ein Loch.
Er stößt auf eine Metalldose.
Er macht die Dose auf.
Er sieht, dass Halsketten, Münzen und eine Uhr darin liegen.
Auf der Rückseite der Uhr steht der Name seines Urgroßvaters.
Er hat nicht gewusst, dass es den Schmuck noch gibt.
Das berichtet Herr K. den Zeitungsreportern.

b. Ergänzen Sie den Text mit den Verbformen.

Im Garten vor seinem Haus _____ der Bankkaufmann Franz K. einen Baum pflanzen. Er _____

dafür einen guten Platz. Auf einmal _____ er ein vierblättriges Kleeblatt. An dieser Stelle _____

er ein tiefes Loch und _____ dabei auf eine kleine Metalldose. Als er sie vorsichtig _____ ,

_____ er, dass Halsketten, Münzen und eine goldene Uhr darin _____ . Auf der Rückseite der

Uhr _____ der Name des Urgroßvaters. „Meine Familie wohnt seit Generationen hier. Aber ich

_____ nicht, dass es den schönen alten Schmuck noch _____ ," _____ uns Herr K.

> ⊚ aufmachte ⊚ stieß ⊚ fand ⊚ lagen ⊚ grub ⊚ gab ⊚
> ⊚ sah ⊚ wusste ⊚ berichtete ⊚ wollte ⊚ stand ⊚ suchte ⊚

	Präsens	Präteritum
machen	macht	machte
aufmachen	macht auf	machte auf
wollen	will	wollte
wissen	weiß	wusste

	Präsens	Präteritum
geben	gibt	gab
anrufen	ruft an	rief an
liegen	liegt	lag
stehen	steht	stand

7 Was bringt wohl Glück, was bringt wohl Pech?

a. Betrachten Sie die Zeichnungen und sprechen Sie im Kurs darüber.

eine schwarze Katze sehen — ein Hufeisen finden — Freitag, der dreizehnte — ein vierblättriges Kleeblatt entdecken — einen Spiegel zerbrechen — einen Schornsteinfeger treffen

> ☺ *Ich vermute, es bringt Glück, wenn man ein Hufeisen findet.*
> ◆ *Man sieht eine schwarze Katze. Das bringt vermutlich Pech.*
> ☐ *Wenn es Freitag, der dreizehnte ist, hat man wahrscheinlich ...*

b. Gibt es diese oder andere Symbole auch in Ihrem Land?

Fokus Lesen

1 „Da hatte der Vogel aber Glück!" 3|2

a. Lesen Sie zuerst die drei Texte. Hören Sie dann das Gespräch. Welcher Text passt? ✗

A ⬭ Vor zwei Tagen machte die Frau einen Spaziergang im Wald. Da sah sie einen jungen Vogel. Er saß unter einem Baum und konnte nicht fliegen. Die Frau nahm den kleinen Vogel in die Hand und setzte ihn auf einen Ast. Dann kam die Vogelmutter, um ihn zu füttern.

B ⬭ Als die Frau gestern im Wald spazieren ging, sah sie in einem Baum ein Vogelnest. Daneben saß ein kleiner Vogel auf einem Ast. Er konnte noch nicht fliegen und fiel hinunter. Die Frau nahm ihn in die Hand und setzte ihn wieder in sein Nest. Kurz danach kam die Vogelmutter mit einem Wurm.

C ⬭ Gestern war die Frau im Wald. Als sie gerade unter einem Baum stand, fiel ein kleiner Vogel direkt vor ihre Füße. Da sah sie, dass über ihr ein Nest war. Die Frau nahm den Vogel und setzte ihn hinein. Dann suchte sie einen Wurm und fütterte ihn.

	Präsens	Präteritum
gehen	geht	**ging**
sehen	sieht	sah
fallen	fällt	fiel
sitzen	sitzt	saß
nehmen	nimmt	nahm
kommen	kommt	kam

b. Erzählen Sie die Geschichte frei nach. Verwenden Sie dabei das Perfekt.

⊙ *Die Frau ist gestern im Wald gewesen. Sie hat in einem Baum ein Vogelnest gesehen. Ein kleiner Vogel ...*

Schriftlicher Bericht → Präteritum
Mündliche Erzählung → Perfekt (*außer:* haben, sein, Modalverben und bestimmte häufige Präteritumformen)

2 Aus der Presse

a. Lesen Sie die Überschriften und den ersten Teil der drei Zeitungsmeldungen. Was passt zusammen?

1. **Notfall im Kaufhaus**

2. **Fuß steckte in Maschine**

3. **Feuer durch defektes Kabel**

A ⬭ Gestern Vormittag gab es einen Unfall in der Papierfabrik. Ein junger Techniker blieb mit dem Fuß in einer Schneidemaschine stecken.

B ⬭ Während ein älteres Ehepaar gestern im Wohnzimmer die Zeitung las, fing ein Kabel in der Küche an zu brennen.

C ⬭ Zur Eröffnung eines Kaufhauses kamen gestern viele neugierige Kunden. Die größte Attraktion war ein Fahrstuhl aus Glas.

b. Lesen Sie die zweiten Teile der Meldungen. Wie passen sie zu den Anfängen?

1. Als der Mann stark husten musste, bemerkte die Frau das Feuer. Zum Glück gelang es dem Ehepaar, das Haus rechtzeitig zu verlassen.

	Präsens	Präteritum
bleiben	bleibt	blieb
gelingen	gelingt	gelang
anfangen	fängt an	fing an
ziehen	zieht	zog
lesen	liest	las
werden	wird	wurde

2. Weil zu viele Menschen einstiegen, wurde er zu schwer und blieb zwischen zwei Stockwerken stehen. Durch eine Panik kam es zu leichten Verletzungen.

3. Der Notarzt kam und zog den verletzten Fuß heraus. Nach einer Operation im Krankenhaus konnte das Unfallopfer schon am nächsten Tag wieder laufen.

3 Glück und Pech

Schreiben Sie mit den Sätzen drei kleine Zeitungsmeldungen. Lesen Sie Ihr Ergebnis dann im Kurs vor.

	Präsens	Präteritum
abbrechen	bricht ab	brach ab
treffen	trifft	traf
hängen	hängt	hing
helfen	hilft	half

- Leider hatten die Fußballer Pech mit dem Wetter.
- Bevor ihre Freunde kamen, half sie sich selbst durch einen mutigen Sprung.
- Aus Angst kam sie nicht wieder herunter, obwohl man sie immer wieder rief.
- Eine junge Katze wollte einen Vogel fangen und kletterte dabei ganz oben auf ein Dach.
- Gestern traf sich der BV Cloppenburg mit dem DBV Delmenhorst zu einem Freundschaftsspiel.
- Zum Glück konnte ein Nachbar die Katze mit einer langen Leiter retten.
- Eine Fallschirmspringerin hatte Pech bei der Landung, weil sie in einem Baum hängen blieb.
- Die Sportlerin hing deshalb mit ihrem Fallschirm 4 Meter über dem Boden.
- Es regnete so stark, dass der Schiedsrichter das Spiel nach 10 Minuten abbrach.

Eine junge Katze ... .

4 Da hatte ich Glück. / Da hatte ich Pech.

Was ist Ihnen schon einmal passiert? Besprechen Sie Ihre Geschichte zuerst in einer kleinen Gruppe und erzählen Sie dann im Kurs.

☉ *Letzte Woche hatte ich großes Glück. Da habe ich meine Geldbörse …*

◆ *Ich hatte neulich Pech mit meinem Fahrrad. Als ich …*

5   Ein Mann sägt an einem Ast.

Betrachten Sie das Foto. Erfinden Sie dazu gemeinsam mit einem Partner/einer Partnerin eine kleine Geschichte im Präsens. Erzählen Sie sie dann im Kurs.

6   Lesen Sie den Text auf dieser Seite.

Was passt zusammen?

a. Als der Ast abbrach,

b. Als er eine Zange aus dem Werkzeugkasten nahm,

c. Während er unter dem Regal lag,

d. Während er den Platz vor seiner Garage kehrte,

1. rief er seine Frau.

2. rutschte er aus und fiel gegen das Garagentor.

3. fiel er auf den Rasen.

4. stieß er gegen ein Holzregal.

Ein glücklicher Pechvogel

Die einen nennen ihn einen Pechvogel, die anderen sagen, er ist ein Glückspilz. Ständig erlebt Peter Ertl, 35, Unfälle und Pannen. Aber immer hat er Glück im Unglück.

Wir treffen Peter Ertl in seinem Garten. Er weiß, dass wir von der Zeitung kommen und einen Artikel über ihn schreiben möchten, weil er überall als Pechvogel bekannt ist. Gerade ist er dabei, in einem Baum einen Ast abzusägen. „Einen Augenblick! Gleich bin ich unten bei Ihnen," ruft er von oben und winkt fröhlich. Er hält sich an einem Ast fest, aber der Ast bricht ab und Peter Ertl fällt auf den Rasen, direkt vor unsere Füße. Doch er hat sich nicht verletzt und lacht: „Keine Sorge – nichts passiert!" Das ist – wieder einmal – gut gegangen.

Während wir zusammen ins Haus gehen, beginnt er von seinen Erlebnissen zu erzählen.

Eines Morgens reparierte er im Keller eine Wasserleitung. Als er eine Zange aus dem Werkzeugkasten nahm, stieß er gegen ein altes Holzregal. Es fiel um und Herr Ertl lag darunter zwischen kaputten Marmeladengläsern. Seine linke Hand blutete und er rief seine Frau. Während sie ihm die Finger verband, sah er, dass die Stromleitung hinter dem Regal ganz schwarz war. Aber die wollte er dann nicht selbst reparieren, sondern rief einen Elektriker. Der meinte: „Das Kabel ist ja total defekt. Sie haben Glück, dass es noch nicht gebrannt hat!"

Zwei Tage später kehrte Herr Ertl mit einem großen Besen den Platz vor seiner Garage. Dabei rutschte er auf den nassen Blättern aus und fiel mit dem Rücken gegen das Garagentor. Er bekam blaue Flecken und hatte tagelang Rückenschmerzen. Doch auch dieser Unfall hatte einen Vorteil: Normalerweise klemmte das Garagentor, wenn man es öffnen wollte. Nach Peters Sturz ging es wieder ohne Probleme auf und zu.

8

7 **Lesen Sie den Text auf dieser Seite weiter.**

Was ist richtig?

a. ◯ Während er seine Schuhe wechselte, blieb er mit einem Fuß im Lenkrad stecken.
b. ◯ Als er auf den Dachboden stieg, entdeckte er einen Hund.
c. ◯ Obwohl er auf dem Dachboden gefangen war, hatte er eine interessante Nacht.
d. ◯ Als der Lift stehen blieb, lernte er seine Frau kennen.

8 **Was ist Peter Ertl alles passiert? Wobei hatte er mehr Glück als Pech?**

☉ *Ich finde, dass er bei der Geschichte im Keller mehr Glück hatte. Ein Feuer ist schlimmer als eine Verletzung an der Hand.*

◆ *Aber bei der Sache mit dem Garagentor ...*

Nur kurze Zeit danach passierte ihm das nächste Missgeschick. Eines Nachmittags stieg er nach der Gartenarbeit in sein Auto, um in die Stadt zu fahren. Im Wagen wollte er seine Schuhe wechseln. Als er sich nach vorn beugte, blieb sein Kopf im Lenkrad stecken.

Endlich hörten einige Nachbarn seine Hilferufe, aber auch ihnen gelang es nicht, seinen Kopf zu befreien. Also holten sie einen Automechaniker. Der montierte das Lenkrad ab. Da saß Peter zwar aufrecht im Wagen, aber das Lenkrad hatte er immer noch um den Hals. Schließlich cremten sie Peters Haare, Gesicht und Hals ein, zogen kräftig und er kam endlich frei. Der Abend wurde dann sehr lustig, weil Peter mit den Nachbarn seine Rettung feierte.

Am Freitag darauf fuhr seine Frau mit den Kindern für zwei Tage zur Großmutter und Peter Ertl wollte sich ein gemütliches Wochenende machen. Aber dann kam alles ganz anders. Am Nachmittag klingelte seine Nachbarin an der Tür, weil ihre Katze verschwunden war. Peter Ertl half ihr sofort, sie zu suchen, aber sie fanden sie nicht. Spät am Abend saß er in seinem Wohnzimmer und las ein Buch. Plötzlich hörte er ein Geräusch von oben. Er stand auf und stieg auf den Dachboden. Da entdeckte er die Katze hinten in einer Ecke. In diesem Moment fiel die schwere Eisentür hinter ihm ins Schloss. Die Tür kann man von innen

nur mit einem Schlüssel öffnen, aber der hing in der Küche. Also war er in seinem eigenen Haus gefangen. Obwohl er immer wieder um Hilfe rief, bemerkte ihn niemand. Erst am nächsten Morgen rettete ihn der Briefträger mit einer Leiter.

„Das war eine interessante Nacht", berichtet Herr Ertl. „Ich habe nämlich stundenlang aufgeräumt und dabei eine Schachtel mit vielen schönen ausländischen Briefmarken entdeckt. Dem Briefträger habe ich gleich ein paar geschenkt."

Da kommt Frau Ertl und bringt ein Tablett mit Gläsern und Saft. „Wissen Sie eigentlich, wie ich meinen Mann kennengelernt habe?" fragt sie. „Das war in einem großen Hotel an der Nordsee. Ich kam zurück vom Strand und wollte mit dem Lift in den elften Stock fahren. Mit mir stieg ein Mann ein. Der Fahrstuhl fuhr an, aber dann blieb er plötzlich stehen. Der Mann drückte den Schalter für den Notruf, aber dabei brach der Schalter ab und das Licht ging aus. Erst schwiegen wir, aber dann fingen wir beide an zu lachen. Während wir auf Hilfe warteten, unterhielten wir uns und ich merkte, dass Peter sehr sympathisch war. Am nächsten Tag trafen wir uns am Strand und nach einem halben Jahr waren wir verheiratet."

„Ja, so war das," sagt Peter und gibt seiner Frau einen Kuss. „Ich bin eben ein Glückspilz."

9

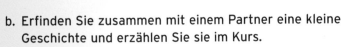

28 Fokus Hören

1 Eine Meldung im Lokalfunk

a. Betrachten Sie das Foto. Was glauben Sie:
Warum ist die alte Dame bei der Polizei?

⊙ *Es ist möglich, dass sie einen Unfall hatte.*
♦ *Oder vielleicht hat sie einen Unfall beobachtet.*
□ *Ich glaube, dass sie etwas gestohlen hat …*

b. Erfinden Sie zusammen mit einem Partner eine kleine
Geschichte und erzählen Sie sie im Kurs.

⊙ *Die alte Dame war mit ihrem kleinen Hund in der Stadt.
Bei einem Einkauf musste sie ihn draußen vor der Tür
lassen. Als sie wiederkam, war ihr Hund nicht mehr da.
Sie hat ihn gerufen und alle Leute gefragt, aber …*

> ◎ ihr Hund ist weggelaufen ◎ hat Ärger mit den Nachbarn ◎
> ◎ hat den Hausschlüssel verloren ◎ hat eine Kreditkarte auf der Straße gefunden ◎
> ◎ hat ihre Adresse vergessen ◎ jemand hat ihren Papagei gestohlen ◎ … ◎

c. Hören Sie die Radiomeldung. Was ist richtig?

1. Eine ältere Dame meldete sich bei der Polizei,

○ weil ihre Freundin seit Tagen die Tür nicht aufmachte.

○ weil ihre Freundin seit Tagen nicht mehr mit ihr telefonierte.

○ weil ihre Freundin seit Tagen nicht mehr einkaufen ging.

2. Nach zwei Tagen bekam sie

○ ein Telegramm aus Paris.

○ einen Brief aus Wien.

○ einen Anruf aus Madrid.

3. Die ältere Dame dachte zuerst

○ an einen Selbstmord.

○ an ein Verbrechen.

○ an einen Unfall.

	Präsens	Präteritum
denken	denkt	**dachte**

2 Eine Kurznachricht im Radio

a. Betrachten Sie das Foto und lesen Sie die Aufgabe. Was ist wohl richtig?

1. Die Pilotin eines Sportflugzeugs landete gestern
auf der Bundesstraße, weil

- der Motor ihres Flugzeugs brannte.
- sie eine Wette gewinnen wollte.
- sie kein Benzin mehr hatte.

2. Auf der Bundesstraße befanden sich

- nur wenige Autos, weil es sehr früh am Morgen war.
- viele Autos, weil gerade Berufsverkehr war.
- keine Autos, weil sie für Reparaturarbeiten gesperrt war.

3. Die Polizei

- brachte Benzin für das Flugzeug.
- organisierte eine Umleitung.
- holte das Flugzeug von der Straße.

	Präsens	Präteritum
brennen	brennt	brannte
bringen	bringt	brachte

b. Hören Sie die Meldung und vergleichen Sie die Lösung mit Ihren Vermutungen.   3|4

3 Eine aktuelle Meldung in den Abendnachrichten

a. Hören Sie die Radiomeldung. Was ist richtig?   ✗   3|5

1. Am Morgen überfiel ein Verbrecher mit der Schusswaffe

- die Sparkasse in Edewecht.
- einen Supermarkt in Edewecht.
- eine Drogerie in Edewecht.

2. Nach dem Überfall rannte der Verbrecher

- zur U-Bahn.
- zu seinem Motorrad.
- in ein Parkhaus.

3. Ein älterer Herr erkannte den Gangster

- kurz darauf in der Fußgängerzone wieder.
- zwei Stunden später in einer Kneipe wieder.
- am Nachmittag in einem Kaufhaus wieder.

	Präsens	Präteritum
rennen	rennt	rannte
erkennen	erkennt	erkannte

b. Schreiben Sie eine ähnliche Nachricht von einem Überfall und lesen Sie sie dann im Kurs vor.

Gestern Abend überfiel ein Verbrecher mit einem Messer ein Uhrengeschäft in der Innenstadt.
Nach dem Überfall fuhr er mit seinem Auto ...

4 Ein Verkehrsunfall vor Gericht

a. Hören Sie den ersten Teil der Gerichtsverhandlung. Was ist richtig? ✗ 3|6

1. Der Richter fordert Herrn Hübner auf,
- laut und deutlich zu sprechen.
- seinen Pass vorzuzeigen.
- die Wahrheit zu sagen.

2. Der Unfall passierte zwischen
- Paderborn und Würzburg.
- Bielefeld und Paderborn.
- Detmold und Bielefeld.

3. Als der Unfall passierte,
- war es neblig.
- regnete es.
- schneite es.

4. Die Straße war
- trocken.
- nass.
- glatt.

5. Herr Hübner sagt, er fuhr
- 50–60 km/h.
- 60–70 km/h.
- 70–80 km/h.

b. Hören Sie den zweiten Teil der Verhandlung. Was ist richtig? ✗ 3|7

1. Herr Hübner sagt, das andere Auto
- hielt nicht an.
- hielt an.
- fuhr vorsichtig.

2. Von vorn kam ein
- Pkw.
- Lkw.
- Bus.

3. Herr Hübner bremste, aber
- die Bremsen funktionierten nicht.
- nicht stark genug.
- es war schon zu spät.

4. Herr Hübner ist
- der Angeklagte.
- ein Zeuge.
- ein Anwalt.

c. Welche Zeichnung passt zu dem Unfall? ✗

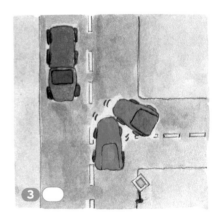

5 Kuriose Meldungen aus dem ganzen Land

a. Welche Ergänzungen halten Sie für wahrscheinlich? Überlegen Sie mit einem Partner/einer Partnerin.

A Wegen eines Computerfehlers und buchte sofort eine Reise nach Mexiko.

B Während einer Konferenz und landete mitten auf dem Tisch.

C Trotz des schlechten Wetters und kam erst drei Tage später in Bremerhaven an.

D Wegen eines Streiks und kam erst 17 Jahre später in Hamburg an.

> 1. fuhr ein Segelboot aus Cuxhaven ab
> 2. blieb ein Brief in Flensburg liegen
> 3. bekam eine Angestellte 30.000 Euro Gehalt
> 4. fiel ein Dachdecker durch die Decke

b. Hören Sie die Meldungen und vergleichen Sie die Lösungen. 3|8
Welche finden Sie am interessantesten?

> | wegen
während
trotz | **+ Genitiv** |
> | --- | --- |

6 Noch vier kuriose Meldungen

a. Wie können die Sätze heißen?
Arbeiten Sie in einer kleinen Gruppe
und vergleichen Sie Ihre Ergebnisse
dann im Kurs.

A Während einer Parlamentssitzung ...
B Trotz des Badeverbots ...
C Während einer Taxifahrt ...
D Wegen einer Panne ...

> ◎ schlief ein Minister ein
> ◎ hatte eine Dame plötzlich Bauchschmerzen
> ◎ musste ein Mann aus Schwerin eine Nacht im Freien verbringen
> ◎ sprang ein Mädchen in einen See
> ◎ und bekam ein Baby
> ◎ und fand eine Kiste mit römischen Geldstücken
> ◎ und wachte zwischen Kühen und Schafen auf
> ◎ und konnte seine Rede nicht halten

b. Hören Sie die Meldungen und vergleichen Sie die Lösungen. 3|9

c. Erzählen Sie dazu jeweils eine kleine Geschichte.

⊙ *Der Minister ist eingeschlafen, weil die Reden im Parlament so langweilig waren.*
Als er endlich aufwachte/aufgewacht ist, ...

7 Erfinden Sie selbst Kurzmeldungen.

Arbeiten Sie in einer kleinen Gruppe und tragen
Sie Ihre Ergebnisse dann im Kurs vor.

> ◎ verirrte sich ein Paar in den Bergen und ...
> ◎ wurde eine Kuh panisch und ...
> ◎ meldete sich ein Mann zu einem Tanzkurs an und ...
> ◎ zog ein Mann seine Badehose an und ...
> ◎ schaute eine Frau in ihren Kühlschrank und ...
> ◎ fand ein Kind ...
> ◎ ...

Wegen eines Gewitters ....

Trotz seines Alters ....

Während einer Nachtwanderung ....

....

Fokus Sprechen

1   Er saß. Er aß.   3|10   32

a. Hören Sie und sprechen Sie die Satzpaare nach.

Er saß.   Sie sang.
Er aß.   Sie sprang.

Sie blieb.   Er lief.
Sie schrieb.   Er schlief.

**b. Variieren Sie und sprechen Sie
die Sätze reihum im Kurs.**

⊙ *Als sie saßen, aßen sie.*
◆ *Als sie aßen, saßen sie.*
□ *Als sie blieben, ...*

    🌀 sitzen – essen
    🌀 bleiben – schreiben
    🌀 singen – springen
    🌀 schlafen – laufen

2   Sie saß auf dem Sofa.   3|11   33

a. Hören Sie zu und ergänzen Sie.

Sie _saß_ auf dem Sofa,   Sie _____ in der Pfütze,
er _aß_ auf dem Mofa.   er _____ ihre Mütze.

Sie _____ im Flur,   Sie _____ immer schneller.
er _____ bei der Uhr.   Er _____ im Keller.

Sie _____ zum Stall,   Er _____ zum Schluss.
er _____ den Ball.   Sie _____ in den Fluss.

🌀 ~~saß~~ 🌀 ~~aß~~ 🌀 lief 🌀 schlief 🌀 stand 🌀 fand 🌀 schrieb 🌀 blieb 🌀 sang 🌀 sprang 🌀 ging 🌀 fing 🌀

b. Hören Sie noch einmal und kontrollieren Sie. Lesen Sie die Sätze dann reihum im Kurs vor.

3   Hören Sie und sprechen Sie nach. Achten Sie auf die Verben am Ende.   3|12
34

Als sie den grünen Tee in ihre Tasse goss,
und er auf dem Balkon ein süßes Eis genoss,
da hörten sie, dass jemand schnell das Fenster schloss
und unten in dem Bad sehr laut das Wasser floss.

Als sie bei der Laterne um die Ecke bog,
weil Pof, ihr Hund, mal wieder an der Leine zog,
bemerkte sie, dass über ihm ein Vogel flog,
und sah, dass Pof noch immer vierzehn Kilo wog.

4 Wie heißen die Sätze?

a. Lesen Sie die Sätze und überlegen Sie: Welches Verb passt?

Während sie den langen Brief zu Ende ....,

sah sie, dass das Wasser nicht mehr weiter ....,

und küsste seine Lippen, als er glücklich ....

   ◎ schwieg
   ◎ schrieb
   ◎ stieg

Als Peter von der Arbeit schnell nach Hause ....,

und mit einer Hand den großen Fußball ....,

sah er, dass am Fenster seine Wäsche ....

   ◎ hing
   ◎ ging
   ◎ fing

Als er mit dem Löffel in die Küche ....,

sah er, dass die Köchin ihn sofort ....,

und lachte nur, als sie ihn einen Dummkopf ....

   ◎ nannte
   ◎ rannte
   ◎ erkannte

b. Hören Sie und kontrollieren Sie. Tragen Sie dann die Sätze abwechselnd im Kurs vor. 3|13

 35

5 Eine Szene am See 3|14 36

a. Hören Sie den Text.

Als er mit der Pistole nah am Ufer stand,
in seinem Mantel suchte und ein Halstuch fand,
ganz vorsichtig und langsam seine Hand verband,
da sah er, dass sein Wagen in dem See verschwand.

b. Variieren Sie die Szene gemeinsam mit einem Partner/einer Partnerin.

  ◎ mit seinem Messer / seinem Handy nah am Wasser stehen
  ◎ in seinem Koffer / seiner Tasche suchen und ein Pflaster / zwei Socken finden
  ◎ ganz vorsichtig und langsam seinen Arm / seinen Fuß verbinden
  ◎ sein Flugzeug / Fahrrad / in dem Fluss / Meer verschwinden

Als er mit seinem Messer nah am Wasser stand,   Als er mit seinem Handy ...

in seinem Koffer suchte und ein Pflaster fand,

ganz vorsichtig und langsam seinen Arm verband,

da sah er, dass sein Flugzeug in dem Fluss verschwand.

Fokus Sprechen

6 „Den Film fand ich wirklich spannend." 3|15 37

a. Hören Sie zuerst das Gespräch und lesen Sie dabei mit.

⊙ … Und, wie war der Film?

◆ Den fand ich wirklich spannend, vom Anfang
bis zum Schluss.

⊙ Erzähl doch mal.

◆ Zu Beginn saß ein Mann in seinem Rollstuhl
am Fenster. Er schaute durch sein Fernglas
zum Nachbarhaus.

⊙ Und was geschah dann?

◆ Plötzlich sah er, dass in der Wohnung gegenüber
ein Mann eine Frau ermordete.

***

⊙ Und was passierte dann?

◆ Er wollte mit der Hilfe seiner Freundin den Mord
beweisen, denn die Polizei glaubte ihm nicht.

⊙ Wie ging es dann weiter?

◆ Es wurde sehr gefährlich für die beiden. Der Mörder
wusste inzwischen, dass es einen Zeugen gab.

⊙ Und wie ging die Geschichte zu Ende?

◆ Das möchte ich dir nicht verraten. Den Film musst
du wirklich selbst sehen!

b. Üben Sie den ersten Teil mit einem Partner/einer Partnerin
und tragen Sie ihn anschließend im Kurs vor.

c. Wechseln Sie die Rollen und üben Sie den zweiten Teil des Gesprächs.

d. Spielen Sie jetzt das gesamte Gespräch mit einem Partner/einer Partnerin nach.

Wie war der Film?
Wie fing der Film an?
Was geschah dann?
Und was passierte dann?
Wie ging es dann weiter?

Den fand ich …
Ein Mann im Rollstuhl schaute …
In der Wohnung gegenüber …
Er …
Es …

7 „Wie fandest du den Film?"   3|16   38

a. Hören Sie das Gespräch und ergänzen Sie.

Zwei Jungen waren auf einem Bahnhof.

Dort .... sie einen Koffer.

Sie .... ihn und .... schnell weg.

Sie .... in den Fahrstuhl eines Hochhauses.

Sie .... nach oben fahren.

Plötzlich .... der Aufzug stecken.

Sie .... den Koffer.

Da .... sie eine Bombe mit Zeitschaltung.

> ⊚ öffneten ⊚ liefen ⊚ fanden ⊚ entdeckten ⊚ wollten ⊚ nahmen ⊚ liefen ⊚ blieb ⊚

b. Spielen Sie nun das Gespräch nach. Sie können folgende Fragen verwenden.

> ⊚ Wie fing der Film an? ⊚ Was machten sie mit dem Koffer? ⊚ Wohin gingen sie dann? ⊚
> ⊚ Was passierte dann? ⊚ Was fanden sie im Koffer? ⊚ Wie ging der Film weiter? ⊚ ... ⊚

8 Ein junges Ehepaar verirrt sich.

a. Lesen Sie zuerst den Beginn der Geschichte.

Ein junges Ehepaar verirrt sich mit dem Auto in einer einsamen Gegend. Als ihr Benzin zu Ende geht, finden sie ein Haus. Ein alter Mann öffnet die Tür und sie fragen ihn nach dem Telefon. Aber er spricht nicht mit ihnen, sondern zeigt ihnen ein Zimmer. Sie müssen bleiben, weil es dunkel wird. Mitten in der Nacht wachen sie durch ein seltsames Geräusch auf. Da sehen sie, dass der alte Mann im Garten ein Loch gräbt ...

b. Was passiert nun?
Schreiben Sie zu zweit die Geschichte weiter und stellen Sie sie im Kurs vor.

- *Der alte Mann trägt einen Teppich und vergräbt einen toten Mann. Er bemerkt das Ehepaar und schließt alle Türen ab. ...*

- *Der alte Mann sucht den Schmuck seiner toten Tante. Das Ehepaar kann fliehen, aber ...*

> Inhaltsangabe → Präsens

> ⊚ tragen: Teppich / Holzkiste / Plastiksack / Lampe / ...
> ⊚ vergraben: Geld / ein Tier / einen toten Mann / ...
> ⊚ suchen: Schmuck / Uhr / Brief / ...
>   seines/seiner reichen / toten / ... Onkels / Tante / ...
> ⊚ entdecken: Ehemann / Ehefrau / Ehepaar
> ⊚ töten: mit Pistole / Messer / Hammer / ...
> ⊚ bemerken: das Ehepaar / das Loch / ...
> ⊚ beobachten: den Mann / den Garten ...
> ⊚ entdecken: Schlüssel / Blut / ... auf dem Teppich
> ⊚ fotografieren: Mann / Garten / Szene / ...
> ⊚ laufen: in den Wald / hinter das Haus / ...
> ⊚ fliehen: mit Motorrad / Wagen / ... des alten Mannes
> ⊚ anrufen: die Polizei / Freunde / ...
> ⊚ hören: Schritte / andere Männer / ... im Garten

1 Hören Sie zu und schreiben Sie. 3|17

.... gut.

.... Goethestraße .... ,

.... er .... , ...

.... nicht ....

.... Haus ....

.... davor.

---

2 Ein Schwein hatte Glück. (Teil 1)

a. Betrachten Sie die Zeichnungen und ergänzen Sie die Sätze.

1. Vor einem Jahr ging Herr M. zu seinem Nachbarn und
   ....

2. Er brachte es in den Stall und sein kleiner Sohn Heino
   ....

3. Alle fanden, dass Rosa ein hübsches Schwein war; aber ganz
   besonders ....

4. Heimlich brachte er ihm immer sein Frühstücksbrot, bevor
   ....

5. Und als er merkte, dass Rosa ihm folgte wie ein Hund,
   ....

> ◎ er zur Schule ging. ◎ liebte Heino das Tier. ◎
> ◎ kaufte von ihm ein junges Schwein. ◎
> ◎ ging er täglich mit ihr spazieren. ◎ gab ihm den Namen „Rosa". ◎

b. Wie geht die Geschichte vielleicht weiter?

Rosa findet ... im Wald. / Heino hat einen Unfall und Rosa holt ... / Heinos Eltern meinen, Rosa ...

3 Ein Schwein hatte Glück. (Teil 2)

a. Ordnen Sie die Sätze und schreiben Sie den Text im Präteritum.
Arbeiten Sie mit einem Partner/einer Partnerin.

1. *Aber Heinos Vater schimpfte und sagte: „Ein Schwein ist kein Haustier!" Er*

....

2. ....

....

3. ....

....

4. ....

....

5. ....

....

6. ....

....

7. ....

....

8. ....

....

9. ....

....

○ ~~Aber Heinos Vater schimpft und sagt: „Ein Schwein ist kein Haustier!"~~ Er will bald Fleisch und Wurst daraus machen.

○ Dort parkt er den Wagen auf dem Hof und geht in den Laden.

○ Dort findet er Rosa. Sie liegt in ihrem Stall und ist müde von dem langen Spaziergang.

○ Als er wiederkommt, ist der Wagen leer und Rosa ist weg.

○ Er sucht lange nach ihr; dann fährt er ärgerlich nach Hause zurück.

○ Da kommt gerade Heino von der Schule nach Hause. Er weint, weil er an das Schwein denkt.

○ Herr M. lacht und erzählt die Geschichte seiner Frau.

○ Sein Vater führt ihn zu Rosa und sagt: „Du hast ganz Recht. Rosa ist wirklich ein Haustier!"

○ Dann kommt der Tag. Herr M. fährt mit Rosa ins nächste Dorf zur Metzgerei.

b. Wie finden Sie die Geschichte? Was meinen Sie zur Reaktion des Vaters?

c. Erzählen Sie die Geschichte aus der Perspektive von Heino.

4 Schlagzeilen

a. Betrachten Sie die Fotos. Was ist hier passiert? Überlegen Sie mit einem Partner/einer Partnerin.

b. Ordnen Sie die Schlagzeilen den Fotos zu.

Stuttgart: Schule nachts abgebrannt
Abiturzeugnisse gerettet

Zell an der Mosel:
Fluss auf 9,50 m gestiegen
Einwohner mit dem Boot zur Arbeit gefahren

Dortmund: Bus gegen Baum gefahren
15 Fahrgäste im Krankenhaus

Arnsberg:
LKW in Einfamilienhaus gefahren
Außer dem Fahrer niemand verletzt

A 72: Hunderte Autofahrer im Schnee auf Autobahn übernachtet
Heiße Getränke vom ADAC

Dormagen: Krokodil im Badesee entdeckt
Suche nach dem Besitzer ohne Erfolg geblieben

c. Machen Sie ganze Sätze aus den Schlagzeilen.

In Dortmund fuhr ein Bus ...

15 Fahrgäste liegen jetzt ...

In ...

...

5 Noch mehr Schlagzeilen

a. Welcher Untertitel passt zu welcher Schlagzeile?

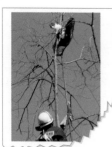

Freiwillige Feuerwehr rettete Katze aus Baum

Kein Strom in der U-Bahn

Neunjähriger überfiel Kiosk mit Wasserpistole

Kind gab Geldbörse mit 1500 Euro im Fundbüro ab

Mit Bauchschmerzen ins Krankenhaus

PKW-Fahrer tankte Superbenzin statt Diesel

Fahrstuhl in Hochhaus 16 Stunden außer Betrieb

Auf dem schnellsten Weg in die Apotheke

1. Bewohner mussten 20 Stockwerke zu Fuß hinaufgehen
2. Glücklicher Besitzer schenkte ihm Eintrittskarte für Fußballspiel
3. Motor nach 5 km kaputt
4. Aber „Pia" kletterte sofort wieder hinauf
5. Rentnerin wollte nur Rezept abgeben
6. Elektrische Leitung defekt: Fahrgäste saßen 40 Minuten im Dunkeln
7. Er wollte nur eine Tüte Bonbons
8. Löffel im Magen einer Patientin gefunden

b. Wählen Sie in einer kleinen Gruppe eine Nachricht aus und schreiben Sie einen Zeitungsartikel dazu.

Überlegen Sie Antworten auf folgende Fragen:

- Was passierte danach?
- Kam die Polizei / ein Arzt / ein Mechaniker ...?
- Was sagten die Personen?
- Wer musste etwas bezahlen?
- Wer hatte Glück / Pech?
- Wie ging die Geschichte zu Ende?

c. Vergleichen Sie Ihre Texte im Kurs und gestalten Sie mit den anderen Gruppen gemeinsam eine Wandzeitung.

Das können Sie jetzt:

- Kurze Zeitungsartikel verstehen
- Über Radiomeldungen sprechen
- Von Glücksfällen und Missgeschicken berichten
- Über einen Film sprechen
- Eine Geschichte im Präteritum schreiben
- Etwas ausformulieren
- Zeitliche Zusammenhänge in der Vergangenheit ausdrücken

Bettlektüre

✪ Was liest du denn da?

▦ Einen Krimi.

✪ Ist er spannend?

▦ Ja, total spannend. Aber nichts für dich. Du hast ja immer gleich Angst.

✪ Ich habe keine Angst. Das ist doch alles nur erfunden. Lies mal was vor.

▦ Wirklich? Na gut: *Es war schon lange nach Mitternacht, aber sie schlief noch nicht. Das Mondlicht fiel durch das Fenster in ihr Zimmer. Draußen rief ein Nachtvogel.*

✪ Oh. Ist sie etwa allein zu Hause?

▦ Ja klar. Hör zu: *Sie sah, dass der Mond hinter einer Wolke verschwand. Jetzt war es völlig dunkel im Zimmer.*

✪ Warum macht sie denn kein Licht an?

▦ Jetzt unterbrich mich doch nicht immer! *Neben ihrem Bett klingelte das Telefon und sie nahm langsam den Hörer ab.*

✪ Wer ruft denn mitten in der Nacht an?

▦ Warte. *Der Anrufer schwieg, aber sie hörte ein unheimliches Lachen.*

✪ Das ist bestimmt der Mörder!

▦ *Dann brach die Verbindung ab. Sie nahm eine Taschenlampe in die Hand und ging zum Fenster ...*

✪ O nein! Ist der Mörder schon vor dem Haus?

▦ Bestimmt, was denkst du denn? Siehst du, jetzt hast du doch Angst!

✪ Nein, ich habe kein bisschen Angst! Aber komm doch bitte zu mir! Und mach bloß nicht das Licht aus!

Themenkreis
Länder und Leute

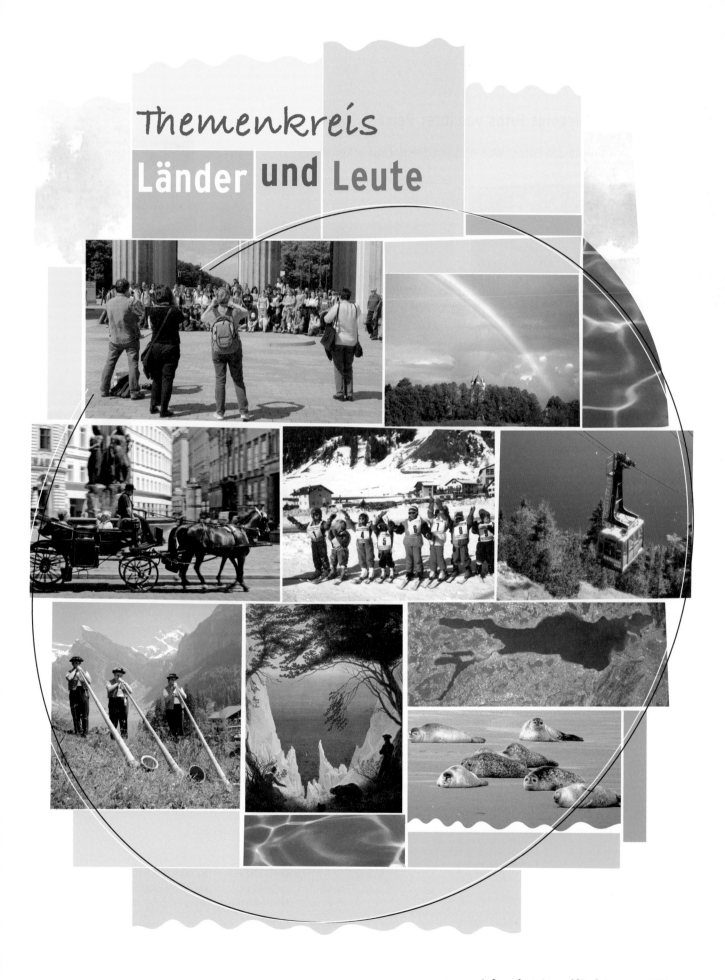

Fokus Strukturen

1 Stefanie zeigt Fotos von ihrer Reise.

a. Betrachten Sie die Fotos. Was können Sie darauf erkennen?

b. Welcher Satz passt zu welchem Foto?

1. ◯ Das ist der Taxifahrer, der mich in Wien zum Bahnhof gebracht hat.

2. ◯ Das ist die Seilbahn, die auf die Zugspitze, den höchsten Berg in Deutschland, fährt.

3. ◯ Das ist das Goethehaus in Frankfurt, das an diesem Tag leider geschlossen war.

4. ◯ So sehen die seltenen Blumen aus, die in den Alpen wachsen.

5. ◯ Hier siehst du die Nordsee, die leider keine Badetemperatur hatte.

6. ◯ Das ist der junge Mann, der mir Dresden gezeigt hat.

7. ◯ Hier siehst du die schwarz-weißen Rinder, die typisch für Norddeutschland sind.

8. ◯ So sieht das Käsefondue aus, das mir in der Schweiz so gut geschmeckt hat.

Das ist	**der** Taxifahrer,	**der** mich zum Bahnhof **gebracht hat.**
	die Seilbahn,	**die** auf die Zugspitze **fährt.**
	das Goethehaus,	**das** in Frankfurt **steht.**
Das sind	**die** Blumen,	**die** in den Alpen **wachsen.**

2 Das hat Stefanie auch gesehen.

a. Was sehen Sie auf den Fotos?

b. Wie gehen die Sätze weiter? Ergänzen Sie die Nummern.

Das ist der Berg, 6

So sieht die berühmte Sachertorte aus,

Hier sieht man das
Schloss Neuschwanstein,

Das sind die Delfine,

Das ist der Maibaum,

Das ist das Museum,

So sehen die Weißwürste aus,

So sehen die Hüte aus,

Das ist der Bär,

1. den ich in Berlin auf einem Flohmarkt gekauft habe.
2. die man in Bayern gern zum Frühstück isst.
3. das ich in Berlin besucht habe.
4. den man in München auf dem Viktualienmarkt sehen kann.
5. die ich im Duisburger Zoo gesehen habe.
6. den ich in Österreich bestiegen habe.
7. die man in Wien in jedem Café bekommt.
8. die man bei Festen im Schwarzwald trägt.
9. das der bayrische König Ludwig II. gebaut hat.

| **Den** Berg **habe** | | ich in Österreich bestiegen. |
| Das ist **der** Berg, | **den** | ich in Österreich bestiegen **habe**. |

3 Eine Reise von Süden nach Norden

Ergänzen Sie den Text. Arbeiten Sie mit einem Partner/einer Partnerin.

a. In Wien hat Stefanie eine Torte gegessen, _die_ man dort in jedem Café bekommt.

b. In dieser Stadt hat sie einen Taxifahrer fotografiert, ... sie zum Bahnhof gebracht hat.

c. In der Nähe des Mondsees ist sie auf einen Berg gestiegen, ... „Schafberg" heißt.

d. Dort hat sie Blumen gesehen, ... man „Edelweiß" nennt.

e. Mit der Seilbahn ist sie auf den höchsten deutschen Berg gefahren, ... „Zugspitze" heißt.

f. Ein Foto zeigt einen Maibaum, ... sie in München fotografiert hat.

g. In München hat sie auch Weißwürste kennengelernt, ... die Bayern gern zum Frühstück essen.

h. Dann hat sie Schloss Neuschwanstein besucht, ... König Ludwig II. gebaut hat.

i. In Basel hat sie ein Gericht gegessen, ... man „Käsefondue" nennt.

j. In Freiburg hat sie Hüte gesehen, ... die jungen Frauen an Festtagen tragen.

k. Sie hat Delfine gesehen, ... im Duisburger Zoo leben.

l. Dann hat sie das Goethehaus besucht, ... in Frankfurt am Main steht.

m. In Dresden hat sie einen jungen Mann getroffen, ... ihr die Stadt gezeigt hat.

n. Stefanie hat auch ein Museum besucht, ... in Berlin steht.

o. Aus Berlin ist auch der Bär, ... sie auf einem Flohmarkt gekauft hat.

p. Bei Husum hat sie Rinder gesehen, ... schwarz-weiß waren.

q. Zum Schluss war sie an der Nordsee, ... leider keine Badetemperatur hatte.

◎ der
◎ die
◎ das
◎ den

4 Stefanies Reiseroute

a. Zeichnen Sie zusammen mit einem Partner/einer Partnerin Stefanies Reiseroute in der Karte rechts ein.

b. Berichten Sie dann im Kurs und vergleichen Sie.

Zuerst war Stefanie in Wien. Da hat sie eine Torte gegessen, die ... Dann hat sie den Taxifahrer ...
Dann ist sie zum ... gefahren. Dort ... Dann ... Später ... Zum Schluss ...

5 Fragen zur Geografie

... **der** Fluss,	in **den** ...	an **dem** ...
... **die** Stadt,	durch **die** ...	an **der** ...
... **das** Gebirge,	durch **das** ...	in **dem** ...
... **die** Berge,	durch **die** ...	zwischen **denen** ...

a. Beantworten Sie die Fragen mit Hilfe der Landkarte.

1. Wie heißt der Fluss, an dem Hamburg liegt? _____

2. Wie heißt der See, durch den der Rhein fließt? _____

3. Wie heißen die Berge, zwischen denen die Mosel fließt? _____

4. Wie nennt man die Bucht, an der Kiel liegt? _____

5. Wie heißen die Flüsse, aus denen die Weser entsteht? _____

6. Wie nennt man das Waldgebirge, aus dem die Ems kommt? _____

7. Wie heißt das Meer, in dem die ostfriesischen Inseln liegen? _____

8. Wie heißt der Fluss, in den Lech und Inn fließen? _____

◎ Eifel
◎ Donau
◎ Teutoburger Wald
◎ Werra
◎ Bodensee
◎ Nordsee
◎ Hunsrück
◎ Kieler Bucht
◎ Elbe
◎ Fulda

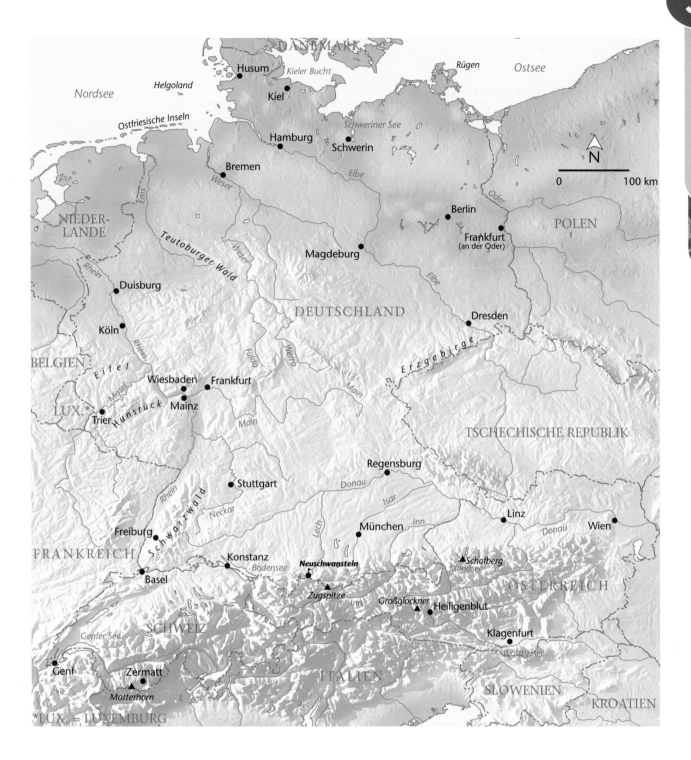

b. Notieren Sie in einer kleinen Gruppe weitere Fragen und stellen Sie sie im Kurs. Die anderen Gruppen suchen auf der Karte und antworten.

Wie heißt ...,	⑥ der ⑥ die ⑥ das ⑥	⑥ liegt ⑥ liegen ⑥
Wie heißen ...,	⑥ an dem ⑥ an der ⑥ an denen ⑥	⑥ fließt ⑥ fließen ⑥
Wie nennt man ...,	⑥ durch den ⑥ durch die ⑥ durch das ⑥	⑥ kommt ⑥ kommen ⑥
...	⑥ ...	⑥ ... ⑥

Fokus Lesen

1 Berühmte Sehenswürdigkeiten

a. Beschreiben Sie die Fotos. Was wissen Sie vielleicht schon über diese Sehenswürdigkeiten?

b. Welcher Text passt zu welchem Foto?

1. Der Kölner Dom, dessen Türme 157 Meter hoch sind, war für kurze Zeit das höchste Gebäude der Welt. 1248 hat man mit dem Bau begonnen, aber wirklich fertig geworden ist er nie. Selbst heute wird noch weitergebaut.

2. Die Wiener Hofburg, in der über 600 Jahre lang Könige und Kaiser wohnten, ist heute der Sitz des österreichischen Bundespräsidenten. Neben mehreren Museen kann man hier auch die Wohnräume von Kaiserin Elisabeth, die eher unter dem Namen „Sisi" bekannt ist, besichtigen. Draußen warten die Pferdekutschen, mit denen man eine Stadtrundfahrt durch Wien unternehmen kann.

3. Die Porta Nigra, deren Name von der schwarzen Farbe ihrer Steine kommt, war einmal ein Stadttor und steht in Trier. Die Stadt an der Mosel, die die Römer im Jahr 16 v. Chr. gegründet haben, ist die älteste in Deutschland und war einige Jahrhunderte lang die größte nördlich der Alpen.

4. Das Matterhorn, dessen Form an eine Pyramide erinnert, ist einer der bekanntesten Berge der Schweiz. An seinem Fuß liegt Zermatt. Diesen Ort, in dem es keine Autos gibt, kann man nur mit der Bahn erreichen. Dafür ist hier das ganze Jahr Skisaison.

5. Die größte deutsche Insel Rügen liegt nur wenige Kilometer vor der Ostseeküste. Schon in der Steinzeit lebten hier Menschen, deren Gräber man noch heute besichtigen kann. Die größte Attraktion Rügens sind aber die Kreidefelsen im Nationalpark, die durch ein Bild des Malers Caspar David Friedrich berühmt geworden sind.

6. Wenn man zwischen Bodensee und Basel unterwegs ist, darf man ein Naturphänomen auf keinen Fall verpassen: den Rheinfall bei Schaffhausen, den die Schweizer den „Rhyfall" nennen. Der Rhein, durch den die Grenze zwischen Deutschland und der Schweiz verläuft, fällt hier 23 Meter tief über die Felsen hinunter. Damit ist der Rheinfall der größte Wasserfall Europas.

2 Was passt?

a. Der Dom,   war einmal das höchste Gebäude der Welt.

b. Die Kaiserin,   wohnte in der Wiener Hofburg.

c. Der Maler,   heißt C. D. Friedrich.

d. Die Insel,   heißt Rügen.

e. In dem Ort,   gibt es keine Autos.

f. Der Fluss,   ist der Rhein.

g. Die Stadt,   liegt an der Mosel.

1. der die Kreidefelsen gemalt hat,
2. den man nur mit der Bahn erreichen kann,
3. der in Köln steht,
4. die die Römer gegründet haben,
5. durch den die Grenze zwischen der Schweiz und Deutschland verläuft,
6. die unter dem Namen „Sisi" bekannt ist,
7. auf der schon in der Steinzeit Menschen lebten,

> Der Dom   war das höchste Gebäude der Welt.
>   Er **steht** in Köln.
> Der Dom,   **der** in Köln **steht**,   war das höchste Gebäude der Welt.

3 Wie gehen die Sätze weiter?

a. Das Matterhorn ist ein Berg,

b. „Sisi" nennt man die Kaiserin,

c. Die Porta Nigra war einmal ein Stadttor,

d. Auf Rügen lebten schon in der Steinzeit Menschen,

1. deren Wohnräume man in der Hofburg besichtigen kann.
2. dessen Farbe schwarz ist.
3. deren Gräber man noch sehen kann.
4. dessen Form an eine Pyramide erinnert.

> Der bekannteste Berg in der Schweiz ist das Matterhorn. **Seine** Form **erinnert** an eine Pyramide.
> Der bekannteste Berg in der Schweiz ist das Matterhorn, **dessen** Form an eine Pyramide **erinnert**.
>
> In der Hofburg wohnte eine Kaiserin. **Ihr** Name **war** Elisabeth.
> In der Hofburg wohnte eine Kaiserin, **deren** Name Elisabeth **war**.

4 Reisevorbereitungen

a. Planen Sie in kleinen Gruppen eine gemeinsame Reise durch Deutschland, Österreich und die Schweiz. Machen Sie Notizen zu den folgenden Punkten.

- Wählen Sie mindestens fünf touristische oder kulturelle Ziele, die Sie besuchen möchten.
- Legen Sie Ihre Reiseroute fest.
- Überlegen Sie: Welche praktischen Reisevorbereitungen sind notwendig oder nützlich?

> ◎ Reiseführer besorgen ◎ Fahrpläne im Internet suchen ◎ Unterkunft reservieren ◎
> ◎ sich über Eintritte und Gebühren informieren ◎ Telefonnummern für Notfälle notieren ◎
> ◎ sich nach Zollvorschriften erkundigen ◎ Pass verlängern ◎ eine Reiseversicherung abschließen ◎
> ◎ nach Rabatten für Gruppen fragen ◎ passende Kleidung mitnehmen ◎ ... ◎

b. Tragen Sie Ihre Reisepläne im Kurs vor.

⊙ *Wir fahren zuerst in die Schweiz und besuchen ... Dann wollen wir ... Zuletzt möchten wir ...*

◆ *Wir wollen mit der Bahn fahren. Natürlich möchten wir ... Wir müssen auch daran denken ... zu reservieren. ...*

5 **Welche Fotos passen?**

Lesen Sie den Text auf der rechten Seite schnell durch. Zu welchen Abschnitten passen die Fotos?

1. Einleitung   **2.** Das Meer ohne Wasser   **3.** Die wilden Pferde von Westfalen   **4.** Das Gold der Alpen

6 **Lesen Sie den Text Abschnitt für Abschnitt genau durch.**

Was ist richtig? **X** Besprechen Sie die Lösungen mit einem Partner/einer Partnerin.

a. Einmal pro Tag geht das Wasser an der Nordseeküste zurück.

b. Wenn das Wasser weg ist, kann man zu Fuß durch das Wattenmeer gehen.

c. Mit einem Boot kann man nie von Cuxhaven zu den Inseln fahren.

d. Die Post kommt mit der Pferdekutsche auf die Insel Neuwerk.

e. Am letzten Wochenende im Winter kann man die wilden Pferde in Dülmen sehen.

f. Die jungen Männer fangen nur weibliche Tiere.

g. Normalerweise leben die wilden Pferde in einem Naturpark.

h. Im Naturpark brauchen die Pferde keine Hilfe von Menschen, um sich zu ernähren.

i. Die Autos, die über die Großglockner-Straße kommen, fahren bis auf eine Höhe von 3.798 Metern.

j. Der Großglockner ist der höchste Berg Österreichs.

k. Im Gebirge um den Großglockner liegt ewiges Eis.

l. In Heiligenblut darf jeder so lange Gold suchen, wie er will.

7 **Welche Orte oder Ereignisse finden Sie interessant?**

Was möchten Sie sich gern einmal anschauen, was möchten Sie mitmachen?

⊙ *Das Pferderennen im Watt finde ich interessant. Das möchte ich mir gern einmal anschauen.*

◆ *Ich möchte auch gern mal versuchen, Gold zu finden. ...*

Es muss ja nicht immer Neuschwanstein sein ...

Schloss Neuschwanstein, der Kölner Dom, die Wiener Hofburg, das Matterhorn – das sind wohl die Sehenswürdigkeiten, für die sich Touristen auf einer Reise durch Österreich, Deutschland oder durch die Schweiz am meisten interessieren. Städte und Landschaften bieten aber manchmal auch Besonderheiten und Naturphänomene, die nicht so bekannt sind, für die sich aber ein Umweg lohnt.

Das Meer ohne Wasser

Kann man sich das vorstellen? Da steht man am Strand und das Meer ist weg! Tatsächlich: An der deutschen Nordseeküste, vor der zehn große und viele kleine Inseln liegen, verabschiedet sich das Meer zweimal am Tag und für einige Stunden gibt es kein Wasser zwischen dem Land und den Inseln. Dann kann man zum Beispiel zu Fuß von Cuxhaven zu der kleinen Insel Neuwerk gehen oder man steigt in eine Pferdekutsche, mit der viele Touristen dorthin fahren. Sogar die Post wird mit dem Pferdewagen nach Neuwerk gebracht. Eine besondere Attraktion ist das jährliche Pferderennen von Cuxhaven, bei dem die Pferde über das feuchte „Wattenmeer" rasen. Natürlich kommt das Wasser auch zweimal am Tag an die Küste zurück und bedeckt wieder den Meeresboden, über den die Leute gewandert und die Kutschen gefahren sind. Dann kann man auch mit dem Boot oder mit der Fähre zu den Inseln kommen.

Die wilden Pferde von Westfalen

Am letzten Samstag im Mai kann man in der Nähe der Stadt Dülmen ein seltsames Ereignis erleben: Junge Männer mit blauen Jacken und roten Halstüchern treiben Pferde auf eine Wiese. Dann beginnen sie, männliche Tiere zu fangen, die ein Jahr alt sind – der Wilde Westen mitten in Westfalen! Normalerweise leben diese Tiere völlig frei in einem Naturpark: Nirgends in Europa gibt es noch so viele echte Wildpferde. In dem 360 Hektar großen Park, in dem sie ohne die Hilfe von Menschen unter freiem Himmel leben, finden sie Gras und junge Pflanzen genug, um sich zu ernähren. Aber sie müssen auch mit Kälte, Regen und Sturm zurechtkommen, so wie ihre Vorfahren, die nach der letzten Eiszeit aus dem Süden Russlands nach Mitteleuropa kamen. Nur einmal im Jahr werden die jungen Tiere gefangen und später zu Reit- und Kutschpferden ausgebildet. Die anderen laufen wieder hinaus in die Landschaft – und in die Freiheit.

Das Gold der Alpen

„Die Traumstraße der Alpen" nennt man die Großglockner-Hochalpenstraße, über die jährlich eine Million Autos bis auf eine Höhe von 2.577 Metern hinauffahren. Sie verbindet die österreichischen Bundesländer Salzburg und Kärnten. Von den Wiesen im Tal über die nackten Felsen bis zum ewigen Eis im Gebirge durchquert man alle Klima- und Vegetationszonen, die es zwischen den Alpen und der Arktis gibt. Hier trifft man auch das Murmeltier, dem es offensichtlich gefällt, sich den Touristen zu zeigen. Schließlich steht man vor dem Großglockner, der mit 3.798 Metern der höchste Berg Österreichs ist. Hinunter geht es nach Heiligenblut. Die Stadt bietet eine seltene Attraktion: Für einen kleinen Betrag bekommt man das Recht, einen Tag lang Gold zu suchen! An drei Stellen, an denen man mit der Hand Gold waschen darf, kann man mit etwas Glück ein winziges Stück von dem gelben Metall finden und darf es behalten. Nicht umsonst heißen die Berge hinter Heiligenblut die „Goldberge".

17

1 Wie ist das Wetter?

a. Welcher Satz passt zu welchem Foto?

 A
 B
 C
 D

 E
 F
 G
 H

1. Es gibt gerade einen Regenschauer.
2. Es ist sonnig. Das Wetter ist heiter.
3. Es ist bewölkt, aber es regnet nicht.
4. Es sind 20 Grad. Die Temperatur ist angenehm mild.

5. Es ist sehr neblig.
6. Es ist stürmisch bei Windstärke 7.
7. Es liegt Schnee, aber es schneit nicht.
8. Es gibt ein Gewitter.

b. Wie war das Wetter in dieser Woche? Wie ist es heute? Erzählen Sie im Kurs.

Heute ist es ...
Gestern / vorgestern gab es / war es ...
Die Temperatur ist / war ...
Es regnet seit ...
Seit einer Woche / zwei Tagen hat es nicht ...

2 „Ich liebe Hitze!" 3|19 ◎

a. Hören Sie sechs Aussagen zum Thema Wetter. Wer sagt was?

 A
 B
 C
 D
 E
 F

◯ „Ich habe große Angst vor Gewittern."
◯ „Ein grauer Himmel macht mich depressiv."
◯ „Meine Jahreszeit ist der Sommer."
A „Ich liebe Hitze."
◯ „Eis und Schnee finde ich toll."
◯ „Ich fühle immer, wenn es Regen gibt."

◯ „Im Winter bin ich dauernd erkältet."
A „30 Grad und mehr ist genau mein Wetter."
◯ „Ich mag Hitze und Kälte, aber keinen Regen."
◯ „Heißes Wetter macht mich müde."
◯ „Eigentlich ist mir das Wetter egal."
◯ „Wenn die Sonne scheint, geht es mir gut."

b. Welches Wetter mögen Sie am liebsten? Welche Temperaturen finden Sie angenehm?

☺ *Ich gehe gern spazieren, wenn es richtig stürmisch ist.*

◆ *Ich fühle mich am wohlsten, wenn es warm ist. Aber es dürfen nicht mehr als 25 Grad sein. ...*

3 Der Wetterbericht

Hören Sie nacheinander die Wetterberichte für die vier Regionen Deutschlands.
Bearbeiten Sie jeweils danach die Aufgaben. Wie passen die Satzhälften zusammen?

a. Norddeutschland

Ein Tief über Skandinavien bringt	**1.** aus Nordwesten.
Im Lauf des Tages	**2.** Windstärke 7.
Die Temperaturen liegen	**3.** kühle und feuchte Meeresluft.
Der Wind kommt	**4.** gibt es Schauer.
Der Wind erreicht	**5.** zwischen 14 und 16 Grad.

b. Westdeutschland

Die Temperaturen liegen	**1.** aus Westen.
Es ist heiter	**2.** stellenweise.
In den Flusstälern	**3.** zwischen 16 und 18 Grad.
Der schwache Wind weht	**4.** bis bewölkt.
Im Bergland regnet es	**5.** kann es Nebel geben.

c. Ostdeutschland

Das Wetter bleibt	**1.** südwestlichen Richtungen.
Es gibt Temperaturen	**2.** wenige Wolken.
Es gibt nur	**3.** um 20 Grad.
Der Wind weht aus	**4.** nicht.
Es regnet	**5.** angenehm mild.

d. Süddeutschland

Ein Hoch über dem Balkan	**1.** aus Süden und Osten.
Die Temperaturen	**2.** unter 20 Grad.
In den Alpen bleiben die Temperaturen	**3.** zu Gewittern.
Am Abend kommt es	**4.** bestimmt das Wetter.
Ein starker Wind weht	**5.** steigen auf 27 Grad.

4 Wie ist das Wetter in Ihrem Land?

Berichten Sie im Kurs.

Wie viel Grad sind es im Sommer / im Winter?
Gibt es im Winter Schnee?
Wann regnet es viel / wenig?
Welche regionalen Unterschiede gibt es?

☺ *Im Sommer ist es immer sehr heiß. Nur in den Bergen ...*

◆ *Im Winter gibt es selten Schnee ...*

5 Telefonische Grüße aus dem Winterurlaub

a. Woran denken Sie bei dem Wort „Winterurlaub"?

⊙ *Ich denke an Berge und Schnee.*
◆ *An Skifahren natürlich. Und an ...*

b. Lesen Sie zuerst die Sätze und hören Sie dann das Telefongespräch.

Was ist richtig? ✗

1. ⬭ Frau Kurz macht mit ihrem Mann und ihren beiden Kindern Urlaub in Österreich.
2. ⬭ Sie ruft ihre Mutter an, weil sie ihr die Telefonnummer des Hotels geben möchte.
3. ⬭ Die Kinder haben während der Hinfahrt Bilderbücher angeschaut.
4. ⬭ Die Anreise war anstrengend, weil die Kinder dauernd Streit hatten.
5. ⬭ Vor der Grenze haben sie drei Stunden im Stau gestanden, weil es stark geschneit hat.
6. ⬭ Die Hinfahrt war problemlos, obwohl es stark geregnet hat.
7. ⬭ Frau Kurz sagt, dass ihr Mann bei der Ankunft ganz schön fertig war.
8. ⬭ Heute scheint die Sonne und es ist ziemlich warm.
9. ⬭ Heute früh waren es minus 12 Grad.
10. ⬭ Die Kinder haben leider keinen Platz im Skikurs bekommen.
11. ⬭ Herr und Frau Kurz sind immer in der Nähe, wenn die Kinder im Skikurs sind.
12. ⬭ Die Kinder haben keine Lust, mit ihrer Oma zu telefonieren.

c. Was erzählt Frau Kurz ihrer Mutter über die Fahrt, die Kinder und das Wetter? Fassen Sie das Telefongespräch zusammen.

⊙ *Am Anfang möchte Frau Kurz, dass ihre Mutter sich die Telefonnummer des Hotels notiert. Dann erzählt sie von ...*

6 Telefonische Grüße aus dem Sommerurlaub

a. Beschreiben Sie das Foto. Was fällt Ihnen noch dazu ein?

⊙ *Eine junge Frau sitzt auf einer weißen Bank. Sie trägt eine schwarze lange Hose ...*

◆ *Sicher telefoniert sie mit ihren Eltern oder mit ihrem Freund ...*

□ *Vielleicht gefällt ihr der Urlaub nicht ...*

b. Lesen Sie die Sätze und hören Sie dann das Telefongespräch. **3|25**

Was ist richtig? ✗

1. ◯ Frau Kerner telefoniert mit ihrem Bruder, der sich zu Hause um ihre Wohnung kümmert.
2. ◯ Sie macht Urlaub auf der Nordseeinsel „Spiekeroog".
3. ◯ Sie liest und geht viel spazieren.
4. ◯ Sie hatte keine Probleme, ein schönes Hotel zu finden.
5. ◯ Sie wohnt in einem sehr einfachen Gasthaus mit Toiletten auf dem Hof.
6. ◯ Sie schwimmt jeden Tag im Meer, obwohl das Wasser ziemlich kalt ist.
7. ◯ Sie geht nur bis zu den Knien ins Wasser, weil es immer sehr windig und kühl ist.
8. ◯ Sie findet es toll, dass auf der Insel keine Autos fahren dürfen.
9. ◯ Gestern war sie auf dem Meer und hat geangelt.
10. ◯ Sie hat Zwillingsschwestern kennengelernt, die einen netten Bruder haben.

c. Wie geht der Urlaub von Frau Kerner wohl weiter?

Was meinen Sie? Verliebt sie sich?

7 Ein Fernsehquiz

Hören Sie das Quiz. **3|26**

a. Was soll der Kandidat bei jeder Person raten? ✗

- ◯ Das Jahr, in dem sie geboren ist.
- ◯ Das Land, aus dem sie kommt.
- ◯ Die Stadt, aus der sie kommt.
- ◯ Den Dialekt, den sie spricht.

b. Aus welcher Stadt kommt ...

Herr Hansen?	◯	1.	Wien
Frau Sprüngli?	◯	2.	Heidelberg
Herr Becker?	◯	3.	Hamburg
Frau Oberhofer?	◯	4.	Zürich
Herr Bilek?	◯	5.	Köln

c. Was sagen die Personen zum Abschied?

Herr Hansen sagt:	◯	1.	„Ade."
Frau Sprüngli sagt:	◯	2.	„Uf Wiederluege."
Herr Becker sagt:	◯	3.	„Tschüs."
Frau Oberhofer sagt:	◯	4.	„Servus."
Herr Bilek sagt:	◯	5.	„Tschö."

8 Region und Sprache

Welche sprachlichen Besonderheiten gibt es in Ihrem Land? Berichten Sie im Kurs.

☺ *In meinem Land gibt es auch verschiedene Dialekte. Im Norden
sprechen die Menschen im Alltag ganz anders als im Süden.
Ich selbst spreche zum Beispiel ...*

1 Der Mann liest den Brief.

Beschreiben Sie die Zeichnung. Hören Sie dann und sprechen Sie nach. 3|27 39

Der Mann liest den Brief.
Der Mann wartet auf den Bus.
Der Mann liest den Brief und wartet auf den Bus.
Der Mann, der den Brief liest, wartet auf den Bus.
Der Mann, der auf den Bus wartet, liest den Brief.
Der Mann freut sich über den Brief und lacht.
Der Mann, der sich über den Brief freut, lacht.

2 Wie heißen die Sätze?

a. Ergänzen Sie zuerst. Hören Sie dann zur Kontrolle und sprechen Sie nach. 3|28 40

Der Mann, der gerne einkauft, vergisst manchmal seine Geldbörse.

Der Mann, der manchmal seine Geldbörse vergisst, _kauft gerne ein_.

Die Frau, die gerade vorliest, sitzt auf dem Sofa.

Die Frau, die auf dem Sofa sitzt, _____.

Das Kind, das aus der Lagune auftaucht, kann gut tauchen.

Das Kind, das gut tauchen kann, _____.

Die Touristen, die bald weiterreisen, unterhalten sich fröhlich.

Die Touristen, die sich fröhlich unterhalten, _____.

b. Erfinden Sie Sätze mit einem Partner/einer Partnerin und tragen Sie sie im Kurs vor.

Tourist	gemütlich	einkaufen	Handy	anmachen
Kellnerin	langsam	aufräumen	Schrank	zumachen
Mädchen	früh	aufstehen	Kühlschrank	aufmachen
Touristen	spät	aufwachen	Meer	anschauen

Der Tourist, der gemütlich einkauft, macht das Handy an.
Der Tourist, der das Handy anmacht, kauft gemütlich ein.
Die Kellnerin, die früh aufwacht, schaut das Meer an.
Die Kellnerin, die das Meer anschaut, ...
Das Mädchen, das ...
Die Touristen, die ...

3 Ein Quiz

Bereiten Sie mit einem Partner/einer Partnerin 5 Fragen vor. Erfinden Sie zusammen auch einen Begriff und eine Frage für das letzte Feld. Eine Gruppe beginnt und stellt eine Frage im Kurs. Wer antwortet, macht weiter.

- ⊙ *Wie heißt das Tier, das Wörter nachspricht?*
- ◆ *Das Tier, das Wörter nachspricht, ist ein Papagei. Wie heißt die Person, die ...*
- ☐ *Das ist ein ... Wie heißt der Gegenstand, mit dem man kocht?*

Tier	◎ Frühstückseier legen ◎ Wörter nachsprechen können ◎ ... ◎
Person	◎ in der Oper singen ◎ Pech haben ◎ Kleider vorstellen ◎ ein Flugzeug fliegen ◎ ... ◎
Gegenstand	◎ mit ihm den Hof kehren ◎ mit ihm vielleicht fliegen können ◎ mit ihm kochen ◎ ◎ mit ihm Schlagzeug spielen können ◎ mit ihm das Meer beobachten ◎ ◎ mit ihm in die Ferne sehen können ◎ ihn aufdrehen können ◎ ◎ sich an einem Waschbecken oder einer Spüle befinden ◎ ihn aus dem Urlaub schicken ◎ ◎ ihn in den Briefkasten werfen ◎ ... ◎
Gericht	◎ aus Kartoffeln, Essig und Öl gemacht werden ◎ dafür muss man Kartoffeln braten ◎ ... ◎
Gebäude	◎ in ihnen wohnen ◎ sehr hoch sein ◎ in ihnen Ausstellungen anschauen ◎ ◎ in ihnen viele alte Dinge sehen können ◎ ... ◎

4 „Wo fahren wir denn im Urlaub hin?"

Hören Sie das Gespräch und ergänzen Sie. 3|29 41

a. Alles, was der Mann will, ②

b. Erholung ist alles,

c. Ein ruhiger Strandurlaub ist etwas,

d. Ein Surfurlaub ist etwas,

e. Die Kinder wollen nichts machen,

f. In den Reisekatalogen steht einiges,

g. Im Internet gibt bestimmt vieles,

h. Jeder soll einen Ort vorschlagen,

1. was die Frau sich wünscht.
2. ist wandern.
3. wofür die Kinder sind.
4. wovon die Frau träumt.
5. was interessant ist.
6. was anstrengend ist.
7. wohin sie fahren können.
8. was gut und günstig ist.

| alles, etwas, nichts, einiges, vieles, | was / wohin / wofür / wovon ... |

5 „Im Urlaub möchte ich irgendwohin, wo ..."

a. Lesen Sie den Titel und ergänzen Sie den Satz für sich. Vergleichen Sie dann im Kurs.

b. Hören Sie nun das Gespräch. Spielen Sie 3|30 42 es dann mit verteilten Rollen nach.

☉ Wo fahren wir bloß dieses Jahr im Urlaub hin?

◆ Ich habe schon eine Idee. Wir fahren wieder nach Italien.

☉ Nach Italien? Da bin ich dagegen. Irgendwann wollten wir doch mal in ein Land fahren, das wir noch nicht kennen.

◆ Meinetwegen! Am Mittelmeer gibt es noch viele Orte, wo wir noch nicht waren.

☉ Das ist wahr! Aber ich möchte irgendwohin, wo es nicht so viele Touristen gibt. Was hältst du von einer griechischen Insel?

◆ Warum nicht? Ich will auf jeden Fall irgendwo Urlaub machen, wo ich den ganzen Tag schwimmen kann. Das ist alles, was ich möchte.

☉ Und ich möchte mich vor allem erholen: Viel lesen und vielleicht ein bisschen wandern.

◆ Dann ist doch alles klar. Würdest du mir bitte mal den Katalog dort geben?

6 Variieren Sie das Gespräch.

Italien – Mittelmeer – griechische Insel Österreich – Alpen – Schweizer Badeort Dänemark – Skandinavien – finnischer See Norddeutschland – Ostsee – schwedische Insel	Da bin ich dagegen. Das finde ich nicht gut. Meinetwegen. Von mir aus.	Warum nicht? Da bin ich dafür. In Ordnung. Einverstanden.

irgendwo, irgendwohin, ein Ort, eine Gegend, ein Land, ein Strand, ein Hotel,	wo es nicht so viele Touristen gibt wo es nicht so voll ist wo es nicht so laut ist wo es nicht so heiß ist wo man nicht so viel Geld ausgeben muss wohin man mit Kindern fahren kann wohin man den Hund mitnehmen kann wohin man mit der Bahn fahren kann	sich erholen / sich ausruhen Sport treiben wandern tauchen surfen segeln Museen besuchen Höhlen besichtigen

7 Tipps und Empfehlungen für eine Urlaubsreise in ein Land / Ihr Land

a. Bereiten Sie zuerst Empfehlungen und Reisetipps vor.

Reiseziel: Land / Orte:	Italien, Pisa ...
Sehenswürdigkeiten:	Turm von Pisa, Altstadt, Dom ...
Reisezeit:	Mai, Frühling ...
Verkehrsmittel:	Bus, Taxi, Fahrrad, Mietwagen ...
Andere Informationen:	Geschäfte geöffnet von ... bis ... Junge Leute verstehen Deutsch / Englisch

b. Wählen Sie mit einem Partner ein Reiseziel und fragen Sie dann nach Reiseinformationen.

☉ *Ich würde gerne nach Italien / ... fahren.*
Welche Orte sind interessant?

◆ *Da kann ich dir ... empfehlen. Du musst unbedingt ...*
besuchen / besichtigen / anschauen.

☉ *Wann ist denn die beste Reisezeit?*

◆ *Im Frühling oder ...*

☉ *Wie ist da das Wetter?*

◆ *Da ist es meistens sonnig / ... und ... Grad warm.*
Und in der Nacht sind es circa ... Grad.

☉ *Welche Verkehrsmittel kann man gut nehmen?*

◆ *Du kannst mit dem Bus fahren. Das ist relativ günstig.*

☉ *Was muss ich sonst noch wissen?*

◆ *Die Geschäfte sind normalerweise von ... bis ... geöffnet.*

☉ *Wie kann ich mich verständigen?*

◆ *Am besten auf ... Aber viele / manche ... verstehen auch ...*

☉ *Welche Speisen und Getränke sind typisch?*

◆ *...*

Fokus Schreiben

1 Hören Sie zu und schreiben Sie. 3|31

Brigitte ....

.... , ... direkt ....

.... , obwohl ....

....

.... , ... erholen ....

.... Bücher ...., ...

2 Ein Brief vom Bodensee

a. Betrachten Sie die Karte und die Fotos. Was ist interessant an der Lage des Bodensees?

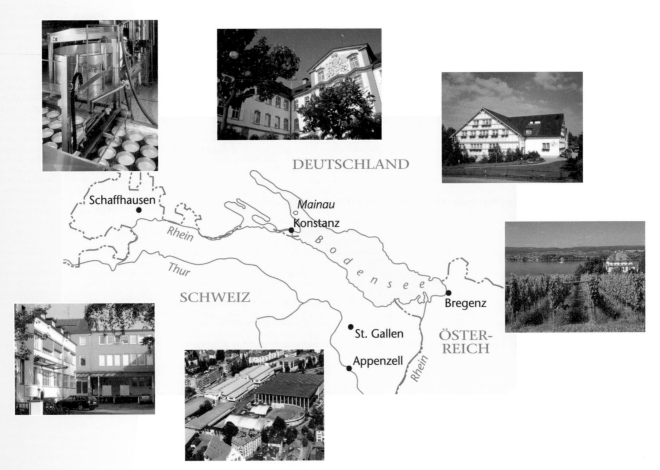

b. Lesen Sie den Brief und ergänzen Sie die fehlenden Satzteile.

Lieber Thorsten,

viele Grüße aus Konstanz am Bodensee, wo ich einige Tage verbringe. Hier ist der Frühling schon angekommen.

Ich wohne in einem Hotel, (1) ....

Die Aussicht, (2) ...., ist herrlich.

Vor mir liegt der See mit seinem herrlich klaren Wasser und ich kann bis hinüber in die Schweiz und nach Österreich schauen.

Vielleicht denkst Du jetzt, dass ich hier Urlaub mache. Aber das stimmt nicht. Ich besuche hier ein Marketing-Seminar, (3) ....

Thema: „Der Wirtschaftsraum Bodensee". Das klingt vielleicht langweilig, ist es aber überhaupt nicht.

Die Dozenten, (4) ...., sind wirklich sehr gut. Außerdem machen wir eine Menge Ausflüge und Besichtigungen. Morgen besuchen wir zum Beispiel das Technologiezentrum Konstanz und am Donnerstag fahren wir in die Schweiz nach Sankt Gallen. Dort findet eine Landwirtschaftsmesse statt,

(5) ....

Danach besichtigen wir eine Käsefabrik in Appenzell, (6) ....

....

Nach dem Seminar bleibt natürlich auch genügend Freizeit. Hast Du schon mal den Wein probiert, (7) ....?

Einfach fabelhaft, sage ich Dir! Gestern war ich auf der Mainau. Auf dieser kleinen Insel,

(8) ...., wachsen sogar Zitronen!

Gleich treffe ich meine Kollegen, (9) ....

.... Die österreichische Seite des Sees kenne ich nämlich noch nicht.

Ich rufe Dich an, wenn ich wieder zu Hause bin.

Bis dann

Deine Anna-Maria

- ◎ die das Seminar leiten
- ◎ der am Bodensee wächst
- ◎ die ich vom Balkon habe
- ◎ auf der das Klima sehr mild ist
- ◎ das direkt am See liegt

- ◎ in der wir uns die Herstellung des berühmten Appenzeller Käses anschauen
- ◎ mit denen ich hinüber nach Bregenz fahren will
- ◎ auf der wir uns über die Schweizer Milchproduktion informieren
- ◎ zu dem meine Firma mich geschickt hat

3 Grüße aus dem Urlaub

a. Betrachten Sie die Urlaubsfotos. Überlegen Sie gemeinsam mit einem Partner/einer Partnerin:

Wo kann das sein? Was für ein Urlaub kann das sein? Was kann man da machen? Wie ist wohl das Wetter?

b. Suchen Sie ein Foto aus und schreiben Sie dazu einen Urlaubsgruß.

Jeder sucht im Kurs einen Adressaten/eine Adressatin und schreibt ihm/ihr eine Urlaubskarte.
Überlegen Sie dabei:

Wo sind Sie?

Wo wohnen Sie?

Wie ist das Wetter?

Wie ist das Essen? Was essen Sie?

Was machen Sie?

Sind Sie allein oder wer ist noch dabei?

Wie sind Sie angereist?

Wie lange bleiben Sie?

Was ist besonders schön oder interessant?

heiß ◎ warm ◎ kalt ◎
◎ viel Regen ◎ wenig Schnee ◎ ... ◎

◎ Auto ◎ Flugzeug ◎ Bus ◎
◎ Bahn ◎ Schiff ◎ Motorrad ◎ ... ◎

◎ allein ◎ mit Freunden ◎
◎ mit Familie ◎ mit Partner(in) ◎ ... ◎

◎ Hotel ◎ Ferienhaus ◎ Zelt ◎
◎ Jugendherberge ◎ Hausboot ◎ ... ◎

◎ Rad fahren ◎ wandern ◎
◎ schwimmen ◎ segeln ◎ ... ◎

Ein Beispiel:

Liebe(r) ...

mit meiner Familie bin ich für drei Wochen nach Mexiko geflogen.
Wir wohnen hier in einem Hotel, das direkt an einer Lagune liegt.
Das Wasser ist ein Traum! Wir schwimmen und tauchen jeden Tag
und sehen die schönsten Fische. Das Wetter ist fantastisch. Nur
Sonne, keine Wolken und es sind immer mindestens 28 Grad.
Natürlich sind wir schon richtig braun. Im Hotel gibt es morgens,
mittags und abends ein tolles Buffet. Wir essen meistens Fisch und
viel frisches Obst. Morgen machen wir einen Ausflug in das nächste
Städtchen. Ich will ein paar Souvenirs kaufen und bringe Dir auch
etwas mit.

Wenn ich wieder zu Hause bin, erzähle ich Dir mehr.

Ganz liebe Grüße

Dein(e) ...

c. „Verschicken" Sie jetzt Ihre Grußkarte. Der Empfänger bzw. die Empfängerin liest sie dann im Kurs vor.

4   Und Ihr Traumurlaub?

Wo möchten Sie jetzt gern sein? Was möchten Sie am liebsten machen? Erzählen Sie im Kurs.

 Ich möchte jetzt am liebsten in den Bergen sein und Ski fahren. Aber es darf nicht zu kalt sein und die Sonne soll scheinen.

◆ *Ich möchte zusammen mit ein paar Freunden eine Tour mit dem Kanu machen, am liebsten irgendwo in Kanada. Es soll aber nicht zu heiß sein und ...*

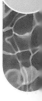

Das können Sie jetzt:

- Von Sehenswürdigkeiten erzählen
- Reiseerlebnisse schildern
- Über die Geografie eines Landes sprechen
- Sich über regionale Sprachunterschiede unterhalten
- Über das Wetter sprechen
- Personen und Dinge genauer beschreiben
- Reisetipps formulieren
- Urlaubsgrüße schreiben

Wieder ein schöner Urlaub

❂ Erzähl doch mal von deinem Urlaub. Wo wart ihr denn?

⊞ Wir waren in Österreich.

❂ Oh, wie schön.

⊞ Ja. An dem Ort, wo wir immer hinfahren.

❂ Ach, an dem Ort, wo ihr immer hinfahrt. Hattet ihr denn ein schönes Hotel?

⊞ Ja. Wir waren in dem Gasthof, in dem wir immer wohnen.

❂ Ach, in dem Gasthof, in dem ihr immer wohnt. Dann wart ihr sicher zufrieden?

⊞ Ja. Wir hatten auch wieder das Zimmer, in dem wir immer übernachten.

❂ Ach ja. Das Zimmer, in dem ihr immer übernachtet. Und das Essen, war es gut?

⊞ Ja. Sie haben noch dieselbe Speisekarte, von der wir seit 20 Jahren essen.

❂ Wirklich? Dieselbe Speisekarte? Waren denn auch nette Leute da?

⊞ Ja. Wir haben dieselben Leute getroffen, mit denen wir dort immer zusammen sind.

❂ So. Dieselben Leute … Sicher habt ihr dann auch etwas unternommen.

⊞ Ja. Wir haben dieselben Ausflüge gemacht, die wir immer machen.

❂ Und? Wollt ihr nächstes Jahr wieder da hinfahren?

⊞ Natürlich. So ein Urlaub ist immer eine schöne Abwechslung.

Übungstest *Start Deutsch 2*

Liebe Kursteilnehmerin, lieber Kursteilnehmer,

nun sind Sie am Ende von *Lagune 2* angekommen. Möchten Sie an dieser Stelle Ihre Deutschkenntnisse überprüfen oder für die A2-Prüfung trainieren? Hier finden Sie einen Übungstest für die Prüfung *Start Deutsch 2* mit allen Prüfungsteilen und Tipps dazu.

Die Tipps finden Sie jeweils nach einem Prüfungsabschnitt unten auf der Seite. Sie können zuerst die Tipps lesen und im Anschluss die Aufgaben lösen.

Die Hörtexte finden Sie auf der CD, die hinten im Buch eingelegt ist.

In der Prüfung übertragen Sie alle Ihre Lösungen auf den Antwortbogen, dafür haben Sie jeweils etwas Zeit. Bei diesem Übungstest tragen Sie Ihre Lösungen direkt ein.

So sieht die Prüfung *Start Deutsch 2* aus:

	Teil		Punkte		Zeit ca.
Hören	1	Telefonansagen	5		
	2	Radiomeldungen	5		20 Min.
	3	Gespräch	5	15	
Lesen	1	Inhaltsverzeichnisse, Listen	5		
	2	Zeitungsartikel	5		20 Min.
	3	Kleinanzeigen	5	15	
Schreiben	1	Formular	5		30 Min.
	2	Mitteilung	10	15	
Sprechen	1	Sich vorstellen	3		
	2	Gespräch über ein Alltagsthema	6		15 Min.
	3	Etwas gemeinsam planen	6	15	

Sie hören fünf Ansagen am Telefon. Zu jedem Text gibt es eine Aufgabe. Ergänzen Sie die Telefon-Notizen. Sie hören jeden Text **zweimal**.

Beispiel:

0 Werkstatt

Motorrad abholen

Zeit: <u>*bis 17.00 Uhr*</u>

3 Firma Klein & Co

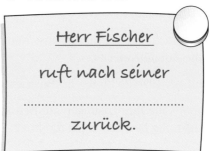

<u>*Herr Fischer*</u>

ruft nach seiner

....

zurück.

1 Sprachenschule

zurückrufen

Rufnummer:

....

4 Modehaus

Neue Adresse

Schillerplatz Nr. ....

2 Kurstreffen

Änderung

neuer Ort: nicht im

....

sondern im Café Orange.

5 Einwohnermeldeamt

<u>*abholen*</u>

....

 TIPPS —————————————————————————————

Lesen Sie zuerst das Beispiel und dann die Aufgaben 1–5. Sie haben dazu in der Prüfung etwas Zeit. Lesen Sie auch die Angaben zu der Zeile, in der Sie Ihre Lösung ergänzen sollen (z. B. Zeit, Rufnummer etc.).
Nach dem Lesen hören Sie das Beispiel (0), dann die Ansagen 1–5. Sie hören jedes Gespräch **zweimal**, d. h. direkt nach dem ersten Hören noch einmal. Achten Sie beim Hören genau auf die Aufgaben. Diese können unterschiedlich sein: z. B. Wann/Wo findet etwas statt bzw. **nicht** statt? Kontrollieren Sie beim zweiten Hören Ihre Lösungen. Und nicht vergessen: Auf jeden Fall eine Lösung eintragen!

Was ist richtig? Kreuzen Sie an: [a], [b] oder [c]. Sie hören jeden Text **einmal.** 3|34   44

Beispiel:

0 **Wie spät ist es gleich?**

[X] 9 Uhr morgens.

[b] 7 Uhr morgens.

[c] 9 Uhr am Abend.

6 **Welche Verkehrsmittel kann man nicht benutzen?**

[a] Alle U-Bahnen und Busse.

[b] Alle S- und U-Bahnen.

[c] Einige S- und U-Bahnen.

7 **Was ist der erste Preis?**

[a] Ein DVD-Spieler.

[b] Eine Konzertreise.

[c] Eine CD-Sammlung.

8 **Was passierte auf der Autobahn?**

[a] Es gab viele Unfälle, aber nur ein Fahrer ist verletzt.

[b] Es gab zwei Unfälle wegen des Nebels.

[c] Es gab 18 Autounfälle, aber nur ein Fahrer ist verletzt.

9 **Welche Geschäfte haben geöffnet?**

[a] Möbelgeschäfte und Boutiquen.

[b] Modegeschäfte und Boutiquen.

[c] Alle Lebensmittelgeschäfte.

10 **Wie wird das Wetter am Samstag?**

[a] Am Meer kann es Gewitter geben.

[b] Es gibt überall Gewitter.

[c] Am Sonnabend wird es warm und sonnig.

 TIPPS

Sie hören fünf kurze Meldungen im Radio, z. B. zu Wetter, Sport, Verkehr etc. Zu jedem Text sollen Sie eine Aufgabe lösen. Vor dem Hören können Sie die Aufgaben lesen. Dafür haben Sie etwas Zeit. Sie hören jeden Text **nur einmal**. Deshalb ist es wichtig, dass Sie sich möglichst gut auf die Aufgaben vorbereiten: Achten Sie beim ersten Lesen auf die Unterschiede zwischen a, b und c. Unterstreichen Sie wichtige Wörter. Auch „kleine Wörter" können sehr wichtig sein, z. B. *überall, nirgends, kaum, nicht* etc. Wenn Sie den Text hören und z. B. sicher sind, dass Lösung a und c falsch sind, wählen Sie b als richtige Lösung. Und nicht vergessen: Kreuzen Sie auf jeden Fall bei jeder Aufgabe eine Lösung an.

Sie hören ein Gespräch. Zu diesem Gespräch gibt es 5 Aufgaben. 3|35 45
Ordnen Sie zu und notieren Sie den Buchstaben. Sie hören den Text **zweimal.**

Wo befinden sich diese Personen?

	0	11	12	13	14	15
Person	Großmutter	Tochter	Onkel	Tante	Sohn	Großvater
Lösung	a					

Beispiel:

0 *Großmutter*

- [a] Im Wohnzimmer.
- [b] Im Keller.
- [c] In der Küche.
- [d] Im Badezimmer.
- [e] Im Arbeitszimmer.
- [f] In ihrem Zimmer.
- [g] In der Garage.
- [h] Im Garten auf der Bank.
- [i] Auf der Terrasse.

 TIPPS —————————————————————————

In Teil 3 hören Sie ein Gespräch aus dem Alltag. Dazu gibt es 5 Aufgaben. Beim Hören sollen Sie feststellen: Welche Angabe passt zu welcher Person? Achten Sie beim ersten Durchlesen auf die Unterschiede zwischen a–i (z. B. Badezimmer, Arbeitszimmer etc.). Wenn Sie das Gespräch zum ersten Mal hören, ist es wichtig, darauf zu achten, welche Angaben genannt werden. Es gibt einige, die nicht zum Gespräch passen! Beim zweiten Hören können Sie Ihre Lösungen überprüfen. Und nicht vergessen: Tragen Sie auf jeden Fall jeweils einen Lösungsbuchstaben oben in die Tabelle ein (siehe Beispiel).

Lesen Sie zuerst die Aufgaben 1–5 und dann die Informationen auf der Übersicht.
Wo können Sie erledigen, was in den Aufgaben genannt wird? Kreuzen Sie an: a, b oder c?

Beispiel:

0 Sie möchten sich Bücher über PC-Programme ansehen. Wohin gehen Sie?

a Ins Erdgeschoss.

☒ Ins Untergeschoss.

c In den vierten Stock.

1 Sie möchten sich gerne Kalender mit Bildern bekannter Maler anschauen. Wohin gehen Sie?

a Ins Untergeschoss.

b In den zweiten Stock.

c In den dritten Stock.

2 Sie bringen eine CD-ROM zurück und möchten eine andere dafür. Wohin gehen Sie?

a Ins Untergeschoss.

b Ins Erdgeschoss.

c In den dritten Stock.

3 Sie möchten, dass man Ihnen eine DVD als Geschenk verpackt. Wo geht das?

a Im Erdgeschoss.

b Im ersten Stock.

c Im dritten Stock.

4 Sie würden gerne Bücher zur Geschichte Europas ansehen und Tee trinken. Wohin gehen Sie?

a Ins Untergeschoss.

b In den zweiten Stock.

c In den vierten Stock.

5 Sie möchten Ihre Sprachkenntnisse verbessern und suchen ein Lehrbuch. Wo finden Sie eins?

a Im vierten Stock.

b Im zweiten Stock.

c Im Untergeschoss.

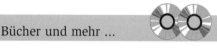

DAS BÜCHER-HAUS Bücher und mehr ...

4. Stock	Fachbücher (Politologie, Geschichte, Soziologie) | Leseinsel | Teetheke | WC |
3. Stock	Kochbücher (internationale Küche) | Audio-CDs | Hörbücher | Kunst-Kalender |
2. Stock	Fremdsprachige Literatur (Englisch, Spanisch, Italienisch, Französisch) | Sprachlehrwerke | elektronische Wörterbücher | Wörterbücher |
1. Stock	Kinderbücher | Jugendliteratur | Geschenkverpackungs-Service | Spiele | Reiseführer | Landkarten |
Erdgeschoss	Bestseller | Romane | Neuerscheinungen | Terminkalender | Zentralkasse (Bestellservice, Umtausch) | Ausgang zur Bachgasse |
Untergeschoss	Naturwissenschaftliche Fachliteratur (Biologie, Physik, Chemie ...) | Digitales Fotografieren | Kaffeebar | Leseinsel | Software-Handbücher | CD-ROMs | DVDs |

 TIPPS

Lesen Sie zuerst die Aufgaben. Achten Sie dabei auf folgende Punkte: Was soll man erledigen, wo kann man das tun? Unterstreichen Sie zuerst in den Aufgaben die wichtigen Wörter. Schauen Sie sich dann die Übersicht des Geschäftes an. Wo wird die passende Information genannt?
Vgl. Beispiel **0**: „Sie möchten sich Bücher über PC-Programme ansehen." In der Übersicht steht:
„Software-Handbücher".
Lösen Sie die Aufgaben Schritt für Schritt. Kontrollieren Sie zum Schluss alle Ihre Lösungen noch einmal. Und nicht vergessen: Markieren Sie auf jeden Fall bei jeder Aufgabe eine Lösung.

Lesen Sie den Text und die Aussagen 6–10. Richtig oder Falsch? Kreuzen Sie an.

Songs, Träume, Aktionen: Der Mannheimer Pop-Star Xavier Naidoo

Geboren ist er am 2. Oktober 1971 als Sohn einer Südafrikanerin und eines deutsch-indischen Vaters. Seine Kindheit verbrachte Xavier Naidoo in Mannheim, wo er im Schulchor, dann in Kirchenchören sang. Nach dem Abschluss der Realschule fing er eine Lehre als Koch an, beendete sie jedoch nicht. 1992 bekam er ein Angebot zu einer Musikproduktion in den USA. Als er enttäuscht zurückkehrte, spielte er in Musicals mit oder nahm Jobs als Model an. Schließlich kam mit seinem Soloalbum „Nicht von dieser Welt" der erste große Erfolg. Und Xavier Naidoo blieb erfolgreich. So hat er von seiner CD „Telegramm für X" in wenigen Monaten 600 000 Stück verkauft. Der Sänger, der auf Deutsch singt, verbindet in seiner Musik Hip-Hop, Soul, Rock und Pop. Interviews gibt er nur selten. Sein Traum? Er will einmal zur Chinesischen Mauer fahren, mit dem Auto. Seine Interessen? Musik, natürlich, daneben auch Politik. Regelmäßig trifft er sich mit dem Oberbürgermeister seiner Heimatstadt. Xavier Naidoo ist es wichtig, seine Musik von Mannheim aus bekannt zu machen und mit der Stadt neue Projekte auf den Weg zu bringen.

Beispiel:

0 Xavier Naidoo ist Sohn deutsch-indischer Eltern. Richtig ~~Falsch~~

6 Er schloss eine Lehre als Koch ab und ging dann in die USA. Richtig Falsch

7 Nach seiner Rückkehr arbeitete er als Model. Richtig Falsch

8 Seine CD „Telegramm für X" ist auch erfolgreich. Richtig Falsch

9 Der Pop-Star träumt davon, Oberbürgermeister zu werden. Richtig Falsch

10 Xavier Naidoo interessiert sich für Politik. Richtig Falsch

---

 TIPPS _____

Sie sollen Lesen Teil 2 relativ zügig, d. h. in ca. 5 Minuten bearbeiten.

Wenn Sie sich zuerst die Aussagen 6–10 genau anschauen, können Sie sich anschließend beim Lesen besser im Text orientieren. Es hilft, zuerst wichtige Wörter in den Aussagen zu markieren. Dann kann man anschließend im Text die passenden Stellen leichter finden, siehe Beispiel (0): In der Aussage steht: „ ... Sohn deutsch-indischer Eltern". Im Text heißt es: „... als Sohn einer Südafrikanerin und eines deutsch-indischen Vaters". Die Aussage passt nicht, weil der Text eine andere Information gibt.

Überprüfen Sie am Ende nochmals Ihre Lösungen. Und nicht vergessen: Kreuzen Sie auf jeden Fall jeweils eine Lösung zu jeder Aussage an.

Lesen Sie die folgenden Internet-Anzeigen und die Aufgaben 11–15. Welche Anzeige passt zu welcher Situation? Für eine Aufgabe gibt es keine Lösung. Markieren Sie in diesem Fall mit –.

Beispiel:

0 Sie möchten sich einen neuen CD-Spieler kaufen, aber zuerst verschiedene Geräte anhören.

Anzeige

h

11 Sie interessieren sich für alte Möbel.

12 Sie möchten eine 2-Zimmer-Wohnung mieten.

13 Freunde möchten ein altes Haus mieten.

14 Sie möchten aktuelle Informationen über das Kinoprogramm.

15 Eine Freundin heiratet und sie suchen eine Geschenkidee.

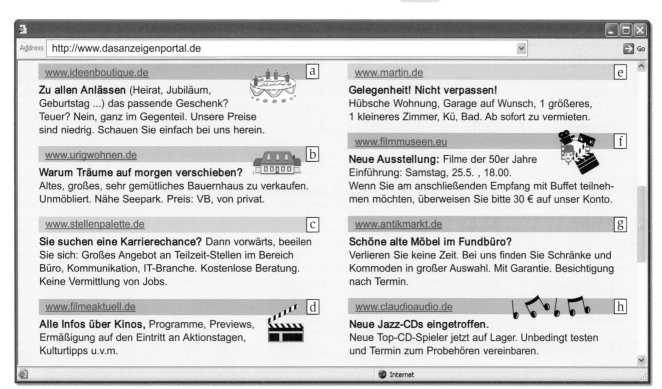

http://www.dasanzeigenportal.de

www.ideenboutique.de [a]

Zu allen Anlässen (Heirat, Jubiläum, Geburtstag ...) das passende Geschenk? Teuer? Nein, ganz im Gegenteil. Unsere Preise sind niedrig. Schauen Sie einfach bei uns herein.

www.urigwohnen.de [b]

Warum Träume auf morgen verschieben? Altes, großes, sehr gemütliches Bauernhaus zu verkaufen. Unmöbliert. Nähe Seepark. Preis: VB, von privat.

www.stellenpalette.de [c]

Sie suchen eine Karrierechance? Dann vorwärts, beeilen Sie sich: Großes Angebot an Teilzeit-Stellen im Bereich Büro, Kommunikation, IT-Branche. Kostenlose Beratung. Keine Vermittlung von Jobs.

www.filmeaktuell.de [d]

Alle Infos über Kinos, Programme, Previews, Ermäßigung auf den Eintritt an Aktionstagen, Kulturtipps u.v.m.

www.martin.de [e]

Gelegenheit! Nicht verpassen! Hübsche Wohnung, Garage auf Wunsch, 1 größeres, 1 kleineres Zimmer, Kü, Bad. Ab sofort zu vermieten.

www.filmmuseen.eu [f]

Neue Ausstellung: Filme der 50er Jahre Einführung: Samstag, 25.5. , 18.00. Wenn Sie am anschließenden Empfang mit Buffet teilnehmen möchten, überweisen Sie bitte 30 € auf unser Konto.

www.antikmarkt.de [g]

Schöne alte Möbel im Fundbüro? Verlieren Sie keine Zeit. Bei uns finden Sie Schränke und Kommoden in großer Auswahl. Mit Garantie. Besichtigung nach Termin.

www.claudioaudio.de [h]

Neue Jazz-CDs eingetroffen. Neue Top-CD-Spieler jetzt auf Lager. Unbedingt testen und Termin zum Probehören vereinbaren.

Internet

 TIPPS

In Teil 3 sollen Sie verschiedene Anzeigen lesen und herausfinden: Welche Anzeige passt zu einer bestimmten Aufgabe? Für eine Aufgabe gibt es keine passende Anzeige. Markieren Sie in diesem Fall mit –. Sie haben ca. 5 Minuten Zeit für die Lösung. Arbeiten Sie deshalb zügig.

Lesen Sie zuerst die Aufgaben und unterstreichen Sie dabei die wichtigen Wörter. Lesen Sie dann die Anzeige und markieren Sie dort die wichtigen Stellen.

Überlegen Sie anschließend: Welche Anzeige passt? Eine Hilfe bei der ersten Orientierung können auch die Internet-Adressen sein. Im Beispiel (0) heißt es: „Sie möchten sich <u>einen neuen CD-Spieler kaufen</u>, aber zuerst <u>verschiedene Geräte anhören</u>". In der Anzeige steht: „... Neue Top-<u>CD-Spieler</u> jetzt auf Lager. Unbedingt testen und Termin zum <u>Probehören</u> vereinbaren."

Überprüfen Sie am Ende Ihre Lösungen noch einmal. Und nicht vergessen: Schreiben Sie in jedes Lösungsfeld einen Buchstaben.

Ergänzen Sie auf dem Formular die 5 fehlenden Informationen.

Saliha Steger kommt aus Marokko. Sie ist am dreißigsten Mai neunzehnhunderteinundachtzig in Rabat geboren. Seit Januar wohnt sie in Berlin. Sie ist verheiratet und ihre Staatsangehörigkeit ist deutsch. Ab Oktober möchte sie als Sprachlehrerin arbeiten. Sie hat in Casablanca Sprachwissenschaften studiert. Sie spricht sowohl sehr gut Französisch, als auch Spanisch und Englisch. Ihre Muttersprache ist Arabisch. Sie hat schon an der Volkshochschule Französisch-Kurse erteilt. Unter ihrer Handynummer 0178/876596771 ist sie am besten nachmittags zu erreichen.

Sprachschule Logolingua
Heinestraße 58, 10436 Berlin, Tel: 03044 730368910

Bewerbungsbogen

Bewerbung als	‗‗‗ **1**		**Fremdsprachenkenntnisse** **4**		Niveau
Familienname:	*Steger*		1.		*fließend*
Vorname:	*Saliha*		2.		"
Geburtsjahr:	*19* **2**		3.		"
Geburtsort:	*Rabat, Marokko*		**Unterrichtserfahrung**		
Wohnort:	*Berlin*		Schule:	*Volkshochschule*	
Staatsangehörigkeit:	*deutsch*		Kurse:		**5**
Tätigkeitsbeginn:	*Oktober*		**Telefon**		
Studium:	**3**		Festnetz:	—	
Muttersprache:	*Arabisch*		Mobil:	*0178 / 876596771*	
			erreichbar:	*nachmittags*	

 TIPPS ———————————————————————————

In Schreiben Teil 1 sollen Sie in einem Formular fünf fehlende Angaben ergänzen. Die Informationen finden Sie im Text oben.
Lesen Sie zuerst den Bewerbungsbogen. Welche Angaben fehlen hier?
Lesen Sie anschließend den Text oben und unterstreichen Sie die passenden Wörter bzw. Angaben. Im Text können die Informationen in einer anderen Reihenfolge stehen als im Formular.
Wenn Sie Teil 1 zügig bearbeiten, bleibt Ihnen mehr Zeit für Schreiben Teil 2.

Ihre Freundin Maria, die im Ausland wohnt, hat Sie eingeladen. Sie können sie in den Ferien in ihrem Haus besuchen. Maria möchte wissen, ob Sie jemanden mitbringen. Sie haben Fragen an ihre Freundin: Das Wetter interessiert Sie. Sie würden gerne Ausflüge machen und Sehenswürdigkeiten besichtigen. Außerdem überlegen Sie, was für Kleidung Sie wohl brauchen.

Antworten Sie Ihrer Freundin in einer E-Mail. Wählen Sie unter den folgenden Punkten drei aus. Schreiben Sie dann etwas zu jedem Punkt.

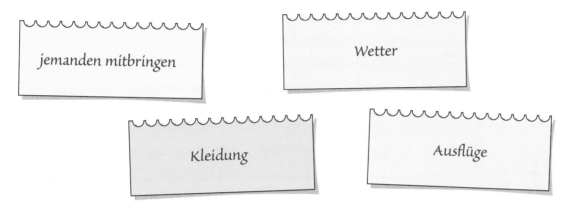

jemanden mitbringen

Wetter

Kleidung

Ausflüge

Neue E-Mail

Senden   Anhang   Adressen   Schriften   Als Entwurf sichern

TIPPS

In Schreiben Teil 2 sollen Sie eine Kurzmitteilung schreiben (z. B. eine Bitte an eine Freundin etc.). In der Aufgabenstellung finden Sie einen kurzen Einleitungstext, der die Situation erklärt und stichwortartig vier Inhaltspunkte nennt. Aus diesen sollen Sie drei Punkte für die Bearbeitung auswählen. Schreiben Sie zu allen drei Punkten, die Sie gewählt haben, mindestens zwei bis drei Sätze. Es wird erwartet, dass Sie einen Text mit etwa 40 Wörtern schreiben. Vergessen Sie bitte nicht Anrede und Gruß (bei einer E-Mail brauchen Sie das Datum nicht).

Kommunikative Gestaltung:

Überlegen Sie vor dem Schreiben:

- An welche Person(en) schreiben Sie? Ist es ein Freund, ein Lehrer, sind es Kollegen, sind es mehrere Personen, z. B. Freunde?
- Welche Pronomen/Possessivartikel (Du/Dein, Ihr/Euer oder Sie/Ihr) müssen stehen?
- Welche Anrede (Sehr geehrte/r oder Liebe/r ...) ist richtig?
- Welcher Gruß passt?
- Vergessen Sie nicht das Komma nach der Anrede.
- Beginnen Sie Ihren Text nicht mit „ich", sondern mit einem anderen Wort. (z. B. Heute schreibe ich ...)

Inhalt und Verständlichkeit:

Lesen Sie die vier Punkte in der Aufgabe, wählen Sie drei aus und unterstreichen Sie wichtige Wörter.
Überlegen Sie, wie Sie am besten beginnen (z. B. Vielen Dank für die Einladung. / Für die nette Einladung möchte ich mich herzlich bedanken.).
Entscheiden Sie nun, in welcher Reihenfolge Sie die Punkte bearbeiten wollen.
Kontrollieren Sie am Schluss: Habe ich zu allen drei Punkten etwas geschrieben? Habe ich Anrede und Gruß?

Sprachliche Form:

Wenn Sie Nebensätze (z. B. mit „wenn, weil, obwohl") verwenden, achten Sie dabei auf die Position im Satz (Verb/Subjekt). Wenn Sie nicht sicher sind, versuchen Sie, eine Konstruktion zu finden, die einfacher ist: Sie können z. B. einen Satz auch mit „denn" formulieren. Achten Sie auch bei Hauptsätzen, die nicht mit dem Subjekt beginnen, auf die Reihenfolge (<u>Ich möchte Dich</u> sehr gerne besuchen. Sehr gerne <u>möchte ich Dich</u> besuchen.).

Schrift:

Bitte versuchen Sie, möglichst deutlich zu schreiben und vergessen Sie die Groß- bzw. Kleinschreibung nicht. Zählen Sie die Wörter, bevor Sie abgeben. So können Sie sicher sein, dass Sie die Wortzahl von 40 erreicht haben.

Die mündliche Prüfung hat 3 Teile. Sie ist als Paarprüfung angelegt, d.h. es gibt jeweils 2 Kandidaten. Zwei Prüfer nehmen die Prüfung ab. Sie sprechen mit einer Prüferin / einem Prüfer und dem anderen Kandidaten.

Sich vorstellen

Name?

Alter?

Land?

Wohnort?

Sprachen?

Beruf / Schule?

Hobby?

 TIPPS ──────────────────────────────────

In Teil 1 sollen Sie etwas über Ihre Person erzählen und sich ausführlicher vorstellen. Dazu bekommen Sie als Hilfe eine Liste mit den sieben Stichworten oben. Sie müssen nicht zu allen Stichworten etwas sagen. Anschließend stellt Ihnen der Prüfer zwei Zusatzfragen, die Sie beantworten sollen (z.B. Wie ist Ihre Telefonnummer? Wie schreibt man Ihren Familiennamen?).

So können Sie im Kurs oder zu Hause für Teil 1 üben:

Sich vorstellen:
Überlegen Sie: Was können Sie über sich sagen? Machen Sie sich zu den Stichworten Notizen und versuchen Sie, sich verständlich in einem kurzen zusammenhängenden Text selbst vorzustellen. Sie können auch Begründungen geben (Ich lerne hier Deutsch, weil ich später … / um später … zu …) oder Ihre Meinung zu etwas ausdrücken (Zurzeit wohne ich in … / Die Stadt finde ich …). Üben Sie das Gespräch auch zusammen mit einem Partner / einer Partnerin: Einer ist Prüfer / Prüferin, der zuhört und dann 2 weitere Fragen stellt. Dann tauschen Sie die Rollen.

Buchstabieren:
Üben Sie wenn möglich zu zweit: Ihr Partner / Ihre Partnerin fragt, Sie buchstabieren Ihren Familien- oder Vornamen, den Namen Ihrer Heimatstadt etc. Ihr Partner / Ihre Partnerin schreibt auf. Dann kontrollieren Sie.
Beispiel: ⊙ Woher kommst du? ◆ Ich komme aus Kirgisistan. ⊙ Wie wird das geschrieben?
◆ K - I - R - G - I - S - I - S - T - A - N.

Nummern und Datumsangaben:
Wiederholen Sie die Zahlen und üben Sie mit einem Partner / einer Partnerin. Eine / einer fragt und schreibt auf, der / die andere nennt z.B. das Geburtsdatum, die Handynummer, die Postleitzahl.
Beispiel: ⊙ Ich bin am 5.1.1990 geboren. ◆ Könntest du das wiederholen, bitte? ⊙ Ja, gerne. …

Ein Alltagsgespräch führen

Start Deutsch · 2	Sprechen Teil 2
Thema: Freizeit	
Was ...?	

Start Deutsch · 2	Sprechen Teil 2
Thema: Freizeit	
Wo ...?	

Start Deutsch · 2	Sprechen Teil 2
Thema: Freizeit	
Wann ...?	

Start Deutsch · 2	Sprechen Teil 2
Thema: Freizeit	
Wohin ...?	

Start Deutsch · 2	Sprechen Teil 2
Thema: Freizeit	
Wie oft ...?	

Start Deutsch · 2	Sprechen Teil 2
Thema: Freizeit	
Wie lange ...?	

Start Deutsch · 2	Sprechen Teil 2
Thema: Freizeit	
Warum ...?	

Start Deutsch · 2	Sprechen Teil 2
Thema: Freizeit	
Wozu ...?	

 TIPPS

In diesem Teil sollen Sie über ein Thema sprechen. Sie wählen dazu drei Karten aus, auf denen der Anfang einer Frage steht. (z. B. Wo ...? / Wann ...? etc.) Sie sollen Fragen zum Thema stellen, z. B. Freizeit, bzw. als Partner / Partnerin auf die Fragen des ersten Kandidaten antworten.

So können Sie im Kurs oder zu Hause für Teil 2 üben:
Überlegen Sie: Welche Fragen können Sie Ihrem Partner / Ihrer Partnerin zu dem angegebenen Thema stellen? Notieren Sie auch Stichworte zu möglichen Antworten.

⊙ Was machst du gerne in der Freizeit?   ◆ schwimmen ➔ Ich schwimme gerne.

⊙ Wie verbringst du deine Freizeit?   ◆ lesen ➔ Ich lese gerne in meiner Freizeit.

⊙ Wann gehst du schwimmen / liest du?   ◆ Meistens am Samstag. Manchmal ... ich auch ...

...   ...

Üben Sie bei der Vorbereitung möglichst alle Fragen und entsprechende Antworten. In der Prüfung können Sie sich jeweils für drei Fragekärtchen entscheiden. Um sich gut vorzubereiten, können Sie auch andere Themen wählen, z. B. Einkaufen, Sport, Essen, Trinken, Lernen etc. Wenn Ihnen in der Prüfung Fehler passieren, muss das nicht schlimm sein. Vielleicht können Sie sich selbst korrigieren. Wichtig ist es, dass Ihre Antwort zur jeweiligen Frage passt. Achten Sie vor allem darauf, dass Ihre Fragen bzw. Antworten verständlich sind. Sie können im Prüfungsgespräch auch beim Partner / bei der Partnerin nachfragen, wenn Sie etwas nicht ganz genau verstanden haben.

Etwas aushandeln

Etwas aushandeln (Kandidat A) **Sie wollen zusammen Fahrrad fahren.**	
Samstag, 27. Mai	
9.00 – 10.00	Supermarkt
10.00 – 11.00	
11.00 – 12.00	Frisör
12.00 – 13.00	zu Mittag essen, spülen
13.00 – 14.00	
14.00 – 15.00	
15.00 – 16.00	Freund vom Bahnhof abholen
16.00 – 17.00	
17.00 – 18.00	
18.00 – 19.00	
19.00 – 20.00	Treffen mit Bernd, Café Lagune
20.00	Kino mit Beate

Etwas aushandeln (Kandidat B) **Sie wollen zusammen Fahrrad fahren.**	
Samstag, 27. Mai	
bis 10.00	schlafen
10.00 – 11.00	duschen, frühstücken
11.00 – 12.00	Wohnung aufräumen
12.00 – 13.00	
13.00 – 14.00	
14.00 – 15.00	
15.00 – 16.00	Frisör
16.00 – 17.00	Kuchen backen
17.00 – 18.00	
18.00 – 19.00	
19.00 – 20.00	einkaufen
20.00	Party bei Sandra

 TIPPS

In diesem Teil bekommt jeder Teilnehmer ein unterschiedliches Aufgabenblatt, z.B. das Blatt eines Terminkalenders mit jeweils unterschiedlichen Eintragungen. Man soll zusammen einen Termin finden, um gemeinsam das zu unternehmen, was in der Aufgabe genannt ist. Am Ende soll eine Lösung stehen, mit der jeder zufrieden ist.

So können Sie im Kurs oder zu Hause für Teil 3 üben:
Nehmen Sie einen leeren Terminkalender und überlegen Sie, was darin stehen kann (frühstücken, putzen, Wäsche waschen, einkaufen, zu Mittag essen, Besuch bekommen, jemanden abholen, eine Wohnung besichtigen, einkaufen etc.). Wählen Sie eine Unternehmung aus, wie z.B. Fahrrad fahren, Fußball spielen, spazieren gehen, Pilze sammeln, zusammen Deutsch lernen etc. Gestalten Sie dann zu zweit jeweils für eine Partnergruppe eine Aufgabe. Tragen Sie auf Blatt A und auf Blatt B verschiedene Dinge ein, die jeder erledigen muss. Achten Sie darauf, dass es mindestens zwei Stunden gibt, zu denen beide Kandidaten Zeit haben. Geben Sie dann die Aufgabe der Partnergruppe, von der Sie dann Ihre Aufgabe erhalten. Üben Sie dann mit der Vorlage das Gespräch. Dabei sind Aktion (Fragen, Vorschläge) und auch Reaktion (Antworten, Gegenvorschläge) wichtig.

Zum Üben können Sie folgendes Modell verwenden:
☉ *Wollen wir zusammen ...? / Ich würde gern mit dir zusammen ...*
◆ *Ja, gerne, wann passt es denn? / Wann kannst du denn?*
☉ *Um ... geht es. / ... Uhr passt mir gut. Und dir?*
◆ *Da geht es leider bei mir nicht. Ich finde es besser, wenn wir um ... Uhr ...*
☉ *Gut, einverstanden. Dann ... wir da.*
◆ *Ok. Also um ... Uhr.*

Lösungen zum Übungstest Start Deutsch 2

Hören **Teil 1** **1:** 42 41 14, **2:** Restaurant, **3:** Reise, **4:** 123, **5:** Pass
Teil 2 **6:** c, **7:** b, **8:** a, **9:** b, **10:** c
Teil 3 **11:** f, **12:** i, **13:** c, **14:** e, **15:** h

Lesen **Teil 1** **1:** c, **2:** b, **3:** b, **4:** c, **5:** b
Teil 2 **6:** f, **7:** r **8:** r, **9:** f, **10:** r
Teil 3 **11:** g, **12:** e, **13:** –, **14:** d, **15:** a

Schreiben **Teil 1** **1:** Sprachlehrerin, **2:** 1981, **3:** Sprachwissenschaften, **4:** Französisch, Spanisch, Englisch, **5:** Französisch-Kurse / Französisch / in Französisch
Teil 2 *Lösungsbeispiele:*

Liebe Maria,
vielen Dank für Deine Einladung. Gerne möchte ich Dich in den Ferien besuchen und meine Freundin Martha mitbringen. Sie interessiert sich sehr für Dein Heimatland. Ich habe noch eine kleine Frage: Wie ist denn dann das Wetter dort? Muss man warme Kleidung mitnehmen? Ist es nötig, Pullover einzupacken oder besser nur leichte Sachen? Bitte antworte mir bald, denn ich möchte die Reise rechtzeitig planen.
Ganz liebe Grüße
Deine Paula

Liebe Maria,
für Deine nette Einladung möchte ich mich herzlich bedanken. Gerne besuche ich Dich in den Ferien und mein Freund Mario würde auch gerne mitkommen. Schreib mir bitte bald, damit ich die Reise gut planen und vorbereiten kann.
Liebe Grüße
Dein Martin
P.S. Welche Ausflüge können wir eigentlich in der Umgebung machen? Wir würden gern Museen oder alte Städte besuchen.

Sprechen **Teil 1** *siehe Tipps*
Beispiele für Fragen und Antworten:

Name?	Wie heißen Sie? Wie ist Ihr Vor- und Familienname?	Ich heiße … Mein Name ist …
Alter?	Wie alt sind Sie?	Ich bin … Jahre alt.
Land? / Stadt?	Aus welchem Land / Woher kommen Sie?	Ich komme aus …
Wohnort?	Wo wohnen Sie?	Ich wohne in …
Sprachen?	Welche Fremdsprachen sprechen / können Sie?	Ich spreche / kann …
Beruf / Schule …?	Was sind Sie von Beruf?	Ich bin … von Beruf.
	Was möchten Sie werden?	Ich möchte … werden.
	Studieren Sie? / Möchten Sie studieren?	Ich studiere … / will … studieren.
Hobby(s)?	Was machen Sie gern in der Freizeit?	Mein Hobby ist … / Ich … gern.
	Welche Hobbys haben Sie?	Meine Hobbys sind …
	Können Sie das / Ihren Namen … bitte buchstabieren?	
	Wie ist Ihre Hausnummer / Telefonnummer …?	

Teil 2 *siehe Tipps*
Teil 3 *siehe Tipps*

Grammatik-Übersicht

In dieser Übersicht finden Sie die in Lagune Band 2 gelernte Grammatik in systematischer Zusammenstellung. Wenn Sie die Lagune 2 Grammatik gerne pro Lerneinheit lernen wollen, finden Sie im Arbeitsbuch nach jeder Lerneinheit die neuen Grammatikthemen sowie weitere Einzelheiten und Sonderfälle.

Nomen

§ 1 Genitiv

a. Formen des Artikels

	Definiter Artikel		Indefiniter Artikel	
	Nominativ	Genitiv	Nominativ	Genitiv
Maskulinum	**der** Lehrer	**des** Lehrer**s**	**ein** Lehrer	**eines** Lehrer**s**
Femininum	**die** Lehrerin	**der** Lehrerin	**eine** Lehrerin	**einer** Lehrerin
Neutrum	**das** Mädchen	**des** Mädchen**s**	**ein** Mädchen	**eines** Mädchen**s**
Plural	**die** Eltern	**der** Eltern	Eltern	**von** Eltern*

* Ersatz für den indefiniten Artikel im Genitiv Plural: **von**

b. Endungen der Nomen

Nominativ	Genitiv		Nominativ	Genitiv		Nominativ	Genitiv
der Spiegel	des Spiegel**s**		der Junge	des Junge**n**		die Frau	der Frau
das Kind	des Kind**es**		der Fotograf	des Fotograf**en**		die Männer	der Männer

Maskulinum / Neutrum Singular:
-s / -es

Maskulinum Gruppe II: → § 2
-n / -en

☺ *Femininum Singular / alle Pluralformen:*
keine Genitiv-Endung

Genitivendung **-es**:
- *Viele einsilbige Nomen:* der Mann – des Mannes, der Hund – des Hundes, das Boot – des Bootes ...
- *Nomen auf* -s, -ss, -ß, -sch, -z, -tz, -zt: das Haus – des Hauses, der Kuss – des Kusses, der Fuß – des Fußes, der Fisch – des Fisches, der Pilz – des Pilzes, der Platz – des Platzes, der Arzt – des Arztes ...
  - ❗ der Bus - des Bus**s**es

c. Artikelwörter im Genitiv

Maskulinum	dies**es**, jed**es**, mein**es**, dein**es**, sein**es**, ihr**es**, unser**es**, eur**es** ...	Lehrer**s**
Femininum	dies**er**, jed**er**, mein**er**, dein**er**, sein**er**, ihr**er**, unser**er**, eur**er** ...	Lehrerin
Neutrum	dies**es**, jed**es**, mein**es**, dein**es**, sein**es**, ihr**es**, unser**es**, eur**es** ...	Kind**es**
Plural	dies**er**, all**er**, mein**er**, dein**er**, sein**er**, ihr**er**, unser**er**, eur**er** ...	Eltern

d. Gebrauch des Genitivs

- *Als Attribut zu einem anderen Nomen:*
  die Adresse des Lehrers, das Auto unserer Lehrerin, das Kleid dieses Mädchens, die Meinungen von Eltern ...

- *Nach bestimmten Präpositionen:*
  wegen des Wetters, trotz meiner Panne, während einer Konferenz ... → § 15

§ 2 Nomen mit besonderen Formen

Maskulinum Gruppe II: Die meisten maskulinen Nomen mit Plural auf -(e)n

Nominativ	Akkusativ	Dativ	Genitiv	Plural
der Junge	den Jung**en**	dem Jung**en**	des Jung**en**	die Jung**en**
der Bauer	den Bauer**n**	dem Bauer**n**	des Bauer**n**	die Bauer**n**
der Polizist	den Polizist**en**	dem Polizist**en**	des Polizist**en**	die Polizist**en**

☺ *Alle Formen außer Nominativ Singular enden auf -n / -en.*

Ebenso:

Nomen wie Junge: Kollege, Kunde, Türke, Franzose, Zeuge ...

Nomen wie Bauer: Herr, Nachbar ...

Nomen wie Polizist: Tourist, Komponist, Patient, Abiturient, Student, Präsident, Praktikant, Automat, Kandidat, Mensch, Bär, Pilot ...

❗ *Aber:* der Name – des Nam**ens**, der Gedanke – des Gedank**ens**

§ 3 Zusammengesetzte Nomen

Artikel = Artikel von Teil 2

Teil 1	Teil 2	Zusammengesetztes Nomen	Ebenso:
das Geld	**der** Automat	**der** Geldautomat	der Taxifahrer, der Apfelsaft,
das Telefon	**die** Nummer	**die** Telefonnummer	die Haustür, die Zwiebelsuppe,
der Abend	**das** Kleid	**das** Abendkleid	das Polizeiauto, das Sahneeis ...

❗ *Änderung in Teil 1:*

die Gans	**der** Braten	**der** Gän**se**braten	der Schwein**e**braten, der Blum**en**laden,
der Frühling	**die** Suppe	**die** Frühling**s**suppe	die Zeitung**s**anzeige, die Bohn**en**suppe,
die Zitrone	**das** Eis	**das** Zitroneneis	das Wört**er**buch, das Leben**s**jahr ...

Tipp: *Die Formen von zusammengesetzten Nomen immer in der Wortliste / im Wörterbuch nachschauen!*

§ 4 Mengenangaben

	unbestimmte Menge: Nomen ohne Artikel		bestimmte Menge: Mengenangabe	Nomen ohne Artikel
Michael kauft	Saft.		eine Flasche	Saft.
Er trinkt	Kaffee.		zwei Tassen	Kaffee.
Er isst	Kartoffeln.		200 Gramm	Kartoffeln.
Er kocht	Nudeln.		1 kg	Nudeln.

Mengen im Singular (nicht zählbar): Saft, Kaffee, Tee, Suppe, Eis, Brot, Marmelade ...
Mengen im Plural (zählbar): Kartoffeln, Nudeln, Tomaten, Pilze, Eier ...

Adjektiv

§ 5 Adjektiv ohne Endung

Der Schrank ist	groß.	Ich finde den Schrank	groß.
Die Uhr ist	schön.	Ich finde die Uhr	schön.
Das Sofa ist	bequem.	Ich finde das Sofa	bequem.
Die Stühle sind	teuer.	Ich finde die Stühle	teuer.

§ 6 Artikel + Adjektiv + Nomen

a. Definiter Artikel

	Nominativ			Akkusativ			Dativ				Genitiv		
M.	der		Mann	den	kleinen	Mann	dem		Mann	des			Mannes
F.	die	kleine	Frau	die	kleine	Frau	der	kleinen	Frau	der	kleinen		Frau
N.	das		Kind	das		Kind	dem		Kind	des			Kindes
Pl.	die	kleinen	Kinder	die	kleinen	Kinder	den		Kindern	der			Kinder

b. Indefiniter Artikel

	Nominativ			Akkusativ			Dativ			Genitiv		
M.	ein	kleiner	Mann	einen	kleinen	Mann	einem		Mann	eines		Mannes
F.	eine	kleine	Frau	eine	kleine	Frau	einer	kleinen	Frau	einer	kleinen	Frau
N.	ein	kleines	Kind	ein	kleines	Kind	einem		Kind	eines		Kindes
Pl.		kleine	Kinder		kleine	Kinder			Kindern		kleiner	Kinder*

*Ersatzform: von kleinen Kindern

§ 7 Adjektive mit besonderen Formen

a. Adjektive auf -e

Der Mann ist	müde.	Der	müde	Mann möchte schlafen.	Das ist ein	müder	Mann.
Die Musik ist	leise.	Die	leise	Musik ist schön.	Das ist eine	leise	Musik.
Das Kind ist	böse.	Das	böse	Kind ist nicht nett.	Das ist ein	böses	Kind.

b. Unregelmäßige Formen

Der Turm ist	hoch.	Der	hohe	Turm ist alt.	Das ist ein	hoher	Turm.
Die Nacht ist	dunkel.	Die	dunkle	Nacht ist schön.	Das ist eine	dunkle	Nacht.
Das Kleid ist	teuer.	Das	teure	Kleid ist weiß.	Das ist ein	teures	Kleid
Der Apfel ist	sauer.	Der	saure	Apfel schmeckt nicht.	Das ist ein	saurer	Apfel.

§ 8 „Welcher ...?" / „Was für ein ...?"

	Definiter Artikel		Indefiniter Artikel
Welcher Schal?	Der graue Schal.	Was für ein Koffer?	Ein brauner Koffer.
Welche Jacke?	Die blaue Jacke.	Was für eine Krawatte?	Eine helle Krawatte.
Welches Hemd?	Das weiße Hemd.	Was für ein Hemd?	Ein blaues Hemd.
Welche Schuhe?	Die schwarzen Schuhe.	Was für Ferien?	Schöne Ferien.

§ 9 Steigerung

a. Regelmäßig

Positiv	Komparativ	Superlativ
klein	klein**er**	**am** klein**sten**
schön	schön**er**	**am** schön**sten**
leise	leis**er**	**am** leise**sten**
breit	breit**er**	**am** breit**esten**
weit	weit**er**	**am** weit**esten**
...	...	...

b. Mit Vokalwechsel

Positiv	Komparativ	Superlativ
alt	**ä**lter	**am** **ä**ltesten
arm	**ä**rmer	**am** **ä**rmsten
hart	h**ä**rter	**am** h**ä**rtesten
kalt	k**ä**lter	**am** k**ä**ltesten
lang	l**ä**nger	**am** l**ä**ngsten
nah	n**ä**her	**am** n**ä**chsten
scharf	sch**ä**rfer	**am** sch**ä**rfsten
schwach	schw**ä**cher	**am** schw**ä**chsten
stark	st**ä**rker	**am** st**ä**rksten
warm	w**ä**rmer	**am** w**ä**rmsten
groß	gr**ö**ßer	**am** gr**ö**ßten
hoch	h**ö**her	**am** h**ö**chsten
gesund	ges**ü**nder	**am** ges**ü**ndesten
jung	j**ü**nger	**am** j**ü**ngsten
kurz	k**ü**rzer	**am** k**ü**rzesten

c. Unregelmäßig

Positiv	Komparativ	Superlativ
gut	**besser**	**am besten**
gern	**lieber**	**am liebsten**
viel	**mehr**	**am meisten**

§ 10 Vergleich

Ohne Steigerung:

	so + Adjektiv + **wie**	
Jan ist	**so** groß **wie**	Peter.
Das blaue Kleid ist	genau**so** schön **wie**	das rote.
Die grüne Bluse ist	nicht **so** teuer **wie**	die gelbe.

Mit Steigerung:

	Komparativ + **als**	
Peter ist	größer **als**	Heike.
Das rote Kleid	schöner **als**	das weiße.
Die gelbe Bluse	ist teurer **als**	die grüne.

Pronomen

§ 11 Personalpronomen und Reflexivpronomen

			Personalpronomen			Reflexivpronomen	
			Nominativ	Akkusativ	Dativ	Akkusativ	Dativ
Singular	1. Person		ich	mich	mir	mich	mir
	2. Person		du	dich	dir	dich	dir
	3. Person	Mask.	er	ihn	ihm	**sich**	
		Fem.	sie		ihr	**sich**	
		Neutr.	es		ihm	**sich**	
Plural	1. Person		wir	uns		uns	
	2. Person		ihr	euch		euch	
	3. Person		sie		ihnen	**sich**	
	Höflichkeitsform		Sie		Ihnen	**sich**	

Personalpronomen:	Er fotografiert ihn.	**ihn** = eine andere Person
Reflexivpronomen:	Er fotografiert sich.	**sich** = sich selbst

Verben mit Reflexivpronomen → § 20 c., d.

§ 12 Relativpronomen

a. Formen

		Nominativ	Akkusativ	Dativ	Genitiv
Maskulinum	Der Mann,	der	den	dem	dessen
Femininum	Die Frau,		die	der	deren
Neutrum	Das Kind,		das	dem	dessen
Plural	Die Leute,		die	denen	deren

b. Relativpronomen im Satz

Das ist ein Taxifahrer.	**Er**	**hat**	mich zum Bahnhof gebracht.		
Das ist der Taxifahrer,	**der**		mich zum Bahnhof gebracht	**hat.**	

Die Taxifahrerin		**hat**	mich zum Bahnhof gebracht.	**Sie**	heißt Müller.
Die Taxifahrerin,	**die**		mich zum Bahnhof gebracht	**hat,**	heißt Müller.

Relativsatz → § 24

c. Relativpronomen mit Präposition

		Akkusativ	Dativ
Maskulinum	Der Fluss,	... **in den** die Mosel fließt ...	... **an dem** Köln liegt ...
Femininum	Die Stadt,	... **durch die** der Rhein fließt ...	... **in der** ein Dom steht ...
Neutrum	Das Meer,	... **in das** die Weser fließt ...	... **in dem** die Inseln liegen ...
Plural	Die Berge,	... **auf die** wir geklettert sind ...	... **zwischen denen** die Mosel fließt ...

§ 13 Generalisierende Relativpronomen

alles, etwas, nichts, einiges, vieles,	**was/wohin/wofür/wovon** ...
ein Ort,	**wo/wohin** ...

Was möchte sie?
 – Das ist **alles, was** sie möchte.
Wofür interessiert sie sich?
 – Es gibt **nichts, wofür** sie sich nicht interessiert.
Wo kann sie Urlaub machen?
 – Sie sucht einen **Ort, wo** sie Urlaub machen kann.
❶ *auch:*
 – Sie sucht einen **Ort, an dem** sie Urlaub machen kann.

§ 14 Präpositionalpronomen (Pronominaladverb)

Nur bei Sachen:		*Bei Personen:*
wo(r) + *Präposition*	**da(r)** + *Präposition*	*Präposition* + *Personalpronomen*
wofür, wonach, wovon ...	dafür, danach, davon ...	für ihn, nach ihr, von ihm ...
woran, worauf, worüber ...	daran, darauf, darüber ...	

Ein Garten ist **vor** dem Haus.
Ein Garten ist **davor**.
Worum kümmert er sich? – **Darum**.
Verben mit Präpositionalergänzung → § 20 e.

Er steht **vor** seiner Frau.
Er steht **vor ihr**.
Um wen kümmert er sich? – **Um sie**.

Präposition

§ 15 Präpositionen mit Genitiv

wegen		Wegen eines Computerfehlers bekam eine Frau viel Geld.
während	+ **Genitiv**	Während einer Konferenz schlief ein Minister ein.
trotz		Trotz des schlechten Wetters machten wir einen Spaziergang.

Verb

§ 16 Präteritum

a. Übersicht

	Schwache Verben		Starke Verben			Endungen
Infinitiv	machen	arbeiten	fahren	geben	schlafen	
Prät.-Stamm	mach-**te**-	arbeit-**ete**-	fuhr-	gab-	schlief-	
ich	mach**te**	arbeit**ete**	fuhr	gab	schlief	–
du	mach**test**	arbeit**etest**	fuhr**st**	gab**st**	schlief**st**	-st (-est)
er/sie/es	mach**te**	arbeit**ete**	fuhr	gab	schlief	–
wir	mach**ten**	arbeit**eten**	fuhr**en**	gab**en**	schlief**en**	-n (-en)
ihr	mach**tet**	arbeit**etet**	fuhr**t**	gab**t**	schlief**t**	-t (-et)
sie/Sie	mach**ten**	arbeit**eten**	fuhr**en**	gab**en**	schlief**en**	-n (-en)
		Stamm auf **-t, -d**				

b. Einige starke Verben

Infinitiv	finden	stehen	sehen	nehmen	kommen	treffen	essen
Prät.-Stamm	fand-	stand-	sah-	nahm-	kam-	traf-	**aß**-
ich	fand	stand	sah	nahm	kam	traf	aß
du	fand**(e)st**	stand**(e)st**	sah**st**	nahm**st**	kam**st**	traf**st**	aß**t**
er/sie/es	fand	stand	sah	nahm	kam	traf	aß
wir	fand**en**	stand**en**	sah**en**	nahm**en**	kam**en**	traf**en**	aß**en**
ihr	fand**et**	stand**et**	sah**t**	nahm**t**	kam**t**	traf**t**	aß**t**
sie/Sie	fand**en**	stand**en**	sah**en**	nahm**en**	kam**en**	traf**en**	aß**en**

Infinitiv	fangen	gehen	bleiben	rufen	ziehen	schließen	tragen
Prät.-Stamm	fing-	ging-	blieb-	rief-	zog-	schloss-	trug-
ich	fing	ging	blieb	rief	zog	schloss	trug
du	fing**st**	ging**st**	blieb**st**	rief**st**	zog**st**	schloss**(es)t**	trug**st**
er/sie/es	fing	ging	blieb	rief	zog	schloss	trug
wir	fing**en**	ging**en**	blieb**en**	rief**en**	zog**en**	schloss**en**	trug**en**
ihr	fing**t**	ging**t**	blieb**t**	rief**t**	zog**t**	schloss**t**	trug**t**
sie/Sie	fing**en**	ging**en**	blieb**en**	rief**en**	zog**en**	schloss**en**	trug**en**

Weitere starke Verben siehe Listen ➔ *S. 201, S. 215*

c. Gemischte Verben

Infinitiv	kennen	brennen	rennen	nennen	denken	bringen
Prät.-Stamm	kann-**te**-	brann-**te**-	rann-**te**-	nann-**te**-	dach-**te**-	brach-**te**-

! *Gemischte Verben: Stamm mit Vokalwechsel, Endungen wie schwache Verben*

d. Unregelmäßige Verben

Infinitiv	sein	haben	werden	tun
Prät.-Stamm	**war**-	hat-**te**-	w**u**rd-**e**-	**tat**-

e. Modalverben und „wissen"

Infinitiv	können	dürfen	müssen	wollen	sollen	mögen	wissen
Prät.-Stamm	k**o**nn-**te**-	d**u**rf-**te**-	m**u**ss-**te**-	w**o**ll-**te**-	**soll-te**-	m**o**ch-**te**-	w**u**ss-**te**-

§ 17 Präsens, Präteritum und Perfekt

So stehen die starken und unregelmäßigen Verben in den Listen: → S. 201, S. 215

Infinitiv	3. Pers. Sing. Präsens	3. Pers. Sing. Präteritum	Perfekt
fahren	fährt	fuhr	ist gefahren
schlafen	schläft	schlief	hat geschlafen
ab·fahren	fährt ab	fuhr ab	ist abgefahren
ein·schlafen	schläft ein	schlief ein	ist eingeschlafen

§ 18 Passiv Präsens

suchen:	Er	**wird**	überall	**gesucht.**
abholen:	Sie	**werden**	vom Bahnhof	**abgeholt.**
		werden		*Partizip II*

ich	**werde** gesucht	**werde** abgeholt
du	**wirst** gesucht	**wirst** abgeholt
er/sie/es	**wird** gesucht	**wird** abgeholt
wir	**werden** gesucht	**werden** abgeholt
ihr	**werdet** gesucht	**werdet** abgeholt
sie/Sie	**werden** gesucht	**werden** abgeholt

Zum Vergleich:

Aktiv		Passiv	
Jemand spült	**einen** Topf.	**Ein** Topf	wird gespült.
	Ergänzung:	*Subjekt:*	
	Akkusativ	*Nominativ*	

§ 19 Imperativ

a. 1. Person Plural

	gehen	warten	nehmen	anfangen	sein
wir:	Gehen wir.	Warten wir.	Nehmen wir …	Fangen wir an.	Seien wir …

Aussagesatz	*Imperativ*
Wir gehen.	Gehen wir.
Wir nehmen die Kreditkarte.	Nehmen wir die Kreditkarte.

b. Zum Vergleich:

	gehen	warten	nehmen	anfangen	sein
Sie:	Gehen Sie.	Warten Sie.	Nehmen Sie …	Fangen Sie an.	Seien Sie …
du:	Geh.	Warte.	**Nimm** …	Fang an.	**Sei** …
ihr:	Geht.	Wartet.	Nehmt …	Fangt an.	**Seid** …

§ 20 Verben und Ergänzungen

a. Verb + Dativergänzung

Wem?		gratulieren	Wem gratuliert er?	Er gratuliert **seinem Vater**.
				Ebenso: antworten, danken, einfallen, fehlen, folgen, gefallen, gehören, gelingen, gratulieren, helfen, leidtun, passen, schmecken, wehtun, winken, zuhören …

b. Verb + Dativergänzung + Akkusativergänzung

Wem? Was?	geben	Wem gibt er was?	Er gibt **seinem Freund einen Brief**.
			Ebenso: anbieten, besorgen, bestellen, bringen, empfehlen, erlauben, erzählen, leihen, schenken, schicken, schreiben, verkaufen, vermieten, versprechen, vorschlagen, vorstellen, wünschen, zeigen …

c. Verb + Reflexivpronomen als Dativergänzung + Akkusativergänzung

Wem? Was?	wünschen	Was wünscht sie sich?	Sie wünscht **sich einen Hut**.
			Ebenso: anschauen, aussuchen, bestellen, kaufen, leisten …

d. Verb + Reflexivpronomen als Akkusativergänzung (+Präpositionalergänzung)

Wen?	rasieren	Wen rasiert er?	Er rasiert **sich**.
Wen? Woran?	erinnern	Woran erinnert er sich?	Er erinnert **sich an die Telefonnummer**.
			Ebenso: anmelden, anziehen, ärgern, aufregen, ausruhen, bedanken, beeilen, bemühen, beschäftigen, beschweren, bewerben, entschuldigen, erholen, erkundigen, freuen, interessieren, kümmern, merken, setzen, unterhalten, verabschieden, verändern, verlieben, verstecken, vorstellen, waschen …

e. Verb + Präpositionalergänzung

An wen?	denken	An wen denkt er?	Er denkt **an seine Freundin**.
Woran?		Woran denkt sie?	Sie denkt **an das neue Kleid**.
Nach wem?	fragen	Nach wem fragt er?	Er fragt **nach dem Chef**.
Wonach?		Wonach fragt sie?	Sie fragt **nach dem Weg**.

Ebenso:

bestehen	aus	
sich entschuldigen, sich erkundigen, helfen	bei	
anfangen, aufhören, beginnen, sich beschäftigen, schimpfen, spielen, sprechen, telefonieren, sich unterhalten, vergleichen	mit	
sich erkundigen, fragen, riechen, schauen, schmecken, suchen	nach	**+ Dativ**
berichten, erzählen, reden, träumen, sich verabschieden	von	
sich anmelden, benutzen, einladen, sich entschließen, gratulieren, passen, verwenden	zu	
denken, teilnehmen	an	
schützen, Angst haben	vor	
demonstrieren, sich entscheiden, sich entschuldigen, halten, sich interessieren, sein,	für	
demonstrieren, sich entscheiden, sein	gegen	
sich bemühen, sich bewerben, sich kümmern, weinen	um	
sich verlieben	in	**+ Akkusativ**
denken, sich erinnern, glauben, schicken, schreiben	an	
achten, antworten, sich freuen, hoffen, hören, sich vorbereiten, warten	auf	
sich ärgern, sich aufregen, berichten, sich beschweren, diskutieren, sich freuen, lachen, reden, schimpfen, sich unterhalten	über	

Satz

§ 21 Dativergänzung im Satz

Vorfeld	Verb (1)	Mittelfeld				Verb (2)
		Subjekt	Ergänzung	Angabe	Ergänzung	
Er	bringt		**seiner Freundin**	heute	Blumen	mit.
Er	bringt		**ihr**	heute	Blumen	mit.
	Gefallen	sie	**ihr**	denn?		
Sie	schenkt		**ihrem Freund**		einen Pullover.	
Sie	schenkt		**ihm**		einen Pullover.	
Sie	schenkt		den Pullover		**ihrem Freund.**	
Sie	schenkt		ihn		**ihrem Freund.**	
	Passt	er	**ihm**	denn?		

❗ *Besondere Stellung: Dativergänzung = Pronomen; Subjekt = kein Pronomen*

Vorfeld	Verb (1)	Mittelfeld				Verb (2)
		Ergänzung	Subjekt	Angabe	Ergänzung	
	Gefallen	**ihr**	die Blumen?			
	Passt	**ihm**	der Pullover	denn?		
	Schmeckt	**dir**	die Suppe	nicht?		
Warum	schmeckt	**dir**	die Suppe	nicht?		

Aber: Subjekt = Pronomen

| Vorfeld | Verb (1) | Mittelfeld | | | | Verb (2) |
		Subjekt	Ergänzung	Angabe	Ergänzung	
	Schmeckt	**sie**	dir	nicht?		
Warum	schmeckt	**sie**	dir	nicht?		

§ 22 Satzverbindung: Zwei Hauptsätze

a. *Mit Junktoren* und, aber, oder, denn

| Hauptsatz | Junktor | Hauptsatz | | | | | |
		Vorfeld	Verb (1)	Subjekt	Angabe	Ergänzung	Verb (2)
Er trinkt gern Apfelsaft.		Er	isst		gern	Äpfel.	
Er trinkt gern Apfelsaft,	**und**	er	isst		gern	Äpfel.	
Er trinkt gern Apfelsaft,	**denn**	er	isst		gern	Äpfel.	
Er trinkt gern Apfelsaft,	**oder**	er	isst		gern	Äpfel.	
Er trinkt gern Apfelsaft,	**aber**	er	möchte			keine Äpfel	essen.

b. *Mit Adverbien im Vorfeld:* deshalb, also, danach, trotzdem …

| Hauptsatz | Hauptsatz | | | | | |
	Vorfeld	Verb (1)	Subjekt	Angabe	Ergänzung	Verb (2)
Er trinkt gern Apfelsaft,	**deshalb**	isst	er	gern	Äpfel.	
Er trinkt gern Apfelsaft,	**also**	isst	er	gern	Äpfel.	
Er trinkt gern Apfelsaft,	**danach**	isst	er	gern	Äpfel.	
Er trinkt gern Apfelsaft,	**trotzdem**	möchte	er		keine Äpfel	essen.

§ 23 Satzgefüge: Hauptsatz und Nebensatz

a. Hauptsatz + Nebensatz

| Hauptsatz | Junktor | Nebensatz | | | | | |
		Vorfeld	Verb (1)	Subjekt	Angabe	Ergänzung	Verb (2)
Er trinkt gern Apfelsaft,	**weil**			er	gern	Äpfel	**isst.**
Er trinkt gern Apfelsaft,	**obwohl**			er		keine Äpfel	**isst**
Er trinkt gern Apfelsaft,	**wenn**			er		Durst	**hat.**
Er trinkt gern Apfelsaft,	**damit**			er		gesund	**bleibt.**
Sie weiß,	**dass**			er	gern	Äpfel	**isst.**

b. Nebensatz + Hauptsatz

| Nebensatz | Hauptsatz | | | | | |
	Vorfeld	Verb (1)	Subjekt	Angabe	Ergänzung	Verb (2)
Weil er gern Äpfel isst,		trinkt	er	gern	Apfelsaft.	
Obwohl er keine Äpfel isst,		trinkt	er	gern	Apfelsaft.	
Wenn er Durst hat,		trinkt	er	gern	Apfelsaft.	
Damit er gesund bleibt,		trinkt	er	gern	Apfelsaft.	
Dass er gern Äpfel isst,		weiß	sie.			

Nebensatz = Vorfeld des Hauptsatzes

c. Nebensatz: Modalverb, Perfekt, Verb mit trennbarem Verbzusatz

Hauptsatz	Junktor	Nebensatz					
		Vorfeld	Verb (1)	Subjekt	Angabe	Ergänzung	Verb (2)
Sie weiß,	**dass**			er	heute	Apfelsaft	**trinken möchte.**
Er hofft,	**dass**			sie		Apfelsaft	**mitbringt.**
Er dankt ihr,	**weil**			sie		Apfelsaft	**mitgebracht hat.**

Im Hauptsatz: Er **möchte** heute Apfelsaft **trinken.**
Sie **bringt** Apfelsaft **mit.**
Sie **hat** Apfelsaft **mitgebracht.**

§ 24 Relativsatz

a. Hauptsatz + Relativsatz

Hauptsatz	Relativsatz (Nebensatz)						
	Vorfeld	Verb (1)	Subj.	Ergzg.	Angabe	Ergänzung	Verb (2)
Das ist der Mann,	**der**			mir	gestern	die Stadt	**gezeigt hat.**
Hier sieht man den Mann,	**den**		ich		damals		**getroffen habe.**
Wie heißt der Fluss,	**an dem**		Köln				**liegt?**
Hier wohnte die Kaiserin,	**deren Name**					Elisabeth	**ist.**

Relativpronomen → § 12

b. Hauptsatz + integrierter Relativsatz

Zwei Hauptsätze: Die Pferde leben im Naturpark. Sie sind glücklich.

Integrierter Relativsatz:

	Hauptsatz	
	Relativsatz	
Die Pferde,	**die im Naturpark leben,**	sind glücklich.

§ 25 Infinitivsatz

Sie möchte lesen. Sie hat Lust **zu** lesen.
Sie möchte ein Buch lesen. Sie hat Lust, ein Buch **zu** lesen.
Sie möchte weiterlesen. Sie hat Lust weiter**zu**lesen.
Er will die Flasche öffnen. Er benutzt die Zange, **um** die Flasche **zu** öffnen.
Er will die Flasche aufmachen. Er benutzt die Zange, **um** die Flasche auf**zu**machen.

Hauptsatz	Infinitivsatz						
	Junktor	Vorfeld	Verb (1)	Subjekt	Angabe	Ergänzung	Verb (2)
Sie hat Lust							**zu** lesen.
Sie hat Lust,						ein Buch	**zu** lesen.
Sie hat Lust,					jetzt	ein Buch	**zu** lesen.
Sie hat Lust,							weiter**zu**lesen.
Er benutzt die Zange,	**um**					die Flasche	**zu** öffnen.
Er benutzt die Zange,	**um**					die Flasche	auf**zu**machen.

(!) Die Farbe **soll** schnell trocken werden.
Sie nimmt den Föhn, **um** die Farbe schnell **zu** trocknen. (die Farbe = *Ergänzung*)
Sie nimmt den Föhn, **damit** die Farbe schnell trocknet. (die Farbe = *Subjekt*)

Alphabetische Wortliste

In dieser Wortliste sehen Sie alle Wörter dieses Buches mit Angabe der Seiten, auf denen sie zuerst oder in einer unterschiedlichen Bedeutung vorkommen. **Fettgedruckte** Wörter sind Bestandteil des Prüfungswortschatzes von START DEUTSCH A2. Im Arbeitsbuch finden Sie nach jeder Lerneinheit den Lernwortschatz der Lerneinheit sowie österreichische und schweizerische Entsprechungen bestimmter Wörter. Bei Nomen finden Sie das Artikelzeichen (r = der, e = die, s = das) und das Zeichen für die Pluralform (r Arbeiter, – ; r Anzug, ⸚e). Nomen ohne Angabe der Pluralform verwendet man nicht oder nur selten im Plural. Nomen mit der Angabe „pl" verwendet man nicht oder selten im Singular. Bei starken und unregelmäßigen Verben finden Sie neben dem Infinitiv auch die 3. Person Singular Präsens, Präteritum und Perfekt. Bei schwachen Verben, die im Perfekt mit „sein" gebildet werden, ist die Perfektform angegeben. Trennbare Verben sind folgendermaßen gekennzeichnet: ab·geben.

ab·bauen *63*
ab·brechen,
    bricht ab, brach ab,
    hat/ist abgebrochen
    133, 134, 150
ab·brennen, brennt ab,
    brannte ab,
    ist abgebrannt *146*
ab·geben,
    gibt ab, gab ab,
    hat abgegeben *147*
abgeschlossen *122*
s Abi *108* → Abitur
s Abitur *108*
r Abiturient, -en *107*
r Abiturjahrgang *108*
e Abiturnote, -n *111*
s Abiturtreffen, – *108*
s Abiturzeugnis, -se *108*
ab·lehnen *115*
ab·montieren *135*
ab·nehmen,
    nimmt ab, nahm ab,
    hat abgenommen
    34, 150
ab·reisen,
    ist abgereist *75*
ab·reißen,
    reißt ab, riss ab,
    hat abgerissen *67*
ab·sägen *134*
r Abschied, -e *163*
ab·schließen,
    schließt ab, schloss
    ab, hat abgeschlossen
    109, 157

r Abschluss, ⸚e *108*
ab·schneiden, schneidet
    ab, schnitt ab,
    hat abgeschnitten *87*
ab·setzen *102*
r Abteilungsleiter, – *119*
abwechselnd *68*
e Abwechslung, -en *174*
ach nein *13*
acht·geben,
    gibt acht, gab acht,
    hat achtgegeben *130*
Ade *163*
s Adjektiv, -e *92*
r Adressat, -en *171*
e Adressatin, -nen *171*
e Adressenliste, -n *109*
r Advent *13*
r Adventskranz, ⸚e *13*
afrikanisch *121*
aggressiv *91*
e Aktion, -en *180*
r Aktionstag, -e *181*
s Aktiv *48*
aktiv *90*
akzeptieren *110*
allgemein *74*
s Alltagsgespräch, -e *186*
s Alltagsthema, -themen
    175
die Alpen (pl) *152*
r Alptraum, ⸚e *86*
als *14, 41, 131*
e Altstadt, ⸚e *167*
am besten *37*
am liebsten *35*

am meisten *37*
anbei *109*
an·bieten,
    bietet an, bot an,
    hat angeboten *42*
an·bringen,
    bringt an, brachte an,
    hat angebracht *63*
die Anden (pl) *121*
ändern *92*
e Änderung, -en *176*
an·fahren,
    fährt an, fuhr an,
    ist angefahren *135*
an·fangen,
    fängt an, fing an,
    hat angefangen *21, 63*
angegeben *186*
r/e Angeklagte, -n
    (ein Angeklagter) *138*
r/e Angestellte, -n
    (ein Angestellter) *120*
r Angler, – *116*
an·haben,
    hat an, hatte an,
    hat angehabt *14*
an·halten,
    hält an, hielt an,
    hat angehalten *138*
r Anhang, ⸚e *15*
an·heben,
    hebt an, hob an,
    hat angehoben *78*
an·hören *181*
e Anlage, -n *60*
r Anlass, ⸚e *24*

an·legen *185*
an·melden (sich) *139*
an·nehmen,
    nimmt an, nahm an,
    hat angenommen *115*
an·reisen,
    ist angereist *171*
r Anrufer, – *150*
anschließend *51*
e Anstellung, -en *122*
e Antarktis *109*
r Anwalt, ⸚e *138*
r Anzug, ⸚e *85*
an·zünden *14*
r Apfelbaum, ⸚e *63*
r Apfelkuchen, – *36*
r Apfelsaft *44*
r Apparat, -e *13*
r Appenzeller *169*
r Appetit *41*
s Aquarium, Aquarien *62*
arabisch *182*
r Arbeiter, – *106*
r Ärger *19*
ärgerlich *145*
ärgern (sich) *107*
e Arktis *159*
arm *87*
e Assistentin, -nen *110*
r Ast, ⸚e *132*
e Atmosphäre, -n *17*
e Attraktion, -en *132*
e Audio-CD, -s *179*
auf keinen Fall *18*
    → **Fall**
r Aufenthalt, -e *122*

betrunken *91*
e Bettlektüre, -n *150*
beugen *135*
bevor *113*
beweisen,
    beweist, bewies,
    hat bewiesen *142*
bewerben, sich,
    bewirbt sich,
    bewarb sich,
    hat sich beworben
    107
r Bewerber, – *122*
r Bewerbungsbogen, –
    182
e Bewerbungsfrist, -en
    122
s Bewerbungsgespräch,
    -e *85*
s Bewerbungsschreiben,
    – *123*
r Bewohner, – *147*
biegen,
    biegt, bog,
    ist gebogen *62*
r Biergarten, – *36*
bieten,
    bietet, bot,
    hat geboten *72*
r Bikini, -s *11*
s Bilderbuch, ¨er *162*
e Bildkarte, -n *94*
billig *37*
r Birnensaft *44*
bis bald *13*
bisher *86*
bitter *34*
s Blatt, ¨er *62, 74*
s Bleigießen *19*
blitzschnell *63*
blöd *91*
blond *87*
e Bluse, -n *10*
s Blut *111*
r Boden, ¨ *49*
r Bodensee *154*
e Bohne, -n *34*
r Bohnensalat, -e *46*
bohren *56*
e Bohrmaschine, -n *56*
e Bombe, -n *143*
s Boot, -e *68*

böse *25*
e Boutique, -n *177*
r Bovist, -e *130*
s Brandenburger Tor *12*
r Braten, – *44*
braten,
    brät, briet,
    hat gebraten *48*
Bratkartoffeln (pl) *35*
braun *80*
s Brautpaar, -e *25*
brav *14*
breit *67*
e Bremse, -n *138*
bremsen *138*
brennen,
    brennt, brannte,
    hat gebrannt *13*
r Briefkasten, ¨ *61*
r Briefkastenschlüssel, –
    63
s Briefpapier *90*
e Brieftasche, -n *96*
e Briefträgerin, -nen *115*
r Briefumschlag, ¨e *56*
s Bücher-Haus, ¨er *179*
s Bücherregal, -e *64*
e Bucht, -en *154*
r Buchverlag, -e *122*
s Buffet, -s *34*
s Bügeleisen, – *58*
s Bund *50*
s Bundesland, ¨er *159*
r Bundespräsident, -en
    156
e Bundeswehr *111*
r Buntstift, -e *38*
r Burger, – *36*
r Bürgermeister, – *10*
e CD-ROM, -s *25*
e CD-Sammlung, -en
    177
r CD-Spieler, – *181*
e Chance, -n *113*
s Chaos *63*
chatten *59*
e Chemie *179*
r Chor, ¨e *44*
e Christbaumkugel, -n
    15
circa *167*
Classic *36*

r Clown, -s *10*
cm *26* → **Zentimeter**
& CO. *122*
r Computerfehler, – *139*
s Computerproblem, -e
    84
r Computertisch, -e *64*
s Containerschiff, -e *121*
e Couch, -s/-en *63*
r Couchtisch, -e *64*
e Creme, -s *11*
d.h. *180* (das heißt)
dabei haben *43*
dabei sein,
    ist dabei, war dabei,
    ist dabei gewesen
    65, 67
s Dach, ¨er *68*
r Dachboden, – *135*
r Dachdecker, – *139*
s Dachgeschoss, -e *99*
dafür *86, 114, 156*
dafür sein *167*
dagegen sein *166*
damals *87*
damit *58, 156*
daneben *97*
Dänemark *167*
darauf *97, 114, 135*
daraus *145*
darin *97*
e Darstellung, -en *112*
darum *26, 114*
darunter *97*
das macht *47* → machen
dass *60*
dasselbe *35*
e Dauer *122*
davon *86, 180*
davor *97, 114*
dazu·tun,
    tut dazu, tat dazu,
    hat dazugetan *50*
dazwischen *99*
e Decke, -n *38, 62*
decken *57*
defekt *132*
e Demonstration, -en *12*
demonstrieren *106*
denen *154*
depressiv *160*

der, die, das ... *152*
    (Relativpronomen)
deren *156*
derselbe *174*
des *66*
s Design, -s *122*
dessen *156*
s Dessert, -s *42*
deutlich *20*
r Deutschkurs, -e *37*
r Dialekt, -e *163*
dicht *38, 71*
dick *82*
r Dieb, -e *61*
r Diebstahl, ¨e *88*
r Dienstagabend, -e *21*
r Diesel *147*
digital *179*
r Direktor, -en *108*
e Diskussion, -en *86*
doch *32, 33, 54, 62,*
    78, 86
r Doktorhut, ¨e *24*
e Donau *154*
r Döner, – *36*
doof *102*
s Doppelbett, -en *64*
e Dose, -n *33*
r Dozent, -en *169*
dran sein,
    ist dran, war dran,
    ist dran gewesen *94*
drehen *75*
e Dreiergruppe, -n *43*
drinnen *63*
e Drogerie, -n *137*
drüben *93*
drum *26*
r Dummkopf, ¨e *141*
dunkel *62, 147*
dünn *71*
durchqueren *159*
durchschnittlich *161*
e Dusche, -n *63*
r DVD-Spieler, – *177*
ebenfalls *74*
echt *159*
eckig *99*
Ecuador *121*
egal *17, 39*
egoistisch *115*
e Ehefrau, -en *108*

finnisch *167*
s Fischbrötchen, – *16*
r Fischburger, – *36*
e Fischplatte, -n *46*
r Fischsalat, -e *44*
s Fischstäbchen, – *32*
fit *26*
flach *85*
r Fleck, -en *87, 134*
r Fliegenpilz, -e *130*
fliehen,
   flieht, floh,
   ist geflohen *143*
fließen,
   fließt, floss,
   ist geflossen *140*
fließend *182*
r Flohmarkt, ⸚e *128*
flüchten,
   ist geflüchtet *62*
flüchtig *39*
r Flugplatz, ⸚e *111*
r Flugzeugmechaniker, –
   113
r Flur, -e *62*
r Fluss, ⸚e *82*
s Flusstal, ⸚er *161*
r Föhn, -e *58*
folgen, ist gefolgt *35*
fort·setzen *111*
s Fotomodell, -e *128*
s Frage- und
   Antwortspiel, -e *34*
s Fragekärtchen, – *186*
s Fragespiel, -e *49*
r Frauenberuf, -e *115*
frech *87*
s Freiheitsgefühl, -e *114*
frei·kommen,
   kommt frei, kam frei,
   ist freigekommen *135*
freiwillig *147*
fremd *90*
Fremdsprachen-
   kenntnisse (pl) *182*
fremdsprachig *179*
freuen, sich *26*
e Freundschaft, -en *86*
s Freundschaftsspiel, -e
   133
frisch *35*
r Frisör, -e *47*

e Frisörin, -nen *20*
r Frisörsalon, -s *113*
e Frist, -en
   → **Bewerbungsfrist**
e Frisur, -en *87*
froh *130*
fröhlich *25*
früher *14*
frühere *108*
e Frühlingssuppe, -n *36*
s Frühstücksbrot, -e *144*
s Frühstücksei, -er *165*
fühlen *160*
führen *145*
führend *122*
e Führerscheinprüfung,
   -en *8*
e Fulda *154*
s Fundbüro, -s *147*
r/e Fünfjährige, -n
   (ein Fünfjähriger)
   128
funkeln *13*
für alle Fälle *74*
furchtbar *15*
fürchten *62*
r Fußballer, – *133*
s Fußballspiel, -e *8*
s Fußende, -n *78*
e Fußgängerzone, -n
   137
r Fußweg, -e *99*
r Gangster, – *137*
e Gans, ⸚e *13*
r Gänsebraten, – *34*
s Ganze *50*
s Garagentor, -e *75*
e Garantie, -n *181*
e Garderobe, -n *38*
r Gast, ⸚e *15, 46*
s Gästebett, -en *64*
s Gäste-WC, -s *75*
r Gastgeber, – *43*
s Gasthaus, ⸚er *36*
r Gasthof, ⸚e *174*
geb. *121* (geborene)
s Gebäck *40*
s Gebäude, – *156*
s Gebirge, – *154*
e Gebühr, -en *157*
e Geburt, -en *26*
s Geburtsjahr, -e *182*

s Geburtstagsgeschenk,
   -e *87*
e Geburtstagsparty, -s *27*
r Gedanke, -n *86*
gefangen *63*
s Geflügel *33*
s Gefühl, -e *86*
gefüllt *15*
e Gegend, -en *143*
s Gegenteil, -e *181*
gegenüber *142*
r Gegenvorschlag, ⸚e
   187
s Gehalt, ⸚er *114*
gehören *20*
gelb *80*
e Geldbörse, -n *80*
s Geldstück, -e *139*
e Gelegenheit, -en *181*
gelingen,
   gelingt, gelang,
   ist gelungen *57*
e Gemüsesuppe, -n *35*
gemütlich *17*
genauso *87*
e Generation, -en *131*
genießen,
   genießt, genoss,
   hat genossen *140*
genug *26*
genügend *169*
e Geografie *154*
s Gerät, -e *60*
s Geräusch, -e *135*
s Gericht, -e *46, 138*
e Gerichtsverhandlung,
   -en *138*
gesamt *142*
e Gesamtschule, -n *35*
geschäftlich *27*
r Geschäftsführer, – *111*
e Geschäftsleitung, -en
   26
r Geschäftspartner, –
   122
geschehen,
   geschieht, geschah,
   ist geschehen *142*
e Geschenkidee, -n *181*
e Geschenkverpackung,
   -en *179*
e Geschichte *179*

r Geschirrschrank, ⸚e *64*
r Geschmack, ⸚e *79*
e Geschmacksache *102*
gesperrt *137*
gestalten *147*
e Gestaltung, -en *184*
gestern Abend *137*
e Gesundheit *19*
getrennt *47*
e Gewerkschaft, -en *12*
giftig *130*
s Glas *132*
r Glastisch, -e *65*
glatt *58*
gleichfalls *42*
gleichzeitig *57*
r Glückspilz, -e *134*
r Glückwunsch, ⸚e *25*
e Glückwunschkarte, -n
   24
e Glühbirne, -n *62*
r Glühwein, -e *16*
s Goethehaus, ⸚er *152*
s Gold *158*
r Goldberg, -e *159*
goldbraun *50*
golden *131*
r Golfplatz, ⸚e *73*
s Grab, ⸚er *156*
e Grafikerin, -nen *111*
e Grammatik, -en *107*
s Gras *159*
e Gratulation, -en *8*
grau *80*
graublau *39*
s Graubrot, -e *40*
greifen,
   greift, griff,
   hat gegriffen *63*
e Grenze, -n *156*
griechisch *166*
r Griff, -e *75*
größer *66* → **groß**
r Großglockner *158*
e Großschreibung *184*
r Grund, ⸚e *115*
gründen *156*
e Grundschule, -n *112*
grüßen *15*
e Grußkarte, -n *24*
e Gulaschsuppe, -n *128*
e Gurke, -n *33*

r Gurkensalat, -e *46*
e Gurkensuppe, -n *44*
gute Nacht *69*
guten Appetit *42*
s Gymnasium,
   Gymnasien *110*
hacken *50*
r Hähnchenschenkel, –
   32
halbtags *113*
e Hälfte, -n *110*
r Hals, ⸚e *89*
e Halskette, -n *11*
s Halstuch, ⸚er *141*
halten,
   hält, hielt,
   hat gehalten *139, 166*
s Handbuch, ⸚er *179*
s Handelsrecht *110*
r Händler, – *128*
r Handschuh, -e *11*
e Handtasche, -n *38*
s Handtuch, ⸚er *48*
r Handwerker, – *71*
hängen bleiben,
   bleibt hängen,
   blieb hängen,
   ist hängen geblieben
   133
hassen *87*
häufig *132*
s Hauptgericht, -e *46*
r Hauptsatz, ⸚e *184*
r Hauptschalter, – *74*
r Hauptschulabschluss,
   ⸚e *112*
e Hauptschule, -n *112*
r Hauptschüler, – *112*
e Hauptsicherung, -en
   74
s Hausboot, -e *171*
r Hausschlüssel, – *74*
Heiligabend *15*
e Heimat *108*
heimlich *87*
e Heirat *129*
heiß *38*
heiter *160*
heizen *68*
e Heizung, -en *60*
r Hektar *159*
hell *83*

s Hemd, -en *22*
heraus · finden,
   findet heraus,
   fand heraus,
   hat herausgefunden
   181
heraus · ziehen,
   zieht heraus,
   zog heraus,
   hat herausgezogen
   133
herein · kommen,
   kommt herein,
   kam herein,
   ist hereingekommen
   60
herein · schauen *181*
r Heringssalat, -e *36*
herrschen *63*
her · stellen *122*
e Herstellung, -en *122*
herunter · kommen,
   kommt herunter,
   kam herunter,
   ist heruntergekommen
   133
herunter · laden,
   lädt herunter,
   lud herunter,
   hat heruntergeladen
   59
s Herz, -en *24*
heute früh *162*
heute Nachmittag *23*
e Hexe, -n *18*
hiermit *123*
r Hilferuf, -e *135*
hinauf · fahren,
   fährt hinauf,
   fuhr hinauf,
   ist hinaufgefahren
   159
hinauf · gehen,
   geht hinauf,
   ging hinauf,
   ist hinaufgegangen
   147
hinauf · klettern,
   ist hinaufgeklettert
   147

hinaus · laufen,
   läuft hinaus,
   lief hinaus,
   ist hinausgelaufen *159*
hinein · setzen *132*
hin · fahren,
   fährt hin, fuhr hin,
   ist hingefahren *174*
e Hinfahrt, -en *162*
r Hintergrund, ⸚e *97*
hinüber *169*
hinunter *159*
hinunter · fallen,
   fällt hinunter,
   fiel hinunter,
   ist hinuntergefallen
   132
Hip-Hop *180*
r Hirsch, -e *46*
s Hirschragout, -s *46*
r Hit, -s *102*
e Hitliste, -n *35*
e Hitze *160*
s Hoch, -s *161*
e Hochalpenstraße *159*
s Hochhaus, ⸚er *143*
e Hochschule, -n *112*
s Hochschulstudium,
   -studien *122*
r Hochschwarzwald *73*
e Hochzeit, -en *24*
e Hochzeitsfeier, -n *23*
s Hochzeitspaar, -e *9*
e Hochzeitsreise, -n *109*
r Hof, ⸚e *145*
Hofburg *156*
hoffen *60*
höflich *47*
hohe *85* → **hoch**
e Höhe *66*
höher *66* → **hoch**
e Höhle, -n *167*
s Holz, ⸚er *99*
e Holzkiste, -n *143*
e Holzkohle *33*
s Holzregal, -e *134*
s Holztisch, -e *65*
r Honig *40*
s Hörbuch, ⸚er *179*
r Horizont, -e *63*
e Hose, -n *22*

e Hotelfachschule, -en
   111
e Hotelküche, -n *111*
hübsch *92*
s Hufeisen, – *131*
e Hühnersuppe, -n *44*
r Hundekuchen, – *33*
Hunderte *146*
Hunsrück *154*
r Husten *90*
husten *133*
Ibiza *73*
ideal *73*
im Dunkeln *147*
im Freien *139*
r Imbiss, -e *36*
immer noch nicht *39*
immer noch nichts *39*
immer schneller *140*
immer wieder *133*
e Immobilie, -n *70*
in Frage kommen *123*
r Import, -e *110*
e Indianerin, -nen *18*
indisch *180*
e Industrie, -n
   → **Möbelindustrie**
e Info, -s *181*
s Infoblatt, ⸚er *74*
s Informationsblatt, ⸚er
   74
informieren *71*
r Inhalt, -e *184*
e Inhaltsangabe, -n *143*
r Inhaltspunkt, -e *184*
s Inhaltsverzeichnis, -se
   175
inkl. *70* (inklusive)
inklusive *36*
s Inland *122*
r Inn *154*
innen *135*
e Innenstadt, ⸚e *137*
e Insel, -n *73*
intelligent *108*
s Interesse, -n *72*
interessieren (sich) *107*
interessiert *122*
inzwischen *111*
irgendwann *87*
irgendwie *39*
irgendwo *166*

irgendwohin 166
italienisch 179
ja? 78
ja klar 150
ja natürlich 30
ja sicher 23
ja und? 102
jagen 63
e Jahreszeit, -en 160
s Jahrhundert, -e 156
jährlich 159
r Japaner, – 20
e Japanerin, -nen 20
Jeans (pl) 85
jedes Mal 87
jedoch 180
jeweilige 186
s Joghurteis 44
r Journalist, -en 115
s Jubiläum, Jubiläen 26
r/e Jugendliche, -n
  (ein Jugendlicher) 35
e Jugendliteratur 179
s Jurastudium 110
s Kabel, – 132
r Kabelanschluss, ̈e 71
e Kaffeebar, -s 179
r Kaffeefleck, -en 38
e Kaffeemaschine, -n 63
r Kaiser, – 156
e Kaiserin, -nen 156
r Kalender, – 11
e Kälte 159
r Kamerad, -en 26
kämmen 87
s Kännchen, – 36
e Kanne, -n 48
e Kantine, -n 35
s Kanu, -s 171
kaputt · machen 111
r Karneval 12
Kärnten 159
r Karottensaft 44
e Karriere, -n 110
e Karrierechance, -n 119
s Kartenspiel, -e 90
e Kartoffelscheibe, -n 50
e Kartoffelsuppe, -n 44
r Karton, -s 62
s Karussell, -e 16
s Käsebrot, -e 46
r Käseburger, – 36

e Käsefabrik, -en 169
s Käsefondue, -s 152
e Kasse, -n 32
e Kassette, -n 63
r Kasten, – 74
e Katastrophe, -n 102
r Kater, – 92
kaum 15
e Kaution, -en 70
KB 70 → Küche, Bad
kehren 134
kein bisschen 150
r Keks, -e 63
e Kellertür, -en 74
e Kellnerin, -nen 38
kennenlernen 90
e Kenntnis, -se 122
e Kette, -n 111
s Kfz, -s 113
r Kfz-Mechaniker, – 113
s Kinderbett, -en 64
s Kinderbuch, ̈er 179
s Kinderfest, -e 128
r Kinderspielplatz, ̈e 73
e Kindheit 14
s Kino, -s 37
s Kinoprogramm, -e 181
r Kirchenchor, ̈e 180
Kirgisistan 185
e Kirsche, -n 42
e Kirschtorte, -n 38
r Kitsch 17
kitschig 18
klappen 39
klar 39, 87, 169
e Klausur, -en 23
s Kleeblatt, ̈er 131
s Kleid, -er 11
r Kleiderschrank, ̈e 64
e Kleingruppe, -n 47
s Kleinkind, -er 38
e Kleinschreibung, -en
  184
klemmen 75
klettern, ist geklettert 87
s Klima 169
e Klimazone, -n 159
klingen,
  klingt, klang,
  hat geklungen 169
klopfen 62
r Kloß, ̈e 15

km/h 138 (Kilometer
  pro Stunde)
s Knäckebrot, -e 40
e Kneipe, -n 72
s Knie, – 163
r Knödel, – 42
r Knollenblätterpilz, -e
  130
r Knopf, ̈e 78
r Koch, ̈e 35
s Kochbuch, ̈er 107
e Kochecke, -n 72
e Köchin, -nen 141
r Kochlöffel, – 58
r Kognak 39
e Kollegin, -nen 26
Kolumbien 121
komisch 27, 96
kommerziell 17
e Kommunikation, -en
  181
kommunikativ 184
r Komparativ, -e 41
kompliziert 17
r Kompromiss, -e 86
r Konflikt, -e 87
r König, -e 153
e Königin, -nen 18
konjugieren 116
e Konkurrenz, -en 111
e Konstruktion, -en 184
s Konsulat, -e 96
s Konto, Konten 181
e Kontrolle, -n 122
e Kontrolllampe, -n 74
r Konzern, -e 108
e Konzertreise, -n 177
s Kopfende, -n 78
s Kopfkissen, – 90
körperlich 119
kostenlos 181
s Kostüm, -e 12
s Kotelett, -s 34
kräftig 135
krank 114
e Krankenkasse, -n 108
e Krankheit, -en 19
kreativ 113
r Kredit, -e 111
r Kreidefelsen, – 156
r Kreis, -e 73
kriegen 35

r Krimi, -s 150
e Krippe, -n 13
kritisieren 91
r Kuchen, – 22
r Küchenchef, -s 35
s Küchenmöbel, – 122
r Küchenschrank, ̈e 64
r Küchentisch, -e 14
e Kugel, -n 13
kühl 161
e Kühlschranktür, -en
  75
kulturell 122
r Kulturtipp, -s 181
e Kündigung, -en 19
e Kundin, -nen 84
e Kunst, ̈e 86
r Künstler, – 115
e Künstlerin, -nen 115
e Kunstmesse, – 98
kurios 139
kurz darauf 137
e Kurzform 17
e Kurzmeldung, -en 139
e Kurznachricht, -en 137
e Küste, -n 159
e Kutsche, -n 159
s Kutschpferd, -e 159
lächerlich 91
r Laden, – 72
s Lager, – 181
r Lammbraten, – 42
s Land 71
landen, ist gelandet 61
e Landkarte, -n 154
e Landschaft, -en 159
e Landung, -en 133
e Landwirtschaftsmesse,
  -n 169
e Länge, -n 112
r Lärm 73
lassen,
  lässt, ließ,
  hat gelassen
  78, 93, 136
r Lastwagen, – 61
r Lauf, ̈e 161
e Laune, -n 91
r Lebenslauf, ̈e 120
s Lebensmittelgeschäft,
  -e 177
r Lebensweg, -e 121

r Lech *154*
lecker *22*
e Lederjacke, -n *88*
s Lehrbuch, ̈er *179*
e Lehre, -n *110*
e Lehrstelle, -n *107*
leihen,
    leiht, lieh,
    hat geliehen *90*
e Leine, -n *140*
leisten, sich *118*
leiten *115*
r Leiter, – *120*
e Leiterin, -nen *122*
e Leitung, -en *147*
s Lenkrad, ̈er *135*
e Leseinsel, -n *179*
r Leser, – *86*
e Leserin, -nen *86*
letztes Mal *60*
leuchten *74*
e Liebe *39*
e Lieblingsfarbe, -n *85*
liefern *122*
e Lieferung, -en *107*
liegen bleiben,
    bleibt liegen,
    blieb liegen,
    ist liegen geblieben
    139
r Lift, -e *135*
linke *86*
e Lippe, -n *89*
e Literatur, -en *179*
r Lkw, -s *138*
r Lohn, ̈e *106*
lohnen, sich *159*
r Lokalfunk *136*
los sein *102*
los·gehen,
    geht los, ging los,
    ist losgegangen *63*
s Lösungsbeispiel, -e *188*
r Lösungsbuchstabe, -n
    178
s Lösungsfeld, -er *181*
lustig *12*
s Luxushotel, -s *108*
e Luxuswohnung, -en *72*
macht nichts *39*
r Magen, – *147*
r Maibaum, ̈e *153*

r Main *154*
(e) Mainau *169*
r Makler, – *70*
s Mal, -e *60*
r Manager, – *106*
r Männerberuf, -e *115*
e Margarine *33*
s Marketing *169*
e Marketingabteilung, -en
    122
r Markt, ̈e →
    Baumarkt, Marktfrau
e Marktfrau, -en *106*
e Marmelade *32*
s Marmeladenglas, ̈er
    134
Marokko *182*
e Maske, -n *12*
e Massagefunktion, -en
    78
s Maßband, ̈er *66*
s Material, -ien *99*
e Mathematiklehrerin,
    -nen *108*
s Matterhorn *156*
e Mauer, -n *92*
r Mechaniker, – *113*
s Medikament, -e *90*
s Medizinstudium *109*
r Meerblick *73*
r Meeresboden *159*
e Meeresluft *161*
s Mehl *32*
e Mehrwertsteuer *36*
meinetwegen *166*
meiste *110*
melden (sich) *88*
e Meldung, -en *133*
e Menge, -n *121*
merken *88*
messen,
    misst, maß,
    hat gemessen *66*
s Metall, -e *99*
e Metalldose, -n *131*
e Metzgerei, -en *145*
Mexiko *139*
r Mietpreis, -e *70*
r Mietwagen, – *167*
e Milchproduktion *169*
mild *160*
e Million, -en *159*

mindestens *15*
r Minister, – *128*
s Missgeschick, -e *135*
mit·fahren,
    fährt mit, fuhr mit,
    ist mitgefahren *128*
s Mitglied, -er *120*
mit·nehmen,
    nimmt mit,
    nahm mit,
    hat mitgenommen *90*
mit·schicken *15*
mit·spielen *128*
e Mitte *38*
s Mittel, – *90*
Mittelamerika *122*
Mitteleuropa *159*
mittelgroß *120*
s Mittelmeer *166*
mitten *71*
e Mitternachtsmesse, -n
    15
r Mixer, – *56*
e Möbelfirma, -firmen
    120
s Möbelgeschäft, -e *177*
s Möbelhaus, ̈er *64*
e Möbelindustrie *122*
s Möbelstück, -e *64*
mobil *182*
s Modalverb, -en *132*
e Mode, -n *86*
s Modegeschäft, -e *177*
s Modehaus, ̈er *176*
s Model, -s *180*
s Modell, -e *187*
mögen,
    mag, mochte,
    hat gemocht *35*
möglichst *122*
r Monat, -e *111*
e Monatsmiete, -n *70*
r Mond, -e *150*
s Mondlicht *150*
r Mondsee *72*
r Mord, -e *142*
r Mörder, – *142*
morgen früh *23*
morgen Nachmittag *23*
e Mosel *146*
s Motiv, -e *27*
r Motor, -en *68*

r Müll *74*
e Mülltonne, -n *74*
e Mumie, -n *18*
r Mund, ̈er *89*
s Murmeltier, -e *159*
s Musical, -s *180*
e Musikanlage, -n *65*
e Musikproduktion, -en
    180
s Müsli *40*
mutig *111*
MwSt. *36*
    (Mehrwertsteuer)
na und? *102*
s Nachbarhaus, ̈er *142*
r Nachbartisch, -e *38*
nach·fragen *186*
Nachrichten (pl) *127*
e Nachspeise, -n *46*
nachträglich *25*
r Nachtvogel, – *150*
e Nachtwanderung, -en
    139
nackt *159*
nah *65*
nahe *73*
näher *62* → nah
naiv *98*
s Namensschild, -er *63*
nämlich *135*
e Nase, -n *38*
r Nationalfeiertag, -e *12*
r Nationalpark, -s *156*
e Natur *73*
r Naturpark, -s *158*
s Naturphänomen, -e
    156
naturwissenschaftlich
    179
r Neandertaler, – *109*
r Nebel, – *161*
nebenan *99*
s Nebengebäude, – *99*
Nebenk. *70*
    → Nebenkosten
Nebenkosten (pl) *70*
r Nebensatz, ̈e *184*
neblig *138*
negativ *91*
r Nervenzusammen-
    bruch, ̈e *87*
nervös *39*

e Rede, -n *139*
reden *38*
regelmäßig *180*
r Regenschauer, – *160*
s Regierungsviertel, – *73*
regional *161*
r Regler, – *74*
reich 19
s Reihenspiel, -e *92*
reihum *9*
r Reim, -e *69*
reimen *69*
s Reimschema, -schemen
 69
rein *102*
e Reinigung, -en 84
s Reiseerlebnis, -se *121*
r Reiseführer, – 75
e Reiseführerin, -nen
 122
e Reiseinformation, -en
 167
r Reisekatalog, -e *166*
e Reiseliteratur *122*
r Reisepass, ⸚e *68*
r Reiseplan, ⸚e *157*
e Reiseroute, -n *154*
r Reisetipp, -s *167*
s Reiseunternehmen, –
 122
e Reiseversicherung, -en
 157
e Reisevorbereitung, -en
 157
e Reisezeit, -en *167*
s Reiseziel, -e *167*
r Reissalat, -e *44*
s Reitpferd, -e *159*
reizen *58*
relativ *167*
renovieren 67
r Rentner, – *128*
e Rentnerin, -nen *147*
e Reparaturarbeit, -en
 137
reservieren 43
retten *133*
e Rettung *135*
s Rezept, -e 42
r Rhein *154*
r Rheinfall, ⸚e *156*
r Rhyfall *156*

r Richter, – *138*
e Richterin, -nen *110*
riechen,
 riecht, roch,
 hat gerochen 61
s Rind, -er 152
e Rinderbouillon, -s *46*
r Rinderbraten *44*
r Ring, -e *80*
r Ritter, – *18*
r Rock, ⸚e 85
r Rollstuhl, ⸚e *142*
r Roman, -e *179*
r Römer, – *156*
römisch *139*
rothaarig *89*
r Rotkohl *15*
r Rotwein, -e *46*
r Rücken 14
Rückenschmerzen (pl)
 134
e Rückkehr *180*
e Rückseite, -n *131*
e Rufnummer, -n *176*
Rügen *156*
ruhig 17
rund 82
r Rundgang, ⸚e 74
e Rute, -n *14*
e Sache, -n 63, 135
e Sachertorte, -n *153*
r Sack, ⸚e *13*
sägen *134*
s Sahneeis *44*
r Sahnesee, -n *82*
e Sahnesoße, -n *46*
e Salami, -s *40*
r Salatteller, – *46*
r Salon, -s *113*
salzig *34*
sammeln 61
e Satellitenantenne, -n
 71
satt *42*
e Satzhälfte, -n *91*
s Satzpaar, -e *105*
r Satzteil, -e *169*
sauer 34
r Schachclub, -s *128*
e Schachtel, -n *32*
s Schaf, -e *68*
r Schafberg *154*

r Schal, -s *90*
schälen *48*
scharf 34
r Schatten, – *62*
r Schatz, ⸚e *19*
r Schauer, – *161*
e Scheibe, -n *41*
schenken 10
schick *84*
r Schiedsrichter, – *133*
s Schinkenbrot, -e *46*
s Schlafsofa, -s *64*
schlagen,
 schlägt, schlug,
 hat geschlagen *39*
e Schlagzeile, -n *128*
s Schlagzeug, -e *58*
s Schlaraffenland *82*
schlau *92*
schleppen *63*
schließlich *51*
s Schloss, ⸚er 135, 153
r Schluck, -e *38*
schmal *89*
r Schmuck *86*
schmücken *9*
s Schmuckstück, -e *86*
schmutzig 87
r Schnee 68
e Schneidemaschine, -en
 132
r Schnupfen 90
e Schokolade, -n 11
s Schokoladeneis *44*
r Schornsteinfeger, – *131*
schrecklich 18
e Schrift, -en *184*
schriftlich 108
r Schritt, -e *60*
r Schulabgänger, – *113*
r Schulbesuch, -e *112*
r Schulchor, ⸚e *180*
e Schülergruppe, -n *35*
e Schülerin, -nen *9*
e Schülerumfrage, -n *59*
s Schuljahr, -e *87*
e Schulkantine, -n *35*
e Schulpflicht *112*
s Schulsystem, -e *112*
e Schulzeit, -en *113*
e Schusswaffe, -n *137*
schützen *58*

s Schwarzbrot, -e *40*
r Schwarzwald *153*
e Schwarzwälder
 Kirschtorte, -n *36*
s Schwarzwaldhaus, ⸚er
 73
schwarz-weiß *152*
schwedisch *167*
schweigen,
 schweigt, schwieg,
 hat geschwiegen *135*
r Schweinebraten, – *36*
s Schweinefleisch *34*
r Schweizer, – *156*
schwierig *63*
r Seemann, -leute *121*
Seepark *181*
r Seeräuber, – *18*
e Seife, -n 63
e Seilbahn, -en *152*
r Sekretär, -e *115*
r Sekt *12*
s Sektglas, ⸚er *19*
e Sekundarschule, -n *112*
r Selbstmord, -e *136*
selbstständig 111
seltsam *143*
s Semester, – *110*
Semesterferien (pl) *72*
s Seminar, -e *169*
e Sendung, -en
 → Sportsendung
r Senior, -en 73
r Service 179
Servus *163*
s Shampoo, -s *69*
e Shampooflasche, -n *63*
sicher 13
e Sicherung, -en *74*
siehe *178*
e Silberhochzeit, -en *24*
Silvester 12
sinken,
 sinkt, sank,
 ist gesunken *116*
r Sitz, -e *156*
Skandinavien *161*
Ski fahren *171*
s Skifahren *162*
r Skikurs, -e *162*
e Skisaison *156*
so ein *43, 102*

so etwas 27
so ... wie 69
e Socke, -n 68
e Software 179
sogar 63
s Soloalbum, -alben 180
r Sommerurlaub, -e 162
s Sonderangebot, -e 56
r Song, -s 180
r Sonnabend, -e 177
sonnig 160
s Sonntagskleid, -er 87
e Sorge, -n 134
Soul 180
s Souvenir, -s 171
r Souvenirladen, – 121
so weit sein 15
sowieso 38
sowohl ... als auch 182
e Soziologie 179
e Spam-Mail, -s 107
sparen 64
e Sparkasse, -n 137
(r) Spaß 17, 23, 84
spazieren,
    ist spaziert 56
spazieren gehen 41
speichern 59
r Speiseplan, ⸚e 35
spezial 36
speziell 86
r Spiegelschrank, ⸚e 63
Spiekeroog 163
r Spielplatz, ⸚e
    → Kinderspielplatz
e Spielsache, -n 13
spitz 99
s Sportflugzeug, -e 137
e Sportlerin, -nen 133
r Sportschuh, -e 85
e Sportsendung, -en 107
r Sportverein, -e 26
e Sprachenschule, -n
    176
Sprachkenntnisse (pl)
    179
e Sprachlehrerin, -nen
    182
s Sprachlehrwerk, -e 179
sprachlich 163
e Sprachwissenschaft,
    -en 182

s Sprechspiel, -e 45
r Sprung, ⸚e 63
s Spülbecken, – 64
e Spüle, -n 165
e Spülmaschine, -n 49
spüren 62
s Staatsexamen, – 110
s Städtchen, – 171
r Stadtrand, ⸚er 71
e Stadtrundfahrt, -en 156
s Stadttor, -e 156
s Standesamt, ⸚er 26
ständig 134
stark 66
statt 147
statt·finden,
    findet statt,
    fand statt,
    hat stattgefunden
    108
r Stau, -s 162
s Steak, -s 111
e Steckdose, -n 57
stecken 57
stecken bleiben,
    bleibt stecken,
    blieb stecken,
    ist stecken geblieben
    132
r Stecker, – 57
s Stehcafé, -s 36
stehen bleiben,
    bleibt stehen,
    blieb stehen,
    ist stehen geblieben
    133
stehlen,
    stiehlt, stahl,
    hat gestohlen 62
steif 58
steil 120
r Stein, -e 86
e Steinzeit 156
e Stelle, -n 110, 131, 159
s Stellenangebot, -e 122
stellenweise 161
Stereo 60
e Steuererklärung, -en
    84
stichwortartig 184
e Stimme, -n 38
stimmt so 39

s Stipendium, Stipendien
    110
r Stock, Stockwerke 72
s Stockwerk, -e 133
r Stoff, -e 122
stolz 111
stören 96
stoßen,
    stößt, stieß,
    ist gestoßen 62
s Strähnchen, – 102
r Strand, ⸚e 72
r Strandurlaub, -e 166
e Straßenbahn, -n 70
e Straßenszene, -n 62
streichen,
    streicht, strich,
    hat gestrichen 62
s Streichholz, ⸚er 19
r Streik, -s 139
r Streit 19
streiten (sich),
    streitet, stritt,
    hat gestritten 86
streng 14
r Stress 119
streuen 50
r Strich, -e 38
r Stromanschluss, ⸚e 60
e Stromleitung, -en 67
e Studienreise, -n 122
s Studium, Studien 108
e Stufe, -n 74
stundenlang 135
r Sturm, ⸚e 159
stürmisch 160
r Sturz, ⸚e 134
stützen 58
s Subjekt, -e 184
e Suche 146
e Südafrikanerin, -nen
    180
Südamerika 121
Süddeutschland 42
Südostasien 122
südwestlich 161
s Superbenzin 147
r Superlativ, -e 37
e Süßigkeit, -en 13
tabellarisch 122
s Tablett, -s 135
tagelang 134

s Tal, ⸚er 159
tanken 147
r Tankwart, -e 121
e Tante, -n 67
r Tanzkurs, -e 139
e Tapete, -n 66
tapezieren 67
e Taschenlampe, -n 150
r Tätigkeitsbeginn 182
tatsächlich 159
e Taucherbrille, -n 58
e Tauschbörse, -n 72
tauschen 72
r Tauschpartner, – 74
e Taxifahrerin, -nen 20
e Taxifahrt, -en 139
e Technik, -en 115
r Techniker, – 60
technisch 115
s Technologiezentrum,
    -zentren 169
e Teetheke, -n 179
teil·nehmen,
    nimmt teil,
    nahm teil,
    hat teilgenommen
    106
e Teilzeit-Stelle, -n 181
e Telefonansage, -n 175
telefonisch 162
s Telegramm, -e 136
r Tennisschläger, – 90
s Tennisspiel, -e 114
e Terrasse, -n 71
r Teutoburger Wald 154
e Textilindustrie, -n 122
r Textteil, -e 39
s Theaterstück, -e 39
s Tief, -s 161
r Tierarzt, ⸚e 84
e Tischdecke, -n 38
e Tischlerin, -nen 8
r Tischnachbar, -n 38
r Titel, – 166
r Toast, -s 40
toben 68
r Tomatensaft 44
e Tomatensoße, -n 35
e Tomatensuppe, -n 44
e Tombola, -s 10
Top 181
e Torte, -n 24

verstehen, sich,
   versteht sich,
   verstand sich,
   hat sich verstanden
   118
verständigen, sich 167
verständlich 185
e Verständlichkeit 184
s Verständnis, -se 87
s Versteck, -e 62
verstecken 15
verteilen 83
r Vertrag, ⸚e 115
vertragen,
   verträgt, vertrug,
   hat vertragen 41
r/e Verwandte, -n
   (ein Verwandter) 26
verzeihen,
   verzeiht, verzieh,
   hat verziehen 14
vgl. 179 (vergleiche)
vieles 166
vierblättrig 131
r Viktualienmarkt 153
violett 80
e Vogelmutter, – 132
s Vogelnest, -er 132
e Volkshochschule, -n
   182
voll 16, 62, 68, 130,
   167
völlig 150
von mir aus 167
von selbst 63
vor allem 166
e Voraussetzung, -en
   122
vorbei·ziehen,
   zieht vorbei,
   zog vorbei,
   ist vorbeigezogen 63
r Vordergrund 98
r Vorfahr, -en 159
vorgestern 160
vor·haben,
   hat vor, hatte vor,
   hat vorgehabt 65
vorhanden 72
r Vorhang, ⸚e 63
e Vorlage, -n 187
vorn 135

r Vorschlag, ⸚e 187
e Vorschule, -n 112
vorsichtig 38
e Vorspeise, -n 43
s Vorstellungsgespräch,
   -e 85
r Vorstellungstermin, -e
   122
r Vorteil, -e 134
vorwärts 181
vor·zeigen 138
wachsen,
   wächst, wuchs,
   ist gewachsen 63
wackeln 58
e Wagentür, -en 145
wählen 46, 74, 112
wahr 166
während 132, 139
e Wahrheit, -en 138
wahrscheinlich 71
s Waldgebirge, – 154
e Wanderung, -en 109
e Wandzeitung, -en 147
e Wange, -n 39
e Wanne, -n 70
e Ware, -n 121
wärmen 117
s Warmwasser 74
e Wartezeit, -en 107
was für (ein) 90
s Waschbecken, – 63
r Wäschetrockner, – 60
r Waschmittelhersteller,
   – 120
r Wasserfall, ⸚e 156
r Wasserhahn, ⸚e 75
e Wasserleitung, -en
   134
e Wasserpistole, -n 147
s Watt 66
Watt 158
e Watte 14
s Wattenmeer 158
s WC, -s 75
wegen 139
weg·fahren,
   fährt weg, fuhr weg,
   ist weggefahren 61
weg·gehen,
   geht weg, ging weg,
   ist weggegangen 115

weg·reißen,
   reißt weg, riss weg,
   hat weggerissen 88
weg·ziehen,
   zieht weg, zog weg,
   ist weggezogen 108
wehen 161
weich 92
Weihnachten 12
r Weihnachtsbaum, ⸚e 9
s Weihnachtsessen 14
s Weihnachtsfest, -e 13
s Weihnachtsfoto, -s 13
e Weihnachtsgans, ⸚e 15
e Weihnachtsgeschichte
   15
s Weihnachtslied, -er 14
r Weihnachtsmann, ⸚er
   17
r Weihnachtsmarkt, ⸚e
   16
r Weihnachtsschmuck 14
weil 33
r Weinberg, -e 42
e Weinkarte, -n 46
e Weintraube, -n 82
weiß 63
s Weißbrot, -e 36
r Weißwein, -e 36
e Weißwurst, ⸚e 153
weiter·bauen 156
weiter·hören 66
weiter·reisen,
   ist weitergereist 164
e Welt, -en 110
wem 9
wenige 113
weniger 114
wenn 37
e Werbeagentur, -en 111
e Werkstatt, ⸚en 26
s Werkzeug, -e 75
e Werkzeugfabrik, -en
   120
r Werkzeugkasten, –
   134
e Werra 154
e Weser 154
Westdeutschland 161
Westfalen 158
e Wette, -n 137
r Wetterbericht, -e 161

wie oft 186
wie schön 174
wieder·erkennen,
   erkennt wieder,
   erkannte wieder,
   hat wiedererkannt 89
wieder·kommen,
   kommt wieder,
   kam wieder,
   ist wiedergekommen
   43
wieder·sehen,
   sieht wieder,
   sah wieder,
   hat wiedergesehen
   108
wild 158
r Wilde Westen 159
s Wildpferd, -e 159
e Windstärke, -n 160
r Winterurlaub, -e 162
winzig 159
e Wirtschaft 110
r Wirtschaftsraum, ⸚e
   169
e Wissenschaft, -en 109
witzig 18
wo ... hin 166
wobei 135
wofür 166
s Wohl 42 → zum Wohl!
wohlfühlen, sich 118
r Wohnraum, ⸚e 156
e Wohnungsanzeige, -n
   70
r Wohnungstausch 72
e Wohnungstür, -en 62
r Wolf, ⸚e 68
e Wolke, -n 83
woran 114
worauf 114
s Wortpaar, -e 68
e Wortzahl 184
worüber 114
worum 114
wovon 166
wovor 114
wozu 58
wundervoll 15
r Wunsch, ⸚e 25
r Wunschzettel, – 14

Liste der starken und unregelmäßigen Verben

ab·biegen, biegt ab, bog ab, ist abgebogen
ab·brechen, bricht ab, brach ab, hat abgebrochen
ab·brechen, bricht ab, brach ab, ist abgebrochen
ab·brennen, brennt ab, brannte ab, ist abgebrannt
ab·fahren, fährt ab, fuhr ab, ist abgefahren
ab·fliegen, fliegt ab, flog ab, ist abgeflogen
ab·geben, gibt ab, gab ab, hat abgegeben
ab·nehmen, nimmt ab, nahm ab, hat abgenommen
ab·reißen, reißt ab, riss ab, hat abgerissen
ab·schließen, schließt ab, schloss ab,
    hat abgeschlossen
ab·schneiden, schneidet ab, schnitt ab,
    hat abgeschnitten
acht·geben, gibt acht, gab acht, hat achtgegeben
an sein, ist an, war an, ist an gewesen
an·bieten, bietet an, bot an, hat angeboten
an·bringen, bringt an, brachte an, hat angebracht
an·fahren, fährt an, fuhr an, ist angefahren
an·fangen, fängt an, fing an, hat angefangen
an·haben, hat an, hatte an, hat angehabt
an·halten, hält an, hielt an, hat angehalten
an·heben, hebt an, hob an, hat angehoben
an·kommen, kommt an, kam an, ist angekommen
an·nehmen, nimmt an, nahm an, hat angenommen
an·rufen, ruft an, rief an, hat angerufen
an·sehen, sieht an, sah an, hat angesehen
an·streichen, streicht an, strich an, hat angestrichen
an·ziehen, zieht an, zog an, hat angezogen
auf sein, ist auf, war auf, ist auf gewesen
auf·brechen, bricht auf, brach auf, hat aufgebrochen
auf·geben, gibt auf, gab auf, hat aufgegeben
auf·gehen, geht auf, ging auf, ist aufgegangen
auf·halten, hält auf, hielt auf, hat aufgehalten
auf·schieben, schiebt auf, schob auf,
    hat aufgeschoben
auf·schließen, schließt auf, schloss auf,
    hat aufgeschlossen
auf·schreiben, schreibt auf, schrieb auf,
    hat aufgeschrieben
auf·stehen, steht auf, stand auf, ist aufgestanden
auf·stoßen, stößt auf, stieß auf, hat aufgestoßen
aus sein, ist aus, war aus, ist aus gewesen
aus·geben, gibt aus, gab aus, hat ausgegeben
aus·gehen, geht aus, ging aus, ist ausgegangen
aus·leihen, leiht aus, lieh aus, hat ausgeliehen
aus·messen, misst aus, maß aus, hat ausgemessen
aus·schlafen, schläft aus, schlief aus, hat ausgeschlafen
aus·sehen, sieht aus, sah aus, hat ausgesehen
aus·steigen, steigt aus, stieg aus, ist ausgestiegen

backen, backt, backte, hat gebacken
befinden (sich), befindet, befand, hat befunden
beginnen, beginnt, begann, hat begonnen
behalten, behält, behielt, hat behalten
bekommen, bekommt, bekam, hat bekommen
beraten, berät, beriet, hat beraten
beschreiben, beschreibt, beschrieb, hat beschrieben
besprechen, bespricht, besprach, hat besprochen
bestehen, besteht, bestand, hat bestanden
besteigen, besteigt, bestieg, hat bestiegen
betreten, betritt, betrat, hat betreten
betrügen, betrügt, betrog, hat betrogen
beweisen, beweist, bewies, hat bewiesen
bewerben (sich), bewirbt, bewarb, hat beworben
biegen, biegt, bog, hat gebogen
bieten, bietet, bot, hat geboten
bitten, bittet, bat, hat gebeten
bleiben, bleibt, blieb, ist geblieben
braten, brät, briet, hat gebraten
brennen, brennt, brannte, hat gebrannt
bringen, bringt, brachte, hat gebracht
da sein, ist da, war da, ist da gewesen
dabei sein, ist dabei, war dabei, ist dabei gewesen
dazu·tun, tut dazu, tat dazu, hat dazugetan
denken, denkt, dachte, hat gedacht
durch·lesen, liest durch, las durch, hat durchgelesen
dürfen, darf, durfte, hat gedurft
ein·fallen, fällt ein, fiel ein, ist eingefallen
ein·laden, lädt ein, lud ein, hat eingeladen
ein·schlafen, schläft ein, schlief ein, ist eingeschlafen
ein·steigen, steigt ein, stieg ein, ist eingestiegen
ein·tragen, trägt ein, trug ein, hat eingetragen
ein·treffen, trifft ein, traf ein, ist eingetroffen
ein·ziehen, zieht ein, zog ein, ist eingezogen
empfehlen, empfiehlt, empfahl, hat empfohlen
entkommen, entkommt, entkam, ist entkommen
entscheiden, entscheidet, entschied, hat entschieden
entschließen, entschließt, entschloss, hat entschlossen
entstehen, entsteht, entstand, ist entstanden
entwerfen, entwirft, entwarf, hat entworfen
erfahren, erfährt, erfuhr, hat erfahren
erfinden, erfindet, erfand, hat erfunden
erhalten, erhält, erhielt, hat erhalten
erkennen, erkennt, erkannte, hat erkannt
erschrecken, erschrickt, erschrak, ist erschrocken
essen, isst, aß, hat gegessen
fahren, fährt, fuhr, ist gefahren
fallen, fällt, fiel, ist gefallen

fangen, fängt, fing, hat gefangen

fern·sehen, sieht fern, sah fern, hat ferngesehen

fest·halten, hält fest, hielt fest, hat festgehalten

finden, findet, fand, hat gefunden

fliegen, fliegt, flog, ist geflogen

fliehen, flieht, floh, ist geflohen

fließen, fließt, floss, ist geflossen

frei·kommen, kommt frei, kam frei,
    ist freigekommen

fressen, frisst, fraß, hat gefressen

geben, gibt, gab, hat gegeben

gefallen, gefällt, gefiel, hat gefallen

gehen, geht, ging, ist gegangen

gelingen, gelingt, gelang, ist gelungen

genießen, genießt, genoss, hat genossen

geraten, gerät, geriet, ist geraten

geschehen, geschieht, geschah, ist geschehen

gewinnen, gewinnt, gewann, hat gewonnen

gießen, gießt, goss, hat gegossen

graben, gräbt, grub, hat gegraben

greifen, greift, griff, hat gegriffen

haben, hat, hatte, hat gehabt

halten, hält, hielt, hat gehalten

hängen, hängt, hing, hat gehangen

heben, hebt, hob, hat gehoben

heißen, heißt, hieß, hat geheißen

helfen, hilft, half, hat geholfen

heraus·finden, findet heraus, fand heraus,
    hat herausgefunden

heraus·ziehen, zieht heraus, zog heraus,
    hat herausgezogen

herein·kommen, kommt herein, kam herein,
    ist hereingekommen

herunter·kommen, kommt herunter, kam herunter,
    ist heruntergekommen

herunter·laden, lädt herunter, lud herunter,
    hat heruntergeladen

hin·fahren, fährt hin, fuhr hin, ist hingefahren

hinauf·fahren, fährt hinauf, fuhr hinauf,
    ist hinaufgefahren

hinauf·gehen, geht hinauf, ging hinauf,
    ist hinaufgegangen

hinaus·laufen, läuft hinaus, lief hinaus,
    ist hinausgelaufen

hinunter·fallen, fällt hinunter, fiel hinunter,
    ist hinuntergefallen

kennen, kennt, kannte, hat gekannt

klingen, klingt, klang, hat geklungen

kommen, kommt, kam, ist gekommen

können, kann, konnte, hat gekonnt

lassen, lässt, ließ, hat gelassen

laufen, läuft, lief, ist gelaufen

leid·tun, tut leid, tat leid, hat leidgetan

leihen, leiht, lieh, hat geliehen

lesen, liest, las, hat gelesen

liegen, liegt, lag, hat gelegen

los·gehen, geht los, ging los, ist losgegangen

lügen, lügt, log, hat gelogen

messen, misst, maß, hat gemessen

mit·bringen, bringt mit, brachte mit, hat mitgebracht

mit·fahren, fährt mit, fuhr mit, ist mitgefahren

mit·helfen, hilft mit, half mit, hat mitgeholfen

mit·kommen, kommt mit, kam mit, ist mitgekommen

mit·lesen, liest mit, las mit, hat mitgelesen

mit·nehmen, nimmt mit, nahm mit, hat mitgenommen

möchten, möchte, mochte, hat gemocht

mögen, mag, mochte, hat gemocht

müssen, muss, musste, hat gemusst

nach·schlagen, schlägt nach, schlug nach,
    hat nachgeschlagen

nach·sprechen, spricht nach, sprach nach,
    hat nachgesprochen

nehmen, nimmt, nahm, hat genommen

nennen, nennt, nannte, hat genannt

raten, rät, riet, hat geraten

reißen, reißt, riss, hat gerissen

reiten, reitet, ritt, ist geritten

rennen, rennt, rannte, ist gerannt

riechen, riecht, roch, hat gerochen

rufen, ruft, rief, hat gerufen

scheinen, scheint, schien, hat geschienen

schieben, schiebt, schob, hat geschoben

schießen, schießt, schoss, hat geschossen

schlafen, schläft, schlief, hat geschlafen

schlagen, schlägt, schlug, hat geschlagen

schließen, schließt, schloss, hat geschlossen

schneiden, schneidet, schnitt, hat geschnitten

schreiben, schreibt, schrieb, hat geschrieben

schweigen, schweigt, schwieg, hat geschwiegen

schwimmen, schwimmt, schwamm, ist geschwommen

sehen, sieht, sah, hat gesehen

sein, ist, war, ist gewesen

singen, singt, sang, hat gesungen

sinken, sinkt, sank, ist gesunken

sitzen, sitzt, saß, hat gesessen

sollen, soll, sollte, hat gesollt

spazieren gehen, geht spazieren, ging spazieren,
    ist spazieren gegangen

spinnen, spinnt, spann, hat gesponnen

sprechen, spricht, sprach, hat gesprochen

springen, springt, sprang, ist gesprungen

statt·finden, findet statt, fand statt, hat stattgefunden

stehen, steht, stand, hat gestanden

stehlen, stiehlt, stahl, hat gestohlen

steigen, steigt, stieg, ist gestiegen

sterben, stirbt, starb, ist gestorben
stoßen, stößt, stieß, hat gestoßen
streichen, streicht, strich, hat gestrichen
streiten, streitet, stritt, hat gestritten
teil·nehmen, nimmt teil, nahm teil, hat teilgenommen
tragen, trägt, trug, hat getragen
treffen, trifft, traf, hat getroffen
treiben, treibt, trieb, hat getrieben
trinken, trinkt, trank, hat getrunken
tun, tut, tat, hat getan
überfallen, überfällt, überfiel, hat überfallen
übernehmen, übernimmt, übernahm,
    hat übernommen
übertragen, überträgt, übertrug, hat übertragen
überweisen, überweist, überwies, hat überwiesen
um·fallen, fällt um, fiel um, ist umgefallen
um·ziehen, zieht um, zog um, hat umgezogen
unterbrechen, unterbricht, unterbrach,
    hat unterbrochen
unterhalten, unterhält, unterhielt, hat unterhalten
unternehmen, unternimmt, unternahm,
    hat unternommen
unterscheiden, unterscheidet, unterschied,
    hat unterschieden
unterschreiben, unterschreibt, unterschrieb,
    hat unterschrieben
unterstreichen, unterstreicht, unterstrich,
    hat unterstrichen
verbieten, verbietet, verbot, hat verboten
verbinden, verbindet, verband, hat verbunden
verbringen, verbringt, verbrachte, hat verbracht
vergessen, vergisst, vergaß, hat vergessen
vergleichen, vergleicht, verglich, hat verglichen
vergraben, vergräbt, vergrub, hat vergraben
verlassen, verlässt, verließ, hat verlassen
verlaufen (sich), verläuft, verlief, hat verlaufen
verlieren, verliert, verlor, hat verloren
verraten, verrät, verriet, hat verraten
verschieben, verschiebt, verschob, hat verschoben
verschwinden, verschwindet, verschwand,
    ist verschwunden
versprechen, verspricht, versprach, hat versprochen
verstehen, versteht, verstand, hat verstanden
vertragen, verträgt, vertrug, hat vertragen
verzeihen, verzeiht, verzieh, hat verziehen
vor·haben, hat vor, hatte vor, hat vorgehabt
vor·kommen, kommt vor, kam vor, ist vorgekommen
vor·lesen, liest vor, las vor, hat vorgelesen
vor·schlagen, schlägt vor, schlug vor,
    hat vorgeschlagen
vor·tragen, trägt vor, trug vor, hat vorgetragen
vorbei·ziehen, zieht vorbei, zog vorbei,
    ist vorbeigezogen

wachsen, wächst, wuchs, ist gewachsen
waschen, wäscht, wusch, hat gewaschen
weg sein, ist weg, war weg, ist weg gewesen
weg·fahren, fährt weg, fuhr weg, ist weggefahren
weg·fliegen, fliegt weg, flog weg, ist weggeflogen
weg·gehen, geht weg, ging weg, ist weggegangen
weg·laufen, läuft weg, lief weg, ist weggelaufen
weg·reißen, reißt weg, riss weg, hat weggerissen
weg·rennen, rennt weg, rannte weg, ist weggerannt
weg·ziehen, zieht weg, zog weg, ist weggezogen
weh·tun, tut weh, tat weh, hat wehgetan
weiter·fahren, fährt weiter, fuhr weiter,
    ist weitergefahren
weiter·gehen, geht weiter, ging weiter,
    ist weitergegangen
weiter·lesen, liest weiter, las weiter, hat weitergelesen
weiter·schlafen, schläft weiter, schlief weiter,
    hat weitergeschlafen
weiter·schreiben, schreibt weiter, schrieb weiter,
    hat weitergeschrieben
weiter·sprechen, spricht weiter, sprach weiter,
    hat weitergesprochen
werden, wird, wurde, ist geworden
werfen, wirft, warf, hat geworfen
wieder·erkennen, erkennt wieder, erkannte wieder,
    hat wiedererkannt
wieder·kommen, kommt wieder, kam wieder,
    ist wiedergekommen
wieder·sehen, sieht wieder, sah wieder,
    hat wiedergesehen
wiegen, wiegt, wog, hat gewogen
wissen, weiß, wusste, hat gewusst
wollen, will, wollte, hat gewollt
zerbrechen, zerbricht, zerbrach, hat zerbrochen
zerbrechen, zerbricht, zerbrach, ist zerbrochen
ziehen, zieht, zog, hat gezogen
zu sein, ist zu, war zu, ist zu gewesen
zu·gehen, geht zu, ging zu, ist zugegangen
zurecht·kommen, kommt zurecht, kam zurecht,
    ist zurechtgekommen
zurück·bringen, bringt zurück, brachte zurück,
    hat zurückgebracht
zurück·fahren, fährt zurück, fuhr zurück,
    ist zurückgefahren
zurück·geben, gibt zurück, gab zurück,
    hat zurückgegeben
zurück·gehen, geht zurück, ging zurück,
    ist zurückgegangen
zurück·kommen, kommt zurück, kam zurück,
    ist zurückgekommen
zurück·rufen, ruft zurück, rief zurück,
    hat zurückgerufen

Quellenverzeichnis

Umschlagbild: gettyimages / Jean-Pierre Pieuchot
Umschlagkarte U2: © www.cartomedia-karlsruhe.de

Fotos:

Seite 7: *Karneval:* © Photo Digital GmbH / MHV; *Weihnachtsmarkt:* © Visum / Guenter Standl;
 Feuerwehrfest: mit freundlicher Genehmigung der Freiwilligen Feuerwehr Ismaning;
 Feuerwerk: © panthermedia.net / fotodoku; *Hochzeitstorte:* © Reiner Schmitz; *Eisbär:* © laif / Arcticphoto

Seite 12: *1:* © MEV / MHV; *2, 8, 12:* © picture-alliance / dpa; *5:* © direktfoto 2005 / Hartwig Bambey;
 6: © mauritius images / UpperCut; *7:* © Photo Digital GmbH / MHV; *9:* © Jörn Sackermann;
 10: © picture-alliance / dpa / dpaweb; *11:* © argum / Falk Heller

Seite 25: © MEV / MHV

Seite 28: © argus / Mike Schroeder

Seite: 29: Josef Schwarzmayer

Seite 31: *Schnitzel:* © mauritius images / Foodpix; *Frühstück:* © irisblende.de; *Imbissstand:* © irisblende.de;
 Pelikan: © panthermedia.de / Digilux;

Seite 35: © BananaStock / MHV

Seite 36: *F:* © Franz Aberham; *B , I:* © irisblende.de

Seite 55: *Wohnzimmer:* © Jahreszeiten Verlag

Seite 72: *2:* mit freundlicher Genehmigung der Familie Wendtner in Loibichl

Seite 73: *4:* © ullstein / R. Janke; *5, 6:* © MEV / MHV

Seite 76: © Caro / Scheffbuch

Seite 79: *Trachten:* © mauritius images / Bernd Römmelt; *Dame mit Hut:* MHV-Archiv;
 Laufsteg: © irisblende.de; *kleines Mädchen:* © Interfoto / JAS2; *Ente:* © panthermedia.net / skally

Seite 87: MHV-Archiv

Seite 103: *Prüfung:* © ullstein / Röhrbein; *Manager:* © mediacolor's / bew; *Pinguine:* © laif / Hao-Qui

Seite 108: *oben:* MHV-Archiv

Seite 109: MHV-Archiv

Seite 115: © irisblende.de

Seite 123: © MEV / MHV

Seite 125: © Caro / Blume

Seite 127: *Pilze sammeln:* © Superbild / B.S.I.P; *Reporter:* © picture-alliance / ZB;
 Fahrstuhl: © gettyimages / Andrew Yates Productions; *Gericht:* © mauritius images / Ernst Grasser;
 Handschellen: © Joker / Alexander Stein; *Kinoplakat:* © Interfoto / Maxl;
 Unterwasserhochzeit: © Avenue Images / INDEX Stock; *Waschmaschine:* © gettyimages / Colin Hawkins

Seite 128: *A:* © Corbis / MHV; *B:* © picture-alliance / dpa; *C:* © Avenue Images / INDEX Stock; *D Fotomontage:*
 Raststätte: © photothek.net / U. Grabowsky; *Kinder:* © MEV / MHV; *F:* © Avenue Images / Index Stock

Seite 130: *Steinpilz:* © panthermedia.net / PilzPic;
 Pfifferling, Knollenblätterpilz: © Superbild / H. Schmidbauer;
 Parasolpilz: © panthermedia.net / stalker; *Bovist:* © panthermedia.net / Gamma;
 Fliegenpilz: © panthermedia.net / Simons

Seite 138: © mauritius images / Ernst Grasser

Seite 146: *A, C, E, F:* © picture-alliance / dpa / dpaweb; *B, D:* © picture-alliance / dpa

Seite 147: *oben:* mit freundlicher Genehmigung der Freiwilligen Feuerwehr Stadt Bad Münstereifel,
 Löschgruppe Iversheim http://www.feuerwehr-iversheim.de; *unten:* © picture-alliance / dpa

Seite 148: © ullstein / Meißner

Seite 151: *Touristen:* © Intro / Rainer F. Steussloff; *Regenbogen:* © irisblende.de;
Fiaker: © panthermedia.net / Kay.von.Aspern; *Seilbahn:* © mauritius images / Brigitte Protzel;
Alphornbläser: © Superbild / Haga; *C. D. Friedrich – Kreidefelsen auf Rügen:* © akg images;
Satellitenbild: © Astrofoto; *Robben:* © Juniors Bildarchiv

Seite 152: *A:* © Österreich-Werbung / Mallaun; *C:* Tourismus + Congress Frankfurt / Keute;
E: Thomas Hetland, Dresden; *F:* Bayerische Zugspitzbahn, Bergbahn AG, Garmisch Partenkirchen;
G: MHV-Archiv

Seite 153: *A:* Österreich-Werbung / A. Niederstrasser; *B:* Wien Tourismus / Peter Koller; *C:* © MEV / MHV;
D: Ernst Luthmann, Ismaning; *H:* Schwarzwald Tourismusverband, Freiburg / H.-W. Karger

Seite 155: © www.cartomedia-karlsruhe.de

Seite 156: *A:* © Stadt Trier, Amt für Presse- und Öffentlichkeitsarbeit; *B:* © MEV/MHV;
C: Österreich-Werbung / Diejun; *D:* © MEV / MHV; *F:* Köln Tourismus / Decker

Seite 158: *A:* Österreich-Werbung / Herzberger; *B:* Gitta Gesing, Marl; *C, E:* Nordseeheilbad Cuxhaven;
D: © MEV / MHV; *F:* © Köln Tourismus / Barten; *G:* Glocknergemeinde Heiligenblut;
H: © Juniors Bildarchiv / E. Schmale

Seite 160: *B:* © irisblende.de; *E:* © Andreas Riedmiller; *G:* © panthermedia.net / derThomas

Seite 161: © ARD / Heiner H. Schmitt

Seite 168: *Karte:* © www.cartomedia-karlsruhe.de; *oben links und rechts:* Appenzeller Schaukäserei / Stein;
oben Mitte: © SeeUndBerge.de; *Mitte rechts:* © Herbert Haltmeier / www.haltmeier.ch;
unten links: Technologiezentrum Konstanz; *unten rechts:* OLMA Messen St. Gallen

Seite 172: © mauritius images / imagebroker.net

Seite 173: © Das Luftbild-Archiv

Hartmut Aufderstraße: Seite 12 *(4)*, Seite 13 *(1)*, Seite 15 *(3. von links)*, Seite 19 *(unten)*, Seite 31 *(Kreidetafel)*,
Seite 36 *(A, C, D, H)*, Seite 50, Seite 51, Seite 55 *(Föhn, Regler)*, Seite 59 *(unten)*, Seite 66, Seite 74 *(oben und Mitte)*, Seite 75, Seite 77, Seite 99, Seite 101, Seite 103 *(Zeugnis)*, Seite 153 *(F, I)*, Seite 160 *(oben H)*

Jan Christoph Aufderstraße: Seite 33, Seite 61, Seite 137 *(oben)*

Dafydd Bullock: Seite 156 *(E)*

Roland Koch: Seite 7 *(Nikolaus, Osternest, Schneemann)*, Seite 12 *(3)*, Seite 13 *(2–5)*, Seite 15 *(links, 2. von links, rechts)*, Seite 16, Seite 17, Seite 19 *(oben)*, Seite 31 *(Imbiss ganz oben Mitte, Metzgerei: mit freundlicher Genehmigung der Metzgerei Lürs, Westerstede; Gemüse)*, Seite 32, Seite 40, Seite 41 *(1, 2, 3)*, Seite 48,
Seite 49, Seite 53 *(Bäckerei: mit freundlicher Genehmigung der Bäckerei-Konditorei Müller-Egerer, Westerstede)*, Seite 55 *(oben rechts, Mitte, unten Mitte und rechts)*, Seite 64, Seite 67, Seite 72 *(1)*, Seite 74 *(unten)*,
Seite 79 *(Friseur und Koffer)*, Seite 88, 91, Seite 100, Seite 103 *(Auszubildende, Rasur, Mechaniker)*,
Seite 108 *(unten)*, Seite 124, Seite 127 *(Katze)*, Seite 134, Seite 136, Seite 151 *(Skikurs)*,
Seite 152 *(B und H; 2. Reihe Mitte)*, Seite 160 *(oben A, C, D, F; unten A–F)*, Seite 162, Seite 170, Seite 171

Martin Lange: Seiten 14, 15, 26, 35, 36, 38, 39, 40, 46, 50, 62, 63, 72, 73, 74, 75, 84, 86, 87, 96, 98, 108, 109,
110, 111, 112, 122, 123, 128 *(a. 1H, b.)*, 130, 132, 133, 134, 135, 146, 147, 159, 176, 179, 180, 181, 182, 183,
186 *(Realien / Grafiken)*

Heribert Mühldorfer: Seite 42, Seite 43, Seite 65, Seite 89, Seite 90, Seite 110–114, Seite 137 *(unten)*,
Seite 152 *(D)*, Seite 153 *(E, G)*, Seite 163

Friedrich-Wilhelm Nehl: Seite 13 *(6)*

Thomas Spiessl: Seite 7 *(Wunschzettel)*, Seite 11, Seite 31 *(Café und Torten)*, Seite 36 *(E, G)*, Seite 37,
Seite 41 *(4)*, Seite 52, Seite 59 *(oben)*, Seite 60, Seite 72 *(3)*, Seite 79 *(ganz unten Mitte)*, Seite 85,
Seite 103 *(ganz oben links)*, Seite 107, Seite 128 *(E, G)*, Seite 129, Seite 130 *(unten)*, Seite 149, Seite 166

Thomas Storz: Seite 38 und 98 *(Zeichnungen)*

Übersicht der Tracks

Track | Lerneinheit | Übung

			Titel
2	**4**	1	Wörter mit „r"
3	**4**	4	Hören Sie die Gespräche und sprechen Sie nach. *Gespräch 1*
4			*Gespräch 2*
5	**4**	5	Mir oder mich …?
6	**4**	8	Einladungsgespräche *Gespräch 1*
7			*Gespräch 2*
8	**9**	1	Michael ist wirklich richtig fleißig.
9	**9**	2	„Trinkst du gerne Apfelsaft?"
10	**9**	3	Wenn Maria kommt …
11	**9**	4	„Nimmst du?" – „Nimm doch."
12	**9**	6	„Haben Sie gewählt?"
13	**9**	7	„Ich möchte ein Bier."
14	**9**	8	„Die Rechnung bitte!"
15	**14**	1	Vokale – lang oder kurz?
16	**14**	2	Ein Haar liegt in der Suppe. *a.*
17			*b.*
18	**14**	3	Wölfe und Schafe *(Wölfe)*
19			*(Katzen)*
20	**14**	4	Der Clown fällt auf die Nase.
21	**14**	8	„Soll ich die Wohnung nehmen?"
22	**14**	9	Probleme mit der Wohnung
23	**19**	1	Ein schlauer Bauer …
24	**19**	2	Eine hübsche, kleine, weiche Puppe …

			Titel
25	**19**	3	Beim Pferderennen
26	**19**	4	Der große nasse Fisch …
27	**24**	1	Der Enkel singt, der Junge winkt.
28	**24**	2	Er winkt langsam.
29	**24**	3	Der Wagen ihres Vaters …
30	**24**	4	Er sitzt auf dem Boden des Bootes.
31	**24**	5	„Arbeitest du jetzt hier?"
32	**29**	1	Er saß. Er aß.
33	**29**	2	Sie saß auf dem Sofa.
34	**29**	3	Hören Sie und sprechen Sie nach. Achten Sie auf die Verben am Ende.
35	**29**	4	Wie heißen die Sätze?
36	**29**	5	Eine Szene am See
37	**29**	6	„Den Film fand ich wirklich spannend."
38	**29**	7	„Wie fandest du den Film?"
39	**34**	1	Der Mann liest den Brief.
40	**34**	2	Wie heißen die Sätze?
41	**34**	4	„Wo fahren wir denn im Urlaub hin?"
42	**34**	5	„Im Urlaub möchte ich irgendwohin, wo …"
43			Übungstest Hören Teil 1
44			Übungstest Hören Teil 2
45			Übungstest Hören Teil 3

Die CD enthält alle Hörtexte der Teile „Fokus Sprechen"
und des Übungstests. Gesamtlaufzeit: 45 Minuten

© Hueber Verlag, D-85737 Ismaning
Alle Rechte vorbehalten
Aufnahme und Produktion: Tonstudio Langer
Für die musikalische Beratung bei der Titelmusik bedanken wir
uns bei Dafydd Bullock, Luxemburg.

Sprecherinnen und Sprecher: Ulrike Arnold, Jakob Bohlmann,
Sabine Bohlmann, Maria Böhme, Andreas Borcherding, Ute Bronder,
Manfred Erdmann, Tanja Frehse, Karolin Guthke, Benedikt Gutjan,
Walter v. Hauff, Christoph Jablonka, Uta Kienemann, Harriet Kracht,
Crock Krumbiegel, Ruth Küllenberg, Hubertus v. Lerchenfeld,
Cecilia Lucio, Hans-Rainer Müller, Marcus Off, Thomas Rauscher,
Manuela Renard, Verena Rendtorff, Jakob Riedl, Manfred Schmidt,
Manuel Straube, Helga Trümper, Martin Umbach, Margit Weinert,
Angela Wiederhut und andere.